LES INFIRMIÈRES DE NOTRE-DAME

Catalogage avant publication de Bibliothèque et Archives nationales
du Québec et Bibliothèque et Archives Canada
Pion, Marylène, 1973-
Les infirmières de Notre-Dame
Sommaire : t. 3. Évelina.
ISBN 978-2-89585-266-7 (vol. 3)
I. Pion, Marylène, 1973- . Évelina. II. Titre. III. Titre : Évelina.
PS8631.I62I53 2013b   C843'.6   C2012-942617-2
PS9631.I62I53 2013b

© 2014 Les Éditeurs réunis (LÉR).

Les Éditeurs réunis bénéficient du soutien financier de la SODEC
et du Programme de crédit d'impôt du gouvernement du Québec.

Nous remercions le Conseil des Arts du Canada
de l'aide accordée à notre programme de publication.

Nous reconnaissons l'aide financière du gouvernement du Canada
par l'entremise du Fonds du livre du Canada pour nos activités d'édition.

Édition :
LES ÉDITEURS RÉUNIS
www.lesediteursreunis.com

Distribution au Canada :　　*Distribution en Europe :*
PROLOGUE　　　　　　　　DNM
www.prologue.ca　　　www.librairieduquebec.fr

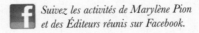

*Suivez les activités de Marylène Pion
et des Éditeurs réunis sur Facebook.*

Imprimé au Canada

Dépôt légal : 2014
Bibliothèque et Archives nationales du Québec
Bibliothèque nationale du Canada
Bibliothèque nationale de France

MARYLÈNE PION

LES INFIRMIÈRES DE NOTRE-DAME

★ ★ ★

Évelina

LES ÉDITEURS RÉUNIS

De la même auteure

Les infirmières de Notre-Dame – tome 1. Flavie, roman, Les Éditeurs réunis, 2013.

Les infirmières de Notre-Dame – tome 2. Simone, roman, Les Éditeurs réunis, 2013.

Flora, une femme parmi les Patriotes – tome 1. Les routes de la liberté, roman historique, Les Éditeurs réunis, 2011.

Flora, une femme parmi les Patriotes – tome 2. Les sacrifices de l'exil, roman historique, Les Éditeurs réunis, 2012.

À Nicole G., ma presque marraine.

1

Évelina, furieuse, lançait tous ses vêtements pêle-mêle dans sa valise. «Maudit que j'ai été naïve de croire encore une fois que les choses s'arrangeraient!» pensa-t-elle rageusement. Elle saisit son paquet de Sweet Caporal et s'alluma une cigarette. Elle exhala un nuage de fumée avant de se laisser tomber sur son lit. Essayant de retenir ses larmes, elle hocha la tête et se passa une main sur le visage. Une fois de plus, elle avait cru à la bonne volonté de sa mère et, une fois de plus, elle avait été déçue.

Si au moins Simone n'était pas partie pour Saint-Calixte! Évelina aurait eu besoin de sa présence rassurante et de son écoute attentive. Flavie était là, mais ce n'était pas la même chose. Simone faisait montre d'une sagesse exemplaire et, même si Évelina se moquait de cette dernière en l'appelant la «maîtresse d'école», elle aurait eu besoin de son amie pour calmer la colère qui montait en elle.

Évelina avait fait la connaissance de Flavie et de Simone lors de sa première année d'études à l'école d'infirmières de l'hôpital Notre-Dame. Les trois jeunes femmes provenant de milieux différents avaient fraternisé dès les premiers instants. Flavie, habitant La Prairie, avait quitté sa famille pour venir étudier à Montréal. Pour sa part, Simone avait délaissé une carrière d'enseignante pour entreprendre des études d'infirmière. Elle avait fui un fiancé qu'elle n'aimait pas, et surtout un oncle et une tante qui s'étaient occupés d'elle par obligation après la mort de ses parents.

Les trois jeunes femmes s'étaient rapidement liées d'amitié, partageant les bons et les moins bons moments. Flavie et Simone venant toutes deux de la campagne, Évelina avait pris plaisir à leur faire découvrir SA ville. Les études n'ayant jamais représenté sa plus grande force, Évelina avait reçu l'aide de Simone et de Flavie afin de se préparer pour les examens de fin d'année ; elle avait réussi avec brio ses deux premières années d'études en soins infirmiers. Les trois amies avaient même fait le pacte de terminer leur formation avant de songer au mariage, peu importe ce qu'il adviendrait et surtout, qui elles rencontreraient. Elles pouvaient compter sur leur amitié mutuelle pour surmonter les obstacles et les chagrins mis sur leur route.

Après les examens de juin à l'hôpital, Simone avait quitté la ville pour se rendre à Saint-Calixte où sa tante requérait ses soins. Elle était partie à contrecœur en promettant de revenir à temps pour le début des cours. Contrairement à son habitude de rentrer chez elle à La Prairie pour l'été, Flavie avait décidé de rester à Montréal. Elle avait confié à Évelina qu'elle souhaitait se rapprocher de son père, qui habitait Montréal. Sa mère lui avait toujours caché qu'Edmond Prévost, mort durant la Grande Guerre, n'était pas son père. Lors de sa première année d'études, Flavie avait appris que Victor Desaulniers, son parrain et un ami de la famille, était en fait son père biologique. En état de choc, la jeune femme s'était tournée vers ses amies pour accepter cette réalité.

Évelina et Flavie s'étaient donc portées volontaires pour travailler à l'hôpital durant la période estivale, le personnel étant toujours en demande à cette époque de l'année. Flavie voulait perfectionner ses techniques en passant l'été en compagnie des patients, tandis qu'Évelina s'était servie de cette excuse pour rester à la résidence. L'été s'était bien déroulé et les deux aspirantes infirmières avaient travaillé un peu plus qu'elles ne s'y étaient attendues. Évelina avait promis à Flavie de lui faire découvrir Montréal durant la belle saison, mais l'hôpital avait connu un achalandage record en cet été 1938. Les deux jeunes femmes n'avaient eu que très peu de loisirs, devant remplacer des infirmières en vacances. Quelques semaines avant le début officiel des cours, Flavie, épuisée, s'était confiée à Évelina: «J'ai vraiment besoin d'une pause. À ce train-là, je ne pourrai pas entreprendre l'année scolaire, c'est certain!» Évelina n'avait pu qu'approuver; elle-même en avait plus qu'assez des journées interminables et de la charge de travail gigantesque. Lorsque l'hospitalière en chef leur avait proposé de prendre quelques semaines de vacances, grâce à une accalmie et au retour au travail des infirmières diplômées, Flavie avait sauté sur l'occasion. Elle avait décidé d'aller se reposer chez Victor avant la rentrée.

Ursule Richer avait téléphoné à sa fille durant l'été à plusieurs reprises en insistant pour que celle-ci vienne passer chez elle les deux semaines de vacances auxquelles elle avait droit avant le début des classes. Évelina avait refusé en premier lieu. Qu'irait-elle faire chez sa mère de toute façon? Elles n'avaient jamais été proches l'une de l'autre. Puis, lorsque Flavie lui avait annoncé qu'elle partait quelques jours chez Victor, Évelina, ne voulant pas se retrouver à l'hôpital sans ses amies, avait téléphoné à sa mère pour accepter son offre. Simone n'était toujours pas rentrée de Saint-Calixte. Il était hors de question pour Évelina qu'elle passe deux semaines à s'ennuyer seule dans sa chambre à la résidence.

Cette dernière n'avait jamais connu réellement de vie de famille. Simone et Flavie comblaient ce besoin qu'elle avait toujours eu d'être entourée. Évelina préférait se tenir loin de sa mère; toutes deux étaient beaucoup trop différentes pour se comprendre. Madame Richer lui faisait parvenir une allocation substantielle tous les mois à l'hôpital et c'était le seul contact qu'Évelina acceptait. Cette dernière avait toujours détesté les différentes fêtes familiales et toute l'hypocrisie que celles-ci comportaient. À quoi bon célébrer Noël avec une mère qui avait préféré la placer dans un pensionnat pendant toute son enfance et son adolescence alors qu'elle aurait tellement eu besoin de cette présence maternelle? Son emploi du temps chargé des deux dernières années à cause de ses études en soins infirmiers avait souvent servi d'excuse pour éviter de rendre visite à sa mère.

Évelina avait toujours évité de parler de sa mère jusqu'à l'année dernière. Sans l'avouer ouvertement, elle avait toujours eu honte de la façon dont Ursule avait acquis sa fortune. Cette dernière avait été propriétaire de plusieurs maisons closes et de quelques cabarets dans le Red Light, ce haut lieu de la prostitution de la ville de Montréal. Même si elle avait vendu toutes ses maisons closes, madame Richer était encore présente pour «ses filles» bien qu'elle mène une vie paisible à Outremont. Et malgré son semblant de retraite, elle était encore une des personnes les plus influentes du Red Light. Évelina avait cru pendant longtemps qu'elle serait rejetée si ses amies apprenaient le passé sordide d'Ursule. Mais heureusement, Simone et Flavie n'avaient pas jugé sa mère.

Évelina ne voulait pas que sa mère fasse partie de sa vie, se contentant d'accepter le chèque mensuel que celle-ci lui envoyait. La jeune femme s'était tenue à cette résolution durant les dernières années, à l'exception d'un événement survenu hors de son contrôle. Simone était tombée enceinte et avait décidé de recourir à l'avortement. La malheureuse avait craint d'être obligée d'abandonner ses études, mais Évelina avait pris les choses en main; elle avait demandé l'aide de sa mère. Ursule Richer était la seule qui pouvait secourir son amie ; elle connaissait quelques avorteuses qui pratiquaient leur métier illégalement, certes, mais en prenant les plus grandes précautions.

Depuis qu'Évelina avait revu sa mère lors de cet événement, cette dernière l'avait contactée à plusieurs reprises pour se rapprocher d'elle. La jeune femme avait préféré garder ses distances. À cause de toutes les années passées loin de sa mère, Évelina ne croyait pas qu'elles pouvaient repartir sur des bases solides toutes les deux. Comment recréer ce qui n'avait jamais existé ? Évelina avait longtemps reproché à sa mère de s'être davantage occupée de « ses filles » au détriment de sa propre fille. Elle n'avait jamais manqué de rien ; elle avait fréquenté les meilleures écoles, avait suivi des cours de piano et pouvait s'offrir tous les vêtements qu'elle désirait. Mais l'absence de sa mère l'avait beaucoup affectée.

Encore surprise d'avoir accepté l'invitation de sa mère, Évelina avait donc préparé ses bagages. Ursule Richer avait accueilli sa fille comme il se devait, la priant de monter à l'étage pour s'installer. Une surprise attendait Évelina dans sa chambre : sa mère avait refait la décoration de la pièce. La jeune femme ne pouvait qu'approuver son choix, car elle adorait son nouvel espace. Les premiers jours s'étaient bien déroulés – la mère et la fille essayant de s'apprivoiser, chacune laissant un espace suffisant à l'autre. Ursule avait insisté pour qu'Évelina se repose des dernières semaines harassantes à l'hôpital. Celle-ci avait rapidement fait le plein d'énergie. Dormir le matin sans se faire réveiller par les religieuses, que demander de plus ?

Ursule s'efforçait de ne pas trop l'accaparer avec ses questions sur son travail à l'hôpital, sur ses amies, sur ses fréquentations avec les garçons. Évelina était d'une beauté remarquable, et Ursule ne doutait pas un seul instant que sa fille puisse briser des cœurs. Cette dernière observait sa mère en essayant de se convaincre que celle-ci avait probablement changé. Elle menait une vie rangée, buvait très peu et semblait entretenir des relations amicales avec les femmes du voisinage. Mais il n'en avait pas toujours été ainsi. Évelina ne comptait plus les fois où elle était rentrée du pensionnat et avait trouvé sa mère dans les bras d'un inconnu. Lorsqu'elle était plus jeune, elle avait eu l'espoir qu'un des hommes que sa mère fréquentait puisse être son père. Évelina questionnait sans cesse sa mère sur ses origines. Ursule restait vague à ce sujet en lui disant que son père les avait quittées, de nombreuses années auparavant. Évelina s'était résignée et avait abandonné l'idée de connaître un jour l'identité de son père. Les années avaient passé et elle avait appris à vivre sans une présence paternelle à ses côtés.

Malgré son scepticisme devant l'ardeur que mettait sa mère à lui faire plaisir, Évelina avait décidé de lui laisser une chance. Sachant à quel point sa fille adorait faire les boutiques, Ursule l'avait accompagnée dans cette activité. À sa grande satisfaction, Évelina avait renouvelé sa garde-robe au complet : chapeaux, robes, bas de soie, produits de maquillage et, bien entendu, quelques flacons de vernis à ongles – son péché mignon. La jeune femme n'aurait pu demander mieux comme vacances : toutes ses fantaisies avaient été comblées !

Évelina n'en revenait tout simplement pas de l'accueil de sa mère. « Peut-être après tout qu'elle a changé ? » Elle avait téléphoné à Flavie pour lui raconter à quel point elle passait de merveilleuses vacances et lui dire qu'elle espérait la revoir bientôt. Ursule voulait à tout prix organiser une *garden-party* en conviant des femmes de la haute société et leurs filles, et elle tenait mordicus à ce que la meilleure amie de son Évelina soit présente.

Ursule Richer avait fait les choses en règle en envoyant les invitations par la poste. Elle avait même fait paraître un article dans le journal *La Patrie* sous la rubrique «Mondanités» pour présenter sa fille à la bonne société montréalaise. Évelina ne tenait plus en place. La fête représenterait l'attraction de la journée dans la métropole! Elle était parvenue à croire à la sincérité de sa mère, qui souhaitait la présenter à toutes ses connaissances comme étant sa plus grande fierté: sa chère fille qui étudiait à l'hôpital Notre-Dame pour devenir infirmière!

* * *

Les préparatifs pour la *garden-party* allaient bon train. Madame Richer avait fait appel aux meilleurs traiteurs. Les plus grands vins seraient servis aux invités et elle avait même fait installer un chapiteau pouvant servir d'abri en cas de temps incertain. Évelina observait ce qui se passait par la fenêtre de sa chambre tout en complétant son maquillage et en terminant de s'habiller. Quelqu'un frappa discrètement à la porte et entra sans attendre la réponse.

Ursule s'extasia devant la beauté de sa fille:

— Tu es superbe, ma chérie! Si tu savais à quel point je suis fière de toi! J'ai tellement hâte de rencontrer Flavie. C'est bien dommage que Simone ne soit pas rentrée.

— J'essaie depuis plusieurs jours de la joindre, sans succès. Avant son départ, Simone a promis d'être de retour à temps pour le commencement des cours.

— Crois-tu qu'elle reviendra? Peut-être craint-elle la dernière année d'études? Il paraît que celle-ci exige beaucoup de travail.

— Pff! Tu ne connais pas Simone pour dire ça! Je ne la surnomme pas «la maîtresse d'école» pour rien!

Évelina faisait référence aux nombreuses heures que Simone consacrait à ses études. Elle jeta un œil à son reflet dans le miroir avant d'aller choisir dans son armoire la paire de chaussures qui s'agencerait le mieux avec sa robe de mousseline. Ursule aussi se mira quelques secondes dans la glace; elle replaça une mèche de cheveux derrière son oreille. Après avoir saisi le flacon de parfum sur la commode de sa fille, elle en huma le contenu avant de le remettre à sa place. Évelina observait le manège de sa mère. «Elle a quelque chose à me dire et elle ne sait pas par où commencer.»

Ursule se racla la gorge.

— Je suis vraiment très heureuse que tu sois venue passer quelques jours à la maison. Tu m'as beaucoup manqué au cours des dernières années, Évelina. Je suis aussi très fière de voir que tu achèves tes études pour être infirmière. J'ai cru que tu t'étais inscrite à l'hôpital Notre-Dame seulement pour me fuir…

Évelina réfléchit quelques instants. Sa mère n'avait pas tout à fait tort. Au début, en fait, Évelina était entrée à l'école d'infirmières pour cette raison et aussi dans le but de se trouver un mari médecin pour assurer son avenir. Sa recherche de l'homme idéal s'était avérée infructueuse. Certes, elle avait rencontré Marcel Jobin, médecin et professeur d'anatomie. Elle partageait de nombreux intérêts avec cet homme séduisant et adorable, mais malheureusement, ce dernier était marié à une dame patronnesse. Puis, après avoir fréquenté quelques semaines Bastien Couture, elle s'était rapidement rendu compte de leur incompatibilité de caractères. En plus d'être narcissique, le jeune homme était trop ambitieux; il visait à devenir chirurgien en chef de l'hôpital et, pour ce faire, il était prêt à tout. Bastien avait ensuite jeté son dévolu sur Simone. Leur brève histoire d'amour s'était conclue par un avortement.

Ensuite, Évelina était tombée amoureuse du nouveau pédiatre polonais, Wlodek Litwinski. Mais elle avait finalement appris que «monsieur» la trouvait trop extravertie pour lui et qu'il lui préférait Simone. Et puis, il y avait bien sûr Antoine, le frère de Flavie. Ce dernier était peut-être l'homme qu'elle cherchait, mais Évelina n'était pas certaine de vouloir passer sa vie sur une ferme – et jamais Antoine ne quitterait son cher La Prairie pour venir s'établir en ville. Sa vie sentimentale était loin d'être une réussite et Évelina commençait à craindre de finir vieille fille. «Vivement l'arrivée des nouveaux internes pour changer un peu l'ambiance de l'hôpital!» Évelina, qui se donnait encore une année pour trouver la perle rare, était forcée de constater qu'elle aimait de plus en plus le métier d'infirmière. Ce qui n'avait été qu'un exutoire au début apparaissait comme une future carrière intéressante. Elle abhorrait les soins d'hygiène aux patients – ou le «torchonnage», comme elle se plaisait à les appeler –, mais en dehors de cet aspect déplaisant du métier, le reste s'avérait fascinant.

Évelina, les yeux dans le vague, fixait sa mère sans trop l'écouter. Ursule hocha la tête et continua:

— Ce que je te disais avant que tu tombes dans la lune, c'est que je suis fière de toi et que je tiens à te présenter à mes amies et à leurs enfants. C'est pourquoi j'ai organisé cette petite réception. Tu y feras la connaissance de plusieurs personnes. La fille de mon amie Marie-Rose Meunier, qui étudie elle aussi à l'hôpital Notre-Dame, sera présente, entre autres.

Évelina écarquilla les yeux. La mère de Georgina Meunier était amie avec Ursule? Cette affreuse Georgina se moquait constamment d'elle et de Flavie et Simone, et elle prenait plaisir à les rabaisser et à rapporter la moindre de leurs erreurs à la religieuse responsable de leur groupe.

— Parles-tu de Georgina ?

— La connais-tu ?

— Un peu. Mais elle ne fait pas partie de mes intimes.

Ursule ne s'étendit pas sur la question. Elle continua d'énumérer les gens qui participeraient à cet événement auquel Évelina n'était plus certaine d'avoir envie d'assister. Elle conclut en lançant :

— Fedora viendra aussi, tu sais ! Elle veut absolument y être !

Évelina sourit. Il y avait tellement longtemps qu'elle ne l'avait vue ! Ursule, trop prise par ses «affaires», avait fait appel à une gouvernante lorsque Évelina était enfant. C'est ainsi que Fedora Campino, une Italienne, était arrivée dans la maison de la rue Dunlop et avait pris une grande place dans la vie d'Évelina. Fedora avait rapidement comblé l'absence de sa mère et avait toujours réconforté Évelina quand celle-ci en avait eu besoin. Fedora était restée célibataire et Évelina avait rempli le vide d'une maternité qu'elle n'avait pas eu la chance de connaître. Lors de ses dernières années d'études au pensionnat, Évelina avait un peu perdu de vue la femme. Elle lui avait rendu visite à quelques reprises, dans le quartier italien, mais il y avait au moins quatre bonnes années qu'elle n'avait pas eu de ses nouvelles. La présence de son ancienne gouvernante lui apporta un peu de joie. Et Flavie serait là aussi. Il ne manquerait que Simone à son bonheur.

* * *

De lourds nuages assombrissaient un peu la fête, mais Ursule contemplait fièrement le chapiteau qu'elle avait fait installer ; si l'orage éclatait, ses invités seraient à l'abri. D'ailleurs, il manquait un convive à sa petite réception et elle désespérait de le voir arriver. Sa fille ne pourrait que louanger son choix. Elle lui offrait sur un plateau d'argent une vie paisible sans avoir à travailler. Ursule ne méprisait pas le métier d'infirmière, loin de là, mais elle souhaitait vraiment que sa fille n'ait jamais de soucis d'argent. Dans sa jeunesse, elle-même avait beaucoup souffert de la pauvreté ; c'est pourquoi elle avait dû recourir à des moyens peu orthodoxes pour survivre. Ursule jeta un regard en direction d'Évelina qui discutait un peu plus loin avec son amie Flavie. Cette dernière lui avait plu sur-le-champ. Flavie était polie, enjouée ; elle était manifestement une jeune fille de bonne famille. Évelina avait su bien s'entourer à l'école. Simone lui avait également fait bonne impression lorsqu'elle l'avait rencontrée, l'année précédente. Certes, à la demande d'Évelina, Ursule avait dû recourir à madame Dubuc, une « faiseuse d'anges » en qui elle avait confiance, pour aider Simone à se sortir du pétrin. Celle-ci n'était pas la première à se faire avoir par un beau parleur, et cela ne faisait pas d'elle une mauvaise fille pour autant.

Évelina jeta un coup d'œil à sa mère qui contemplait ses invités. Elle pouvait lire sur les traits d'Ursule la fierté d'une fête réussie. En voyant les nuages s'amonceler pour cacher les derniers rayons de soleil, Évelina souhaita que la pluie ne vienne pas gâcher la petite fête. Flavie se tenait près d'elle et savourait lentement un verre de limonade. Quand Évelina avait vu Flavie, elle n'avait pu s'empêcher de lui sauter au cou. Il s'était écoulé plusieurs jours sans qu'elles se voient, et son amie lui avait manqué. Évelina lui avait fait visiter la maison tout en prenant des nouvelles de Victor.

— Il va bien. Il est tellement heureux que je séjourne chez lui pour les vacances. Tous les deux, nous apprenons à mieux nous connaître. As-tu eu des nouvelles de Simone ?

— Non. J'ai essayé de l'appeler à plusieurs reprises, mais sans succès. Je ne lui ai parlé qu'une fois depuis le début de l'été. Elle est certaine que sa tante ne se rendra pas à l'automne, car le cancer la ronge. C'est un peu bête ce que je vais dire, mais j'espère qu'elle ne souffrira pas trop longtemps et que Simone reviendra bientôt. Elle me manque, « la maîtresse d'école » !

Fedora venait en direction d'Évelina. Cette dernière lui fit signe de se joindre à son amie et elle. La jeune femme fit ensuite les présentations et ajouta :

— Fedora faisait les meilleurs spaghettis de tout Montréal et elle racontait les histoires comme personne. J'ai eu beaucoup de chance que ma mère vous engage comme gouvernante.

— Tu étais une petite fille tellement mignonne, *bella*. Un peu capricieuse, mais vraiment adorable !

— Capricieuse, toi, Évelina ? se moqua Flavie. J'ai peine à y croire !

Évelina lui fit un clin d'œil. Georgina s'approchait avec un verre de champagne à la main. Fedora embrassa Évelina sur le front avant de se diriger vers Ursule qui discutait un peu plus loin avec l'un des invités.

— Je peux me joindre à vous, les filles ? s'enquit Georgina.

— Si tu veux, répondit Évelina.

— Votre trio est incomplet, à ce que je constate.

— Tu sais très bien où se trouve Simone.

— J'espère qu'elle reviendra à temps. Ce serait trop triste qu'elle manque le début de l'année scolaire.

Évelina haussa les épaules. Elle doutait de la sincérité de Georgina. Voulant mettre fin à la conversation, elle demanda à cette dernière :

— Comment va Bastien ? Toujours aussi occupé par son travail de chirurgien ?

— À qui le dis-tu ! Ce n'est pas toujours évident d'être la fiancée d'un médecin ambitieux. Tu en sais quelque chose, n'est-ce pas, Flavie ?

En guise de réponse, Flavie serra les mâchoires. Elle avait fréquenté pendant plus d'un an Clément, un collègue de Bastien. Clément était trop pris par son travail et avait négligé sa relation avec elle. Puis, il avait perdu un patient auquel Flavie tenait beaucoup. Cet événement malheureux avait été la goutte qui avait fait déborder le vase. La jeune fille lui en avait voulu pendant un certain temps et avait décidé de mettre fin à cette relation qui n'allait nulle part. Devant son silence, Georgina poursuivit :

— Vous êtes au courant, les filles ? Le service de chirurgie sera remanié cette année. Le docteur Talbot, le chirurgien en chef, prend sa retraite et Bastien aspire à le remplacer. La lutte sera serrée entre Clément et Bastien, les deux meilleurs élèves de leur promotion. Mais mon Bastien a une longueur d'avance, je crois.

— On verra bien, marmonna Flavie, exaspérée par les propos de Georgina et souhaitant sincèrement que Clément réussisse au détriment de Bastien.

Georgina ne releva pas le commentaire de Flavie. Elle continua sur un ton enthousiaste :

— C'est vraiment trop chouette, les filles, de vous voir en dehors de l'hôpital ! On devrait s'organiser une sortie à notre retour à l'école. Je suis certaine qu'on aurait du plaisir ensemble. Je sais qu'on n'a pas toujours été en bons termes, mais on pourrait passer l'éponge, non ? Et puis, nos mères sont amies, Évelina ; on devrait prendre exemple sur elles. N'est-ce pas, les filles ?

Évelina n'en pouvait plus des jacasseries de Georgina et de son expression « les filles ».

— Veux-tu bien nous arrêter ça tout de suite, Georgina ! Tu nous as fait suer pendant deux ans à l'école, et là, tu voudrais qu'on oublie tout et qu'on devienne amies ? Dans tes rêves, oui ! Ce n'est pas parce que nos mères sont amies que nous le deviendrons aussi. Flavie et moi, nous discutions de choses vraiment intéressantes avant que tu nous importunes. Alors, si ça ne te dérange pas, nous allons poursuivre notre conversation.

Puis, Évelina prit Flavie par le bras et l'entraîna un peu plus loin. Tournant la tête, elle vit que sa mère discutait avec un homme qu'elle ne connaissait pas. Ursule lui fit signe de venir la rejoindre.

— Laisse-moi te présenter à mon invité, Évelina. Voici Celio. Il est le fils de mon bon ami Augusto, le frère de Fedora. Je lui ai tellement parlé de toi !

Évelina observa le jeune homme un peu plus âgé qu'elle, plus petit aussi et rondelet, aux cheveux et aux yeux noirs. Il portait un costume trois-pièces à la dernière mode, gris perle avec de fines rayures noires, et un chapeau Borsalino de la même nuance de gris. «On dirait une imitation bon marché d'Al Capone!» L'air un peu arrogant, il la détailla des pieds à la tête. Évelina fit de même et soutint ensuite son regard pour qu'il comprenne que sa façon de l'observer lui déplaisait. Il la fixa plusieurs secondes avant de lui faire le baise-main. Évelina retint un fou rire.

— Votre mère m'a vanté votre beauté et je dois avouer qu'elle n'avait pas tort. Vous êtes stupéfiante, Évelina! Je vous laisse quelques instants avec votre mère, car je veux aller saluer ma tante. Mais promettez-moi de me garder du temps. Je rêve de faire plus ample connaissance avec vous.

Celio tourna les talons. Évelina le regarda s'éloigner avec un sourire amusé. Il avait voulu user de ses charmes, mais malheureusement, il n'avait pas réussi à la convaincre. Flavie, qui n'avait rien perdu du jeu de séduction du jeune homme, contenait à grand-peine son envie de rire.

Évelina s'adressa à sa mère:

— Quel drôle de numéro, ce type-là!

— Ce type, comme tu dis, est très fortuné. Et figure-toi donc, ma chère fille, qu'il est ton futur mari!

* * *

L'orage grondait. Georgina s'était éclipsée, prétextant un mal de tête. Les quelques invités qui restaient venaient de décider de rentrer chez eux – à l'exception de Flavie, Fedora et du fameux Celio. Ursule avait insisté pour les garder à souper. Évelina avait failli s'étouffer quand sa mère lui avait dit qu'elle envisageait Celio comme futur gendre. De quel droit sa mère voulait-elle lui imposer un mariage arrangé? On n'était plus au Moyen Âge, quand même! Les filles de 1938 avaient le droit de choisir elles-mêmes leur époux!

Au moment de passer à table, Ursule, en bonne maîtresse de maison, indiqua sa place à chacun de ses convives. Celio obtint la chaise capitaine à un bout de la table d'acajou, et Évelina s'assit à sa gauche. Cette dernière songea que sa mère avait donné à l'invité la place de l'homme de la maison; cette pensée aviva son ressentiment. Tout chez cet homme lui déplaisait. Il se mit à raconter à Flavie et elle son récent voyage en Italie pour ses affaires d'importation. Flavie, qui essayait de se montrer polie, suivait ses propos en émettant un «hum hum» de temps en temps. Évelina écoutait Celio distraitement; elle le trouvait prétentieux et égocentrique. Il lui rappelait tellement Bastien, mais avec un accent italien. Il ne cessait de parler de ses affaires, des pays qu'il avait visités. Son air arrogant et suffisant quand il s'adressait à elle l'irritait tellement qu'Évelina ne put s'empêcher de pousser un soupir – ce qu'il remarqua.

— Je dois vous ennuyer, mademoiselle Évelina, avec toutes mes histoires, je suppose?

— Vous semblez prendre tant de plaisir à raconter votre vie, Celio, que je n'ose vous interrompre!

— Avez-vous voyagé, Évelina?

— De pensionnat en pensionnat seulement.

Évelina s'était tournée en direction de sa mère; elle espérait que celle-ci l'avait entendue. Cependant, Ursule était beaucoup trop occupée à couper sa côtelette d'agneau et à discuter avec Fedora. Celio ne releva pas le commentaire d'Évelina. Après avoir pris une gorgée de vin, il s'enquit:

— Et vous, mademoiselle Flavie, avez-vous voyagé?

— Très peu, monsieur. Je viens de la campagne. Le plus loin où je suis allée est à Québec, une fois, pour visiter une exposition agricole avec mon frère.

— Intéressant.

Celio s'attaqua lui aussi à sa côtelette. Évelina but un peu de vin pour se calmer. « Il est tellement imbu de lui-même, celui-là. Il fait comme si nos propos l'intéressaient, mais il n'en est rien. »

— Parlez-moi donc de vos cours à l'hôpital Notre-Dame. Votre chère mère m'a dit que vous y étudiez ?

— Effectivement !

— J'imagine que vous souhaitez terminer vos études avant le mariage, Évelina ?

Celle-ci avala de travers et se mit à tousser. Flavie, assise à côté d'elle, vint à son secours en lui tendant un verre d'eau. Encore une fois, Celio ne réagit pas et continua sur sa lancée.

— Il est bien évident qu'avec ma fortune, vous n'aurez pas besoin de travailler. De toute façon, il est très mal vu qu'une épouse travaille dans ma famille.

— Dans ma famille, c'est différent, monsieur Campino. Vous devez savoir que ma mère a travaillé toute sa vie. Elle et moi, nous sommes habituées de nous débrouiller seules.

Évelina parvenait de plus en plus difficilement à garder son calme. Flavie voyait bien à quel point son amie était énervée. Voulant détendre l'atmosphère, elle demanda naïvement :

— Vous parlez de vos affaires d'importation depuis tout à l'heure, monsieur Campino, mais vous importez quoi au juste ?

— Ah mais, toutes sortes de choses, mademoiselle! Des produits de beauté, des parfums, des chaussures, de l'huile d'olive, des vins raffinés et même des fromages.

— Vous êtes un genre de marchand ambulant, si je peux dire?

— Non, pas vraiment, répondit Celio, l'air offusqué. J'importe et nous avons nos distributeurs. J'ai repris l'affaire familiale. Mon père a pris sa retraite il y a quelques années. Je m'occupe de son commerce quand je suis à Montréal. Je trouve que c'est important qu'un enfant reprenne ce que ses parents ont bâti.

— Pour ma part, je ne compte pas reprendre «l'affaire familiale» de ma mère, répliqua Évelina d'un ton ironique.

Celio lui sourit, laissant voir une canine en or.

— Il y a certaines affaires qu'on ne peut pas reprendre de génération en génération, c'est certain, émit-il.

Puis, il se tourna vers Flavie.

— Dans quel domaine votre famille évolue-t-elle, Flavie?

— Dans les produits laitiers, monsieur Campino.

— Intéressant…

Évelina se mordit les joues. Le frère de Flavie possédait une ferme laitière et était fromager à ses heures. Celio avait de toute évidence posé la question beaucoup plus par politesse que par intérêt. Il fit signe à une des domestiques de remplir son verre de vin. Il prit une bouchée de pommes de terre Duchesse, puis il enfourna un morceau de côtelette. La bouche pleine, il s'adressa à Évelina:

— C'est délicieux ! J'étais affamé !

Évelina évita de peu un morceau de nourriture postillonné par Celio. Voir celui-ci s'empiffrer lui soulevait le cœur. Avec son plus beau sourire, elle lui dit :

— Vous êtes si affamé, monsieur, que vous en oubliez les bonnes manières !

— Pardonnez-moi ! Nous sommes tous de bons mangeurs dans la famille. Les plats de résistance ne «résistent» pas beaucoup à notre table !

Flavie ne put retenir son fou rire. Évelina lui jeta un regard froid. Flavie toussota et prit une gorgée de vin. Celio s'essuya la bouche avec le coin de sa serviette et s'informa auprès d'Évelina :

— C'est mieux ainsi ?

La jeune femme ne répondit pas. Le repas s'éternisait et elle était impatiente de pouvoir dire à sa mère ce qu'elle pensait de ce fameux Celio. Quel prénom en plus ! Ses manières à table l'exaspéraient, et tout ce qu'il racontait pour se montrer intéressant l'horripilait. Évelina ferma les yeux quelques secondes dans l'espoir que Celio cesserait son bavardage ennuyant. Mais c'était beaucoup trop espérer de ce personnage.

— Vous saviez que votre mère et mon père sont des amis de longue date ?

Excédée par cette conversation qui tournait en rond, Évelina demanda d'une voix suffisamment forte pour attirer l'attention :

— Votre père fréquentait les bordels de ma mère ?

Ursule entendit le commentaire d'Évelina. D'un ton autoritaire, elle lança à sa fille :

— Évelina ! Que dis-tu là ? Excuse-toi immédiatement à Celio qui s'est montré aimable avec toi.

— Aimable ? Il me postillonne dessus et ne cesse de me parler de ses affaires prétendument intéressantes sans se rendre compte à quel point il m'ennuie !

Voulant calmer les ardeurs d'Évelina et surtout rester dans les bonnes grâces de l'hôtesse, Celio fixa Évelina tout en parlant à Ursule d'un ton enjôleur.

— Ce n'est pas grave, Ursule. Ne vous en faites pas, car ce commentaire désobligeant ne me dérange pas. Tante Fedora m'a dit à quel point Évelina avait du caractère ; il se trouve que j'adore ce type de femme ! Nous devrions bien nous entendre, votre fille et moi ! Je respecte l'opinion de ma future épouse sans problème !

En entendant les mots « future épouse », Évelina éclata. Elle lança son verre de vin encore plein au visage de Celio. La jeune femme s'adressa ensuite à sa mère, qui s'était levée de table, et à Celio, qui épongeait son costume gris perle avec sa serviette de table. Elle déclara avec rage :

— Vous pouvez oublier immédiatement ces fiançailles-là ! Jamais je ne me marierai !

Évelina quitta la salle à manger précipitamment. Mal à l'aise, Flavie la suivit des yeux, puis croisa le regard d'Ursule. Elle s'excusa avant de quitter la table, puis elle partit à la recherche d'Évelina.

* * *

— Ils m'ont poussée à bout tous les deux. Sa future épouse, franchement ! Comme si j'avais dit oui ! Ma mère a décidé de tout régenter. Un bon parti, lui ? Qu'est-ce qu'elle en sait ? Celio ! Qui peut bien donner un tel prénom à son fils, d'ailleurs ?

— Tu as peut-être réagi un peu trop fort, Évelina, en lui lançant ton verre de vin au visage, commenta Flavie.

Évelina, qui faisait les cent pas dans sa chambre, s'immobilisa. Elle éclata de rire au souvenir du visage surpris de Celio lorsqu'il avait reçu le contenu de son verre.

— Je lui ai permis de sauver du temps ! Tu as vu à quelle vitesse il se gavait ? Il faisait un peu moins son paon avec son costume imbibé de Merlot !

— Quand même, Évelina ! s'exclama Flavie en se retenant de rire.

— Me vois-tu vraiment avec cet homme, Flavie ? Il est d'un tel ennui ! Je n'en reviens pas que ma mère ait arrangé ce mariage !

— C'est un peu absurde, j'en conviens.

On frappa à la porte de la chambre. Flavie voulut aller ouvrir, mais Évelina lui fit signe de ne pas bouger. Ursule entra sans attendre la réponse de sa fille. Flavie décida qu'il était temps pour elle de se retirer. Avant son départ, elle remercia Ursule de son invitation et promit à Évelina de lui téléphoner le lendemain.

Ursule, les mains sur les hanches, attendait une explication de sa fille.

— Tu ne peux pas m'obliger à marier cet homme, quand même !

— Celio possède une fortune considérable qui te mettrait à l'abri du besoin, Évelina. Il est un bon parti.

— Un bon parti? Je peux très bien me débrouiller seule. D'ailleurs, c'est ce que j'ai fait jusqu'à présent!

— Dois-je te rappeler que je t'envoie une enveloppe tous les mois, Évelina? Ce n'est pas avec ton petit salaire d'infirmière que tu pourrais subvenir à tes besoins. Je connais bien la famille de Celio. Et puis, tu adores Fedora, sa tante. Celio fait déjà partie de la famille.

— J'aime beaucoup Fedora, oui, mais je n'ai vraiment pas envie de le connaître, lui. Tu ne peux pas m'imposer ce mariage.

— Sois raisonnable, Évelina!

— Raisonnable! J'ai essayé de l'être quand je ne te voyais pas lors de mes congés du pensionnat. Tu n'as jamais été là quand j'avais besoin de toi, maman, et maintenant tu voudrais t'immiscer dans ma vie! Continue donc de faire comme d'habitude, c'est-à-dire de t'occuper de tes affaires au lieu de veiller sur moi. Je peux très bien m'arranger toute seule.

— J'ai fait mon possible, Évelina. Je t'ai trouvé la meilleure gouvernante, les pensionnats les plus réputés…

— Ça ne remplace pas une mère.

Évelina tourna le dos à Ursule. « Il est hors de question qu'elle me voie pleurer! » se dit-elle en ravalant ses larmes. La jeune femme saisit sa valise rangée dans le fond d'une armoire et l'ouvrit sur son lit.

— Qu'est-ce que tu fais? demanda Ursule.

— Je refuse catégoriquement de me marier avec Celio ! J'aurais dû me douter que tes gentillesses cachaient quelque chose ! Eh bien, tu peux tout annuler ! Il n'y aura pas de mariage et je retourne à l'hôpital dès ce soir !

— Attends un peu, Évelina, voyons ! On peut discuter, tu sais. Tout ce que je veux, c'est que tu n'aies pas à te soucier de l'argent plus tard.

— Je ne m'inquiète pas à ce sujet, ma chère mère. Et je n'ai pas besoin de ton argent de poche. Je peux très bien me débrouiller seule !

Ursule abdiqua. Sa fille était en colère et elle ne pourrait rien en tirer ce soir-là. En hochant la tête en signe de capitulation, elle déclara :

— Fais comme tu voudras, Évelina.

— C'est bien mon intention !

Ursule sortit de la chambre sans rien ajouter.

* * *

Évelina parcourait des yeux le contenu de sa valise. Tout y était à l'exception des vêtements que sa mère lui avait offerts. Les nouvelles robes étaient toujours suspendues dans l'armoire. « Qu'elle les garde, ses maudites guenilles ! » marmonna-t-elle rageusement. Avec les années, Évelina avait appris que sa mère ne faisait jamais de cadeaux sans attendre quelque chose en retour. Ursule avait été accueillante comme elle l'avait rarement été dans le passé, alors la jeune femme aurait dû se méfier. « Elle n'avait qu'une idée et c'était de me caser avec Celio ! »

Évelina boucla sa valise. Ensuite, elle regarda sa chambre pendant quelques secondes. Elle aurait souhaité que sa mère la retienne, la supplie de rester. Qu'elle annule le mariage avec Celio et qu'elle la prie d'oublier toute cette histoire. Mais Ursule s'était contentée de lui dire de faire comme elle voulait. Eh bien, qu'il en soit ainsi! Essuyant une larme qui s'était faufilée jusqu'au coin de son œil, Évelina sortit de sa chambre la valise à la main en se promettant de ne jamais plus remettre les pieds dans cette maison.

2

É velina regagna la résidence des infirmières le soir de la
fameuse *garden-party* organisée par sa mère. En voyant sa
fille prête à partir, valise à la main, Ursule avait proposé que son
chauffeur la raccompagne, mais Évelina avait refusé catégoriquement. Après avoir téléphoné à la compagnie de taxi, cette
dernière était sortie sur le perron, à l'abri de la pluie, pour
attendre la voiture. Sa mère l'avait priée d'attendre à l'intérieur, mais Évelina n'avait rien voulu entendre. Elle refusait de
rester dans la maison de sa mère une minute de plus.

Évelina avait espéré que Simone serait revenue de Saint-
Calixte. Mais en pénétrant dans la chambre déserte de
la résidence, elle dut se rendre à l'évidence : elle passerait
quelques jours seule en attendant le retour de Flavie ou l'arrivée de Simone. La jeune femme défit sa valise en réfléchissant
aux robes que sa mère lui avait achetées et qu'elle avait volontairement laissées chez Ursule. Elle eut un pincement au cœur.
« Des vêtements neufs ! Qu'est-ce que j'ai pensé ? J'aurais dû
les garder. De toute façon, ma mère ne saura qu'en faire ! »

Après avoir terminé sa tâche, Évelina parcourut des yeux la
pièce vide. Depuis son plus jeune âge, elle craignait la solitude ;
c'est pourquoi elle recherchait toujours la compagnie de ses
pairs. Il était beaucoup trop tôt pour se mettre au lit. Elle
décida de se rendre à la salle de repos. Quelques consœurs
s'y trouvaient. Certaines, rivées au poste de radio, écoutaient
un roman-feuilleton tandis que d'autres jouaient aux cartes
à une table du fond. Évelina fixa le piano pendant quelques
secondes, se demandant si elle avait envie de jouer pour passer

le temps. Mais elle était beaucoup trop lasse pour entreprendre une telle action. Après avoir observé les étudiantes qui se
trouvaient dans la salle de repos, Évelina hocha la tête et sortit,
ne trouvant pas son compte avec elles. Elle arpenta les couloirs
en espérant croiser une connaissance. «Simone se rabattrait
sur la bibliothèque, c'est sûr, mais je ne suis pas désespérée à ce
point!» songea-t-elle en passant devant la pièce où Simone et
Flavie se réfugiaient pour étudier.

Évelina parcourut les différents services de l'hôpital.
La propreté des lieux lui rappelait le pensionnat. Dès son
arrivée à l'hôpital, deux ans plus tôt, la jeune femme avait
été frappée par la luminosité de l'endroit. De nombreuses
fenêtres laissaient pénétrer la lumière naturelle à l'intérieur
du bâtiment. Du linoléum recouvrait le plancher des couloirs
dans le but d'assourdir les pas et de préserver la quiétude des
patients alités. Évelina n'entendit pas que quelqu'un tentait
de la rattraper; elle sursauta lorsqu'une main lui empoigna
le bras. Se retournant rapidement, elle poussa un soupir en
apercevant le docteur Jobin devant elle.

— Ouf! Tu m'as fait peur!

— Je viens de terminer mes visites de patients. Ça te dirait
d'aller prendre un café quelque part? J'ai encore un peu de
temps devant moi avant de rentrer à la maison.

— Bah! Ta femme doit t'attendre, non?

— Joséphine sait que je travaille tard ce soir. Allez! Dis oui!

N'ayant rien de mieux à faire, Évelina accepta. Elle suivit
en silence Marcel tout en se demandant si elle avait pris la
bonne décision. Ils avaient été amants durant les deux dernières années, s'étaient quittés, avaient repris… Évelina avait

essayé de prendre ses distances plusieurs fois durant l'été. Cette espèce de contredanse amoureuse commençait à l'agacer, et elle n'était plus certaine de vouloir poursuivre sa relation avec le médecin. Elle commençait à en avoir assez de jouer les seconds violons. Durant la dernière année, Marcel lui avait fait faux bond à quelques reprises, trop pris par son travail et sa vie familiale.

Ils marchèrent en silence jusqu'à la rue Ontario. La pluie avait cessé et l'air sentait le bitume mouillé. «L'odeur de la ville!» pensa Évelina en respirant à pleins poumons. Flavie et Simone avaient beaucoup de difficulté à tolérer cette odeur, préférant les effluves de la campagne qu'Évelina avait, quant à elle, du mal à supporter. Marcel poussa la porte du premier café que le couple croisa. Après avoir vérifié qu'aucune de ses connaissances ne s'y trouvait, il invita Évelina à entrer dans le commerce. Cette dernière était habituée à ce genre de précautions, comprenant qu'il était important de ne pas ébruiter leur relation. Évelina et Marcel s'installèrent à une table, puis celui-ci commanda deux cafés au serveur. Le médecin prit ensuite la main de la jeune femme dans la sienne.

— Je croyais que tu devais séjourner encore quelques jours chez ta mère?

— Disons que les choses ne se sont pas passées comme je l'aurais voulu. J'ai décidé de rentrer plus tôt. Je compte me rendre au poste de garde demain matin pour annoncer que je suis disponible pour travailler, question de m'occuper avant la reprise des cours.

— C'est dommage parce que tu semblais heureuse de prendre des vacances, la dernière fois que je t'ai vue. Mais je suis content de te retrouver à l'hôpital. Tu m'as manqué.

— Ah oui ?

Marcel retira sa main.

— Tu doutes de ma parole, Évelina ?

— Eh bien, parfois oui, Marcel. Avec tes horaires de fou à l'hôpital et le temps que tu passes avec ta femme, il ne reste que des miettes pour moi.

— Je sais que c'est compliqué comme situation, Évelina. Mais tu savais dès le début qu'il ne pourrait en être autrement.

Évelina haussa les épaules. Simone lui faisait le même genre de réflexions quand elle lui confiait à quel point il lui était difficile de passer en second plan.

— Je le savais en effet, Marcel. Mais avant, tu réussissais à trouver du temps pour qu'on se voie. Maintenant, c'est plutôt rare qu'on se retrouve tous les deux.

— Je suis désolé, Évelina. Tu me manques vraiment et je te promets d'essayer de te consacrer un peu plus de temps.

Le serveur déposa deux cafés fumants devant eux. Évelina mit du sucre et du lait dans le sien. Quand Marcel consulta furtivement sa montre, son geste n'échappa pas à Évelina.

— Tu vois ! Tu fais toujours ça, Marcel : tu regardes fréquemment ta montre. Notre temps est toujours compté à la seconde près. Mais peut-être fais-tu la même chose avec ta femme ?

L'air triste, Marcel murmura :

— Pourtant, Évelina, nous sommes bien ensemble, tous les deux. Je pensais que notre relation te convenait ?

— Je ne sais plus trop ce qui me convient, Marcel. Je suis d'accord quand tu dis que nous passons de bons moments ensemble, mais je déteste que le temps que je passe avec toi soit régenté. Le couvre-feu à surveiller, ta femme qui pourrait se poser des questions sur ton retard, les horaires à respecter… J'ignore où j'en suis, Marcel.

Évelina n'aurait jamais cru qu'elle se lasserait de jouer le rôle de la maîtresse. Jusqu'alors, la jeune femme s'était contentée d'une petite part du cœur de Marcel, mais elle venait de prendre conscience qu'elle en voulait un peu plus. Terminant son café, elle jeta un œil sur l'horloge située au fond du restaurant.

— Je vais devoir rentrer si je veux respecter le couvre-feu. Il n'y a personne dans ma chambre pour justifier mon absence.

— Si tu savais comme j'aimerais t'emmener ailleurs qu'ici et passer la nuit avec toi…

— Mais tu as toi aussi un couvre-feu : ta femme t'attend !

Évelina embrassa Marcel avant de quitter le restaurant. Ce dernier la suivit des yeux par la fenêtre jusqu'à ce qu'elle disparaisse de l'autre côté de la rue.

* * *

Évelina avait reçu son emploi du temps pour les jours suivants. Elle remplacerait quelques infirmières encore en vacances, dans différents services. Ce matin-là, elle travaillerait à la pharmacie. Les religieuses étaient responsables de la préparation des ordonnances destinées aux patients. Évelina avait reçu le mandat de dresser l'inventaire des médicaments garnissant les étagères. Cela tombait bien, puisqu'elle n'avait pas la tête à prodiguer des soins aux patients. Elle avait mal dormi la veille, ressassant le cas de Celio dans son esprit. Elle n'en revenait toujours pas que sa mère ait voulu la marier à cet homme.

La religieuse responsable de la pharmacie lui avait remis un formulaire sur lequel elle devait inscrire le nom des médicaments ainsi que la quantité de chacun. La tâche n'était pas très complexe pour qui savait compter. Les religieuses conservaient précieusement le registre de tous les médicaments. Évelina devait simplement s'assurer que le compte était bon. Elle devait vider chacun des flacons sur un plateau, compter les comprimés à l'aide d'un bâtonnet et remettre le tout dans le flacon en vérifiant dans le registre si le résultat était le même. La tâche aurait pu paraître monotone, mais Évelina ne s'en formalisait pas. Elle préférait de beaucoup compter des pilules au lieu de s'occuper de la toilette des patients alités.

Concentrée sur sa tâche, Évelina n'entendit pas une voix familière prononcer son nom. Levant les yeux, elle sursauta en se retrouvant nez à nez avec Flavie.

— Ah! Tu m'as fait peur! Je comptais consciencieusement mes petites pilules roses.

— Je vois bien ça! Quand j'ai téléphoné à ta mère ce matin, elle m'a appris que tu étais revenue à l'hôpital hier. J'ai cru comprendre que votre discussion avait mal tourné après mon départ.

— Bof! J'ai préféré partir. On ne s'entend pas toutes les deux et il n'y a rien à faire.

— Ta mère paraissait désolée de ton départ.

— Ah bon? Elle n'a rien fait pour me retenir, pourtant. Quoi qu'il en soit, j'espère qu'elle a compris qu'en aucun cas, je ne deviendrai madame Campino. Qu'est-ce que tu viens faire ici?

Évelina alla ranger le flacon et en saisit un autre avant de retourner s'asseoir à la table devant laquelle elle travaillait. Flavie attendit que sa compagne se réinstalle à son poste avant de répondre.

— Comme je te l'ai dit, après avoir su que tu étais de retour ici, j'ai préféré venir te voir en personne plutôt que de te téléphoner. Je t'ai cherchée partout dans l'hôpital. Je suis même allée à la bibliothèque.

— C'est bien le dernier endroit où tu aurais pu me trouver, franchement!

— Je sais bien. Mais comme je ne te trouvais pas, j'ai pensé que tu aurais pu t'y réfugier parce que tu t'ennuyais trop de nous!

Elle fit un clin d'œil à Évelina. Cette dernière lui sourit avant de reprendre son travail. Flavie laissa son amie terminer celui-ci avant de poursuivre :

— En fait, Victor voulait t'inviter pour le souper. Ma mère, mon frère et ma grand-mère sont en ville pour une journée. Ils m'ont fait la surprise hier soir. Antoine a demandé au voisin de s'occuper de ses animaux pendant quelques jours.

À la mention du nom d'Antoine, Évelina leva un sourcil en signe d'intérêt. Elle avait vu le frère de Flavie à plusieurs occasions et le jeune homme ne la laissait pas indifférente. Au printemps dernier, lors des vacances de Pâques, Évelina avait presque succombé au bel Antoine dans la grange. Elle avait un peu agi sous l'effet de la colère ; elle venait tout juste d'apprendre que le médecin auquel elle s'intéressait, Wlodek Litwinski, lui préférait Simone. Elle avait alors jeté son dévolu sur Antoine. Flavie l'avait mise en garde à plusieurs reprises :

il était hors de question qu'Évelina s'amuse aux dépens de son frère. Celle-ci avait toujours respecté les recommandations de son amie, à l'exception de cette soirée où elle s'était disputée avec Simone. Évelina et Antoine n'étaient pas allés jusqu'au bout, mais les baisers et les caresses du jeune homme avaient presque eu raison des bonnes résolutions d'Évelina à l'égard de Flavie.

Évelina vida le contenu d'un flacon dans le plateau, essayant de ne pas montrer trop d'intérêt aux propos de son amie.

— Bah! Je ne sais pas trop, Flavie. J'ai du travail. Je dois terminer l'inventaire aujourd'hui.

— Voyons donc! Tu préfères travailler plutôt que de venir souper chez Victor? On aura tout vu!

— Je préfère vous laisser en famille.

— À d'autres qu'à moi, Évelina Richer! Je te connais assez pour savoir que tu meurs d'envie de te joindre à nous. En tout cas, si tu changes d'idée, rappelle-toi que le souper sera servi vers six heures. Je te laisse à tes pilules. Arthur m'attend en bas avec ma mère et ma grand-mère qui n'ont pu résister à l'idée d'aller faire un tour d'automobile dans la «grande ville».

Flavie quitta la pharmacie. Évelina essaya de se concentrer sur son travail, mais elle n'y parvint pas. Il serait idiot de rester à l'hôpital, de manger la nourriture plus qu'ordinaire servie à la salle à manger et de finir sa soirée en écoutant un radio-roman dans la salle de repos alors qu'Antoine se trouvait à quelques rues d'ici. Terminant à la hâte le travail qui lui avait été confié, Évelina se dépêcha de se rendre à sa chambre. En poussant la porte, un parfum de rose lui chatouilla les narines. Sur sa commode trônait un immense bouquet de roses rouges dans un vase. Quelqu'un avait déposé les fleurs durant son absence, probablement la religieuse responsable de la résidence des infirmières. Évelina saisit la petite carte reposant près du vase. Celle-ci contenait ces quelques mots : *Heureux de cette magnifique rencontre ! C.* Comprenant que Celio était l'expéditeur du bouquet, Évelina laissa tomber la carte d'un geste brusque. « Pense-t-il vraiment m'amadouer avec des fleurs ? » songea-t-elle en se ruant vers son armoire pour trouver quelque chose de convenable à porter pour sa sortie chez Victor.

* * *

Évelina avait peur d'arriver en retard. Elle s'était changée de robe trois fois plutôt qu'une et avait refait ses ongles. À présent, le chauffeur de taxi ne semblait pas pressé de la conduire rue Hartland, dans Outremont, chez Victor. Évelina pesta contre l'imbécile qui essayait de lui faire la conversation. Elle avait eu le malheur de lui dire qu'elle étudiait comme infirmière à l'hôpital Notre-Dame, alors il avait jugé à propos de lui raconter en long et en large toutes les maladies qui l'affligeaient.

— Ça a commencé par un mal de dos, puis ça s'est dirigé vers mes jambes. Le médecin que j'ai rencontré là-bas – et que vous connaissez sûrement – s'appelle… euh… attendez que je me souvienne…

Évelina roula les yeux et poussa un soupir dans l'espoir que le chauffeur se rendrait compte qu'il l'ennuyait profondément, mais l'homme ne remarqua rien et continua :

— Bah ! Son nom est sans importance, finalement. Il m'a raconté que mon mal de dos était dû à mon travail. Que je devrais penser à faire autre chose ! Vous me voyez ailleurs, vous ?

Évelina ne répondit pas. À l'heure actuelle, elle-même se serait très bien vue ailleurs que dans ce taxi.

— Il faut bien que je gagne ma vie, non ? Vous m'avez bien dit l'avenue Hazelwood ?

— Non ! L'avenue Hartland !

— Ah ! Moi et ma mémoire… Toujours est-il que j'ai répondu au médecin…

Évelina le laissa continuer, émettant un « hum hum » de temps en temps pour que le chauffeur s'imagine qu'elle l'écoutait. Ses pensées étaient plutôt tournées vers Antoine qu'elle reverrait dans quelques minutes si le chauffeur réussissait à la conduire chez Victor. Constatant à sa montre qu'elle avait une bonne vingtaine de minutes de retard, la jeune femme ne put s'empêcher de soupirer. Sortant un petit miroir de son sac à main, elle vérifia son maquillage et se remit un peu de rouge à lèvres. Au moment où elle refermait son sac, le chauffeur annonça joyeusement :

— Vous voilà rendue à destination, mademoiselle !

— Ce n'est pas trop tôt ! s'exclama la passagère sur un ton de reproche.

Après avoir réglé la course, Évelina gravit en courant les quelques marches menant à la porte de la demeure. Elle sonna et attendit. Arthur vint ouvrir. Il l'invita à entrer, puis il prit sa veste en cachemire. Les soirées étaient plus fraîches, annonçant la fin de l'été qui avait été particulièrement chaud. Flavie se précipita à la rencontre de son amie dans le vestibule.

— Les autres commençaient à désespérer, mais je savais que tu viendrais. Nous allions passer à table. Suis-moi !

Déjà attablés, Victor et Antoine se levèrent en voyant Évelina. Antoine la salua d'un signe de tête. Bernadette lui sourit sans se lever. Victor embrassa la visiteuse sur les joues, et Delvina fit de même.

— Très contente de te voir, ma belle Évelina. Tu es radieuse ! déclara la grand-mère de Flavie en allant se rasseoir.

Victor avança une chaise et invita Évelina à y prendre place.

— Comme je suis content que vous vous joigniez à nous, Évelina ! Flavie était convaincue que vous viendriez.

— Désolée du retard. J'ai eu le plaisir de me faire conduire par un chauffeur de taxi qui avait besoin d'une oreille attentive.

— Avoir su, Arthur serait allé vous chercher. Maintenant, nous pouvons souper. La cuisinière nous a préparé un repas fabuleux.

Évelina était installée à côté de Flavie et en face d'Antoine. De temps à autre, le jeune homme lui jetait un regard, puis il reportait son attention sur son assiette. Tout en mangeant, Delvina livrait ses impressions sur la ville.

— Ça faisait vraiment longtemps que je n'étais pas venue à Montréal. C'est étourdissant de voir autant de monde partout. Je ne sais pas comment vous faites pour vivre dans une pareille promiscuité. Nous nous sommes promenés en automobile cet après-midi, et Arthur nous a conduits sur la « Main ». Mon Dieu ! La quantité de commerces qu'on trouve dans cette rue est incroyable !

— Le boulevard Saint-Laurent est toujours impressionnant quand on le voit pour la première fois, commenta Flavie. Je commence à peine à m'habituer, grand-mère.

— Si j'étais plus jeune, j'aimerais vivre ici. C'est vraiment différent de la campagne. Je comprends que des jeunes filles comme Évelina et toi aimiez l'effervescence de la ville. Et que dire de votre hôpital ! Ça me fascine de voir que vous travaillez dans une aussi grosse bâtisse. Je ne sais pas comment vous faites pour vous retrouver là-dedans ; une chatte y perdrait ses petits !

Le langage coloré de Delvina faisait sourire Évelina chaque fois. Le souper se déroula dans la bonne humeur et les discussions animées. Antoine parla un peu de ses plans pour sa fromagerie ; il souhaitait venir vendre ses fromages en ville. Mais son enthousiasme fut quelque peu freiné par Bernadette.

— C'est une chose de vendre des œufs une fois de temps en temps, mais c'en est une autre d'approvisionner la ville toutes les semaines. Tes fromages sont bons, Antoine, mais je ne suis pas certaine qu'ils se distinguent tant que ça de ce qui se vend ici.

— Je vous l'ai déjà expliqué, maman : ils sont différents parce qu'ils sont encore artisanaux, mentionna Antoine avec une pointe d'impatience. Et puis, je ne perds rien à essayer, non ?

— Antoine a raison, Bernadette, argumenta Victor.

— En tout cas, il ne pourra pas dire que je ne l'avais pas prévenu, déclara Bernadette en croisant les bras par dépit.

— Comment comptes-tu effectuer tes livraisons, Antoine ? questionna Victor.

— Monsieur Beaudoin m'a promis de me prêter son Ford. Et puis, si mes affaires vont rondement, je m'achèterai probablement une automobile.

Bernadette hocha la tête en signe de mécontentement. Elle s'apprêtait à parler, mais Flavie l'en empêcha.

— Quelle bonne idée! Tu pourrais venir nous voir plus souvent à Montréal! C'est une bonne nouvelle, hein, Évelina?

Quand Flavie lui jeta un regard complice, Évelina faillit s'étouffer avec sa gorgée de vin.

— C'est certain! approuva-t-elle.

— Je dois quand même m'occuper de ma ferme, Flavie. Monsieur Beaudoin a été très gentil de me remplacer, mais il ne faudrait pas exagérer sur le pain bénit. Je ne peux pas m'éloigner trop longtemps de mes animaux. J'ai décidé de repartir demain. Arthur raccompagnera maman et grand-mère d'ici quelques jours.

Évelina venait d'avoir la réponse à la question qui la taraudait. Elle aurait aimé qu'Antoine s'attarde quelques jours à Montréal; elle aurait aimé lui faire découvrir la ville et, surtout, passer du temps avec lui. Delvina lui demanda si elle avait eu des nouvelles de Simone.

— Non, pas encore. J'imagine qu'elle devrait revenir bientôt. Si, dans quelques jours, elle n'a pas donné signe de vie, je lui téléphonerai sans faute.

Après le souper, Victor invita tout le monde à passer au salon pour y prendre un digestif. Évelina consulta sa montre.

— Je vais rentrer. J'ai un couvre-feu à respecter et je travaille tôt demain matin. Encore une fois, merci pour l'invitation.

— Il est hors de question que vous repartiez en taxi, Évelina, déclara Victor. Arthur va vous raccompagner.

Antoine se leva promptement de son fauteuil. Avant même que Victor n'ait le temps d'appeler Arthur, il se proposa pour reconduire Évelina.

— Ça me fera un bien fou de sortir un peu, dit-il. J'ai beaucoup trop mangé, et puis c'est une bonne façon de connaître Montréal que de se promener dans ses rues. Ça me facilitera la vie de mieux connaître la ville quand je viendrai faire le commerce de mes fromages ici! ajouta-t-il à l'intention de sa mère qui avait sourcillé.

— C'est une excellente idée, Antoine! Prends donc ma voiture. Flavie, tu te joins à ton amie et à ton frère?

Flavie avait envie d'accepter. Mais en voyant les yeux suppliants d'Évelina, elle se ravisa.

— Non, je vais rester ici. Grand-mère a promis de me tirer les cartes. Et puis, Antoine et Évelina n'ont vraiment pas besoin d'un chaperon.

Évelina salua tout le monde et quitta le salon. Flavie tira la langue discrètement à son amie avant que celle-ci ne suive Antoine.

* * *

Le plus grand calme régnait dans l'automobile. Évelina triturait son sac à main pour se donner une contenance. Antoine fredonnait tout en se concentrant sur la route. À mi-chemin, Évelina brisa le silence:

— Je pensais que tu resterais quelques jours à Montréal.

— Ça m'inquiète de laisser mes vaches seules trop longtemps. Mon voisin est bien gentil de s'en occuper, mais je préfère le faire moi-même. C'est comme ça, un fermier: toujours là pour s'occuper de ses animaux!

— Je vois bien ça ! Elles ont beaucoup de chance, ces vaches-là ! Mais si tu avais prolongé ton séjour, j'aurais pu te faire découvrir ma ville…

Antoine posa sa main sur celle d'Évelina pendant quelques secondes avant de la remettre sur le volant.

— J'étais content de te voir arriver ce soir. Flavie commençait à désespérer, même si elle pensait que tu ne resterais pas à te morfondre à l'hôpital. J'espérais vraiment que tu viendrais.

Évelina ne répondit rien. Leur dernière rencontre dans la grange était demeurée sans explication et elle voulait tirer les choses au clair avec Antoine. La jeune femme ne pouvait s'empêcher de penser à leurs fougueuses embrassades qui auraient pu dégénérer si elle n'y avait pas mis fin. « On ne devrait pas aller plus loin, Antoine… » lui avait-elle murmuré en prenant conscience qu'elle s'était jetée sur lui pour oublier sa tristesse d'avoir été rejetée par Wlodek. Elle avait eu besoin de réconfort ce soir-là, et Antoine se trouvait justement dans les parages. Comme Évelina s'était promis de ne pas jouer avec les sentiments du frère de Flavie, elle avait donc interrompu leur rapprochement. Ils arriveraient bientôt à l'hôpital et ils n'avaient pas encore reparlé de cette soirée. Antoine semblait réfléchir lui aussi de son côté tout en conduisant.

C'est alors que les deux jeunes gens lancèrent en même temps :

— À propos de l'autre fois, dans la grange…

Ils éclatèrent de rire, puis Antoine s'adressa à sa compagne :

— Vas-y, Évelina, commence…

— En fait, je ne sais pas trop ce qui s'est passé. Je ne veux pas que tu penses que je t'ai repoussé. Tu m'attires vraiment, Antoine, et j'aurais très bien pu succomber ce soir-là.

— Non, je comprends. Je suis vite en affaires, parfois. Ne pense surtout pas que j'ai voulu te manquer de respect.

— C'est moi qui me suis jetée sur toi ! Ne va pas croire que je suis une dévergondée de la ville !

— Je sais que tu as eu d'autres hommes dans ta vie, Évelina, mais je ne pense pas pour autant que tu sois une fille facile. Je dirais même que tu es plutôt compliquée !

Antoine rit de sa boutade. Évelina attendit qu'il reprenne la parole. Le jeune homme venait d'immobiliser la voiture en face de l'hôpital et de couper le contact. Il regarda Évelina pendant de longues secondes avant de l'attirer vers lui et de l'embrasser sans retenue. Évelina s'abandonna. Puis, subitement, Antoine mit fin à l'étreinte et s'enfonça dans son siège, semblant regretter son emportement.

— J'ai beaucoup réfléchi depuis ce soir-là dans la grange. Nous aurions très bien pu aller plus loin. Ce n'était pas l'envie qui manquait de mon côté. Tu m'attires, Évelina, plus que n'importe qui et je sais que c'est réciproque, mais je ne pense pas que de se laisser aller tous les deux soit la meilleure chose à faire.

— J'avoue que je ne comprends pas, Antoine. Et tu dis que c'est moi qui suis compliquée !

— Tu sembles chercher quelque chose sans savoir de quoi il s'agit. Et ça ne sert à rien de te dire que je pense sans cesse à toi ; j'aurais trop peur de t'éloigner. Je suis une proie beaucoup trop facile, Évelina. Tu te lasserais rapidement de moi.

Évelina demeura silencieuse. Les propos d'Antoine la remuaient. Il poursuivit :

— Je pourrais très bien te conduire dans une chambre d'hôtel et y passer la nuit avec toi. Je te désire tellement…

Antoine baissa les yeux, troublé par le regard d'Évelina.

— Tu vas probablement te sauver en courant si je livre le fond de ma pensée, mais je crois que nous pouvons être honnêtes tous les deux. Ce que je veux réellement, Évelina, c'est une relation durable avec toi. Je souhaite de tout cœur que tu reviennes vers moi en me disant : « Antoine, c'est toi et seulement toi que je veux. » Je préfère te laisser partir au risque de te perdre. De toute façon, je suis probablement trop romantique et je viens probablement de te faire fuir à tout jamais. Toutefois, je pense que notre histoire mérite mieux que quelques moments vécus à la sauvette dans une chambre d'hôtel. J'imagine qu'il doit y avoir un grand nombre de médecins qui te tournent autour. Je refuse de faire partie de ta collection, de n'être qu'un flirt pour toi, et que tu passes à autre chose après. Je veux compter plus que ça pour toi.

Ébranlée, Évelina essaya de cacher la colère qu'elle sentait monter en elle. Pour qui la prenait-il ? Une croqueuse d'hommes ? En voyant que la jeune femme s'était renfoncée dans son siège, Antoine tenta de s'expliquer.

— Évelina, je veux compter plus pour toi qu'une simple aventure. C'est pourquoi je ne te conduirai pas dans une chambre d'hôtel malgré mon envie folle de passer la nuit avec toi. Tu connais mes sentiments, maintenant ; à toi de voir ce que tu désires vraiment. Je suis sans doute naïf d'espérer que tu reviendras vers moi, mais je pense que ça vaut la peine d'essayer. Tu sembles chercher quelque chose, Évelina. Tant que tu ne l'auras pas trouvé, je sais que tu ne m'appartiendras pas entièrement.

Furieuse, Évelina prit son sac et ouvrit la portière. Puis, elle déclara :

— Dans ce cas, il ne me reste plus qu'à prier saint Antoine de Padoue pour qu'il me vienne en aide ! Vous avez le même prénom, tous les deux ; c'est sans doute pour prêter main-forte aux pauvres filles comme moi afin qu'elles se retrouvent. Tu veux que je te dise quoi ? Je ne suis pas une fille pour toi, Antoine. Tu mérites quelqu'un de bien mieux que moi.

Antoine voulut retenir Évelina, mais elle ne lui en laissa pas la chance. Après avoir refermé la portière, elle traversa la rue Sherbrooke et s'engouffra dans l'hôpital.

* * *

Furieuse, Évelina claqua la porte de sa chambre, lança son sac à main à travers la chambre et enleva sa veste d'un geste sec. Les propos d'Antoine l'avaient ulcérée. Il ne voulait pas qu'elle l'ajoute à sa collection ! Franchement ! Comme si elle s'amusait à multiplier les conquêtes ! Qu'en savait-il de toute façon, monsieur je-préfère-la-compagnie-des-vaches-à celle-des-humains ? « Eh bien, qu'il reste avec ses chères vaches ! Et qu'il se trouve une fermière pour vivre avec lui ! » Évelina faisait les cent pas. « Antoine veut que je trouve ce que je cherche et que je revienne vers lui ! Il dit que je suis compliquée ! Il ne s'est pas analysé, c'est sûr ! Saint Antoine de Padoue, priez pour nous ! »

Et puis, Antoine l'avait pratiquement traitée de croqueuse d'hommes ! La jeune femme observa son reflet dans le miroir pendant quelques minutes. Ses yeux d'un bleu intense et son abondante chevelure blonde qui retombait en cascade sur ses épaules lui donnaient, certes, l'apparence d'une starlette d'Hollywood. Mais de là à la traiter de croqueuse d'hommes, il y avait une marge ! Ni Simone ni Flavie n'étaient là pour essayer de lui faire comprendre le vrai sens des paroles d'Antoine. De toute façon, elle était tellement en colère que personne ne pourrait lui faire entendre raison ce soir-là. Le bouquet de Celio, posé sur la commode, semblait la narguer. Elle détourna le regard.

Évelina inspira un bon coup pour tenter de se calmer. Elle enfila sa chemise de nuit, éteignit la lumière et se coucha. Elle passa plusieurs minutes à se retourner dans son lit afin de trouver le sommeil. Finalement, incapable de s'endormir, la jeune femme décida de se lever. Elle alluma sa lampe de chevet tout en maudissant Antoine de lui avoir tenu des propos aussi troublants. Elle sortit son paquet de Sweet Caporal de son sac à main et s'alluma une cigarette. Après avoir replacé ses oreillers, Évelina s'installa confortablement dans son lit. Heureusement, personne n'était là pour lui dire de l'écraser ; Simone et Flavie détestaient cordialement l'odeur de la fumée de cigarette. Évelina prit deux bouffées avant de l'éteindre, songeant à la religieuse qui faisait sa ronde dans les corridors de la résidence durant la nuit et qui avait le nez fin – et le regard vif – pour prendre les étudiantes en défaut.

Évelina replia ses genoux sous son menton. En réfléchissant aux paroles d'Antoine, elle se rendait compte que ce qui la fâchait le plus était qu'il avait probablement raison. Le jeune homme n'avait pas tort lorsqu'il disait qu'elle semblait chercher quelque chose. Toute sa vie, elle avait essayé de se faire aimer de sa mère, de ses compagnes de classe. Et depuis toujours, elle s'évertuait à séduire. Elle avait réussi avec Marcel, avec Bastien, et y était presque parvenue avec Wlodek. Elle avait également réussi avec Antoine parce qu'il lui avait avoué qu'elle l'attirait et qu'il pourrait facilement passer le reste de sa vie avec elle. Une chose était certaine : Antoine était différent des autres hommes qu'elle avait connus jusque-là. Ces derniers auraient profité de la situation au lieu de résister comme le frère de Flavie l'avait fait. Et devant cette situation, Évelina ignorait comment réagir. La plupart des hommes dont elle s'était amourachée n'avaient jamais parlé de relation à long terme. Même Marcel qui disait l'aimer n'était pas prêt à quitter sa femme pour elle. La discussion avec Antoine avait aussi ébranlé Évelina pour une autre raison : celle-ci lui avait rappelé qu'elle avait toujours eu l'impression que les gens ne la prenaient pas au sérieux. À la fois pour se consoler et pour se convaincre qu'Antoine ne valait pas la peine de se tracasser autant, Évelina songea : « Et puis, je n'en ai rien à faire de ce que pense Antoine Prévost, un type tellement vieux jeu ! Mon idée première, en venant étudier à Notre-Dame, était de me trouver un mari médecin et je m'y tiendrai ! »

Après s'être étendue dans son lit, Évelina prit la résolution de faire d'autres rencontres. Plusieurs nouveaux internes étaient attendus à l'hôpital ; il y en aurait sûrement un qui conviendrait ! La jeune femme décida qu'un changement d'apparence lui ferait le plus grand bien. « Attention, tout le monde, une nouvelle Évelina apparaîtra bientôt ! » pensa-t-elle en souriant. Sur le point de s'endormir, elle essaya de chasser de son esprit la chaleur et la douceur des baisers d'Antoine. Elle devait oublier ce dernier ; elle ne réussirait jamais à combler ses attentes, elle en était presque certaine. Antoine méritait une femme qui lui serait totalement dévouée. Avant de sombrer dans le sommeil, la dernière réflexion d'Évelina fut qu'Antoine et ses caresses lui manqueraient.

3

Une grande agitation régnait dans les corridors de la résidence des infirmières. La veille, les aspirantes étaient arrivées, accompagnées de leur famille, pour s'installer avant le début des cours. On leur avait attribué des chambres. Les nouvelles avaient fait le tour des pièces communes, s'extasiant sur la décoration et le confort mis en place pour rendre leur séjour agréable. Évelina devait le reconnaître ; l'atmosphère qui régnait à l'école d'infirmières de l'hôpital Notre-Dame était beaucoup moins austère que celle de bien des pensionnats qu'elle avait fréquentés. Les arrivantes avaient eu droit au sermon sur le bon fonctionnement de la résidence avec son couvre-feu et l'extinction des lumières à dix heures pour permettre à toutes de profiter des conditions propices à un sommeil réparateur.

Flavie dévisageait Évelina pendant que celle-ci terminait de se préparer, essayant encore une fois de s'habituer à la nouvelle apparence de la jeune femme. Cette dernière était rentrée la veille de son rendez-vous chez la coiffeuse avec une allure très différente. Ses cheveux blonds étaient désormais d'un beau noir de jais. Devant le regard étonné de son amie, Évelina avait simplement expliqué qu'elle en avait assez de ne pas se faire prendre au sérieux avec sa chevelure blonde. Flavie doutait que la teinte d'une chevelure puisse avoir quoi que ce soit à voir avec le fait d'être pris au sérieux. Toutefois, elle reconnaissait volontiers qu'Évelina était éblouissante avec ses cheveux noirs.

Évelina jeta un dernier coup d'œil dans le miroir pour s'assurer que tout était parfait : cheveux noirs bien placés sous la coiffe, léger rouge à lèvres, ongles manucurés – malgré les recommandations des religieuses de ne pas utiliser de vernis à ongles –, maquillage masquant les cernes dus au manque de sommeil. Évelina était désormais prête à commencer sa troisième année d'études. Elle attendait devant la porte de la chambre que Flavie la rejoigne.

Pendant le trajet pour se rendre à la salle à manger, Évelina fut bousculée par deux étudiantes de première année qui marchaient avec empressement en sens inverse.

— Est-ce qu'on était aussi énervées qu'elles à notre première journée, Flavie ? s'enquit-elle. On se croirait dans une école primaire tellement les nouvelles sont survoltées !

— Toi, tu étais plus calme que Simone et moi. Tu t'étais même payé le loisir d'arriver en retard, t'en souviens-tu ?

— Cette idée aussi de se lever à l'heure des poules !

Évelina repensa à son tout premier matin ; elle avait assisté à ses cours sans avoir presque rien mangé – elle avait avalé à la hâte une tartine de confiture. Elle avait fait la connaissance de Flavie et de Simone dans la salle à manger. Il n'y avait que deux ans de cela, mais la jeune femme avait l'impression qu'une éternité était passée depuis ce jour.

Ce matin-là, à table, il manquait Simone. Évelina constata avec tristesse :

— Espérons que Simone rentrera bientôt. Je n'ai pas réussi à la joindre par téléphone. Ça commence à m'inquiéter un peu qu'elle ne soit pas encore là.

— Moi aussi, commenta Flavie. Probablement que notre amie est encore très prise par les soins à prodiguer à sa tante. Souhaitons que ça ne compromette pas son année scolaire.

— J'imagine que les religieuses seront compréhensives. Après tout, elle séjourne à Saint-Calixte pour aider son prochain !

Évelina avala une gorgée de café tout en parcourant la salle des yeux. Les nouvelles venues, facilement identifiables parce qu'elles ne portaient pas encore la coiffe, paraissaient nerveuses et observaient avec envie les infirmières diplômées. Sœur Marleau, la directrice de l'école, fit son entrée. Après avoir émis un « hum, hum, mesdemoiselles ! » retentissant pour attirer l'attention et imposer le silence, la religieuse entama son discours de bienvenue. Ensuite, cédant la place à sœur Larivière, l'hospitalière en chef, elle quitta la salle à manger.

Évelina chuchota à l'intention de Flavie :

— Tiens ! Elle retourne hiberner, celle-là ! Nous devrions la revoir à la remise des coiffes et lors du discours de fin d'année.

Sœur Marleau avait toute confiance en son hospitalière en chef. C'est pourquoi, si les étudiantes éprouvaient un quelconque problème au cours de l'année, elles devaient en référer à sœur Larivière. Les nouvelles venues écoutaient avec attention les directives de sœur Larivière qui leur expliquait en quoi consisteraient les tâches qu'elles devraient accomplir durant leurs quatre mois de probation.

Évelina chuchota à Flavie :

— Elles ne savent pas ce qui les attend avant de recevoir leur coiffe et de toucher leur indemnité mensuelle. Certaines considéreront ça comme une fortune, mais on ne va pas loin avec cinq dollars! Et ce n'est pas cher payé quand on pense à toute la charge de travail. En tout cas, fini pour moi le « torchonnage »!

Évelina faisait référence aux soins d'hygiène des patients qui seraient délégués aux étudiantes de première année. Flavie s'était juré de ne pas abuser de ces dernières. Elle-même avait souffert durant les premiers mois passés sous la supervision de Suzelle Pelletier, alors étudiante de troisième année.

Flavie avertit son amie :

— Tu vas quand même avoir des soins d'hygiène à prodiguer, Évelina. Et ne t'avise pas de profiter des « petites nouvelles », car je t'aurai à l'œil.

Évelina lui fit un sourire, sachant à quel point ce sujet était délicat pour son amie. Sœur Larivière invita les élèves à se présenter une dizaine de minutes plus tard dans leurs salles de classe respectives. Évelina espérait qu'une nouvelle religieuse serait responsable de leur groupe tout en sachant que, probablement, cette année encore, sœur Désilets – ou sœur Désuète, comme elle se plaisait à l'appeler – serait là. Ayant ramassé leurs plateaux de déjeuner, Flavie et Évelina se dirigèrent vers leur salle de cours. Auparavant, elles avaient dû éviter la cohue qui régnait dans la salle à manger depuis le départ de sœur Larivière.

* * *

Dans la salle de classe, Sœur Désuète accueillit ses étudiantes avec son exposé habituel : elle les prévint que cette année-là serait LA plus difficile de toutes.

— Encore une fois, je suis heureuse d'être la responsable de votre groupe. Bien que la demande constante d'efforts et de travail soutenu sera la même que durant vos deux années précédentes, votre troisième année sera quelque peu différente. Vous aurez sous votre responsabilité des élèves de première année. Vous devrez les superviser afin qu'il n'arrive pas d'incidents fâcheux comme nous en avons connus quelques-uns. Une erreur de dentiers est si vite arrivée !

Sœur Désuète avait terminé sa phrase avec un léger sourire sur les lèvres – fait exceptionnel car elle avait constamment le regard sévère et les lèvres pincées – et en jetant un bref regard en direction de Flavie. Celle-ci baissa la tête en se rappelant l'incident des dentiers. Voulant bien faire, elle avait jeté pêle-mêle tous les appareils dentaires des patientes d'une salle dans le même contenant, pour procéder au nettoyage de ceux-ci plus efficacement. Il avait fallu de longues minutes pour corriger l'imbroglio. Heureusement, l'incident avait été sans conséquence, mais Flavie avait craint d'être renvoyée. Évelina retint un fou rire en se souvenant de l'événement et de l'état de panique de Flavie lorsque celle-ci lui avait raconté sa bévue. Sœur Désuète, qui circulait entre les rangées de bureaux, continua son laïus.

— La troisième année d'études est cruciale pour vous toutes. Vous serez encore sous la surveillance des gardes diplômées et des sœurs hospitalières, mais vous devrez être en mesure d'effectuer tous vos soins sans l'intervention de quiconque. Vous devrez, à la fin de l'année scolaire, faire vos preuves lors des examens pratiques, lors desquels chacun de vos gestes sera scruté à la loupe. Une bonne infirmière se démarque par les bons soins qu'elle prodigue et, surtout, par sa constance et ses efforts soutenus. Comme par le passé, je vous mets en garde contre les tentations. Les règlements demeurent les mêmes, bien que vous soyez maintenant des habituées de l'hôpital. Avec les médecins et les internes, seules des conversations d'ordre professionnel sont autorisées. Je ne tolérerai pas la moindre incartade de votre part. Une bonne infirmière se doit d'être vertueuse…

Évelina soupira en entendant la dernière phrase. Une nouvelle année commençait, mais le discours demeurait le même : une bonne infirmière suivait toujours les règlements à la lettre. Sœur Désuète entreprit d'énumérer les cours qui feraient partie du programme de l'année : la neuropsychiatrie, l'ophtalmologie, l'oto-rhino-laryngologie, la dermatologie, la syphiligraphie et le cancer, la morale médicale, les maladies vénériennes – sœur Désuète baissa la voix et se signa en mentionnant ce cours – et, bien entendu, les pratiques religieuses dans le christianisme. Encore cette année, Évelina et ses consœurs n'échapperaient pas à l'enseignement du christianisme. Flavie lança un regard moqueur à Évelina. Elle savait à quel point son amie détestait ce cours.

Sœur Désuète distribua les manuels. Comme la plupart des autres étudiantes, Flavie feuilleta rapidement les volumes. Pour sa part, Évelina les repoussa de la main ; elle aurait suffisamment à les consulter plus tard, alors aussi bien attendre avant de les ouvrir. Sœur Désuète s'approcha de la jeune femme et la sermonna :

— Vous ne prenez pas le temps de regarder vos manuels, mademoiselle Richer ?

— Non, pas maintenant, ma sœur. Je préfère le faire à un autre moment. Tous ces bruits de pages qu'on tourne me déconcentrent.

Sœur Désuète l'observa quelques secondes. Puis, le regard de la religieuse se porta vers Flavie et la chaise vide à la droite de celle-ci.

— Mademoiselle Lafond a décidé de rester au lit ce matin ?

Flavie s'empressa de répondre avant Évelina qui fixait la sœur avec insolence.

— Simone n'est toujours pas revenue de Saint-Calixte, où elle est allée prendre soin de sa tante qui est mourante.

— C'est tout à son honneur. Mais si vous lui parlez, rappelez-lui qu'elle doit se présenter sans faute d'ici une semaine. Sinon, nous nous verrons dans l'obligation de la renvoyer.

Flavie hocha la tête et tenta de cacher son inquiétude en replongeant dans son livre. Les bras croisés, Évelina détaillait sœur Désuète.

— Quant à vous, mademoiselle Richer, ajouta la religieuse, souvenez-vous que je vous ai à l'œil. Au moindre écart de conduite, vous aurez affaire à moi.

— Bien entendu, ma sœur !

Sœur Désuète lui lança un regard de défi avant de retourner à l'avant de la classe pour commencer son cours.

* * *

Les étudiantes assistèrent à leur premier cours d'ophtalmologie – formation dispensée par le docteur Lambert, une sommité en la matière. L'hôpital Notre-Dame pouvait se vanter d'avoir l'un des meilleurs services d'ophtalmologie en Amérique du Nord. Plusieurs cas de cataractes et de strabismes y étaient référés, de sorte que les étudiantes se devaient de bien connaître cette spécialité. Évelina et Flavie avaient aussi rencontré le docteur Fillion, psychiatre. Évelina avait parcouru le programme du cours de neuropsychiatrie. Elle redoutait ses futurs stages en psychiatrie. Elle espérait qu'en connaissant mieux les différentes maladies mentales, elle craindrait moins de se retrouver en présence de patients affligés de tels problèmes.

Après la fin des cours de la matinée, Évelina eut tout juste le temps d'avaler quelques bouchées avant de retourner travailler. Cette course folle lui avait fait un peu peur durant sa première année d'études : les cours, les soins aux patients en plus de toutes les heures qu'il fallait consacrer aux études. Évelina n'avait plus su où donner de la tête. Heureusement, Simone et Flavie l'avaient aidée à réviser ses notes avant les examens de fin d'année et elle s'en était bien tirée.

Reprenant son souffle après une matinée chargée, Évelina vaquait à ses occupations, prodiguant les différents soins aux patients de la salle lui ayant été assignée pour la journée. Elle avait écrit des notes dans un dossier et venait de ranger celui-ci à l'endroit prévu au pied du lit du patient lorsque, levant les yeux, elle vit entrer une étrange procession dans la salle qui comptait une dizaine de lits. D'un pas assuré, Paul Choquette marchait à la tête du groupe. Il était suivi de cinq internes. Les nouveaux venus suscitèrent rapidement l'intérêt des infirmières et des étudiantes se trouvant dans la salle. L'arrivée de « blouses blanches » – surnom des internes donné par les étudiantes et les gardes diplômées – provoquait toujours les mêmes réactions : les infirmières repositionnaient leur coiffe, lissaient les plis de leur robe et se plaquaient un sourire sur les lèvres, attendant les directives du médecin ou de l'interne qui effectuait l'examen du patient.

Évelina n'échappait pas à ce rituel, même si elle s'attendait invariablement à la visite des internes quand elle travaillait dans une salle. Son maquillage était toujours impeccable et sa coiffe bien positionnée. Elle s'était placée au bout du lit d'un patient, attendant les directives de l'interne qui consultait le dossier. Le jeune médecin aux cheveux châtains semblait nerveux. Tenant le dossier d'une main tout en le feuilletant, il laissa tomber son crayon. Lorsqu'il se pencha pour le ramasser, sa tête heurta la table de chevet. Déposant le document, l'interne se frotta le front pendant quelques secondes. Puis, après avoir repris crayon et dossier, il reporta son attention sur celui-ci, essayant de rester concentré, sous le regard amusé d'Évelina. Il s'adressa à cette dernière tout en regardant l'épinglette portant son nom. Il bafouilla :

— Garde Richer, pouvez-vous me relever la chemise ?

Évelina retint son fou rire. Elle se rapprocha et rectifia les paroles du médecin.

— Certainement, docteur. Mais j'imagine que c'est la chemise de nuit du patient que vous voulez que je relève ?

Le visage de l'interne s'empourpra. En guise d'acquiescement, il balbutia : « Merci garde. » Évelina s'exécuta aussitôt. En évitant de regarder cette dernière, l'interne ausculta le patient. Tout en prenant les différents signes vitaux du malade, il s'informa de l'état de celui-ci et nota quelques informations dans le dossier. Puis, il se dirigea vers le lit voisin. Évelina le suivit. Sous la supervision de Paul qui circulait dans la salle, le timide interne poursuivit les examens. À la fin de sa tournée, ce dernier hocha la tête pour remercier Évelina de son aide et il sortit en silence. La plupart des internes avaient déjà terminé les examens et quitté la salle.

Paul dit discrètement à Évelina :

— Vous avez fait tout un effet au docteur Lacasse, garde Richer. Je n'ai jamais vu quelqu'un rougir autant que Clovis.

Sûre d'elle-même et souriante, Évelina lui répondit :

— Depuis le temps, vous devriez le savoir, docteur Choquette : je fais toujours cet effet-là aux jeunes internes ! Il n'y a qu'avec vous que ça n'a jamais fonctionné ! Vous étiez subjugué par garde Lafond !

L'air amusé, Paul déclara :

— En effet, et malheureusement pour vous ! Cependant, je me demande si le pauvre docteur Lacasse se remettra de son expérience de ce matin ! Mais au fait, garde Richer, je n'ai pas vu garde Lafond ce matin à la salle à manger. Elle n'est pas encore rentrée ?

Évelina prenait plaisir à cette conversation avec les mots «garde» par-ci et «docteur» par-là. Paul ne voulait pas la mettre dans l'embarras devant ses collègues, d'autant plus que sœur Désuète avait expliqué ce matin à ses étudiantes qu'elles ne devaient pas entretenir de liens ni avec les médecins ni avec les internes et s'en tenir à des conversations professionnelles avec eux. De toute évidence, le même message avait circulé auprès des médecins parce que Paul continuait de la vouvoyer et de s'adresser à elle de manière formelle.

Évelina continua de se prêter au jeu de Paul.

— Non, et je n'ai aucune nouvelle, dit-elle. Garde Lafond est encore à Saint-Calixte. J'ai essayé plusieurs fois de la joindre, sans succès. On commence un peu à désespérer, garde Prévost et moi.

Paul l'attira à part pour soustraire leur discussion aux oreilles indiscrètes.

— Je lui ai écrit à quelques reprises cet été. Mes dernières lettres sont demeurées sans réponse. Je songe à me rendre là-bas afin de la ramener ici.

— Sœur Désilets nous a averties : si Simone n'est pas de retour d'ici une semaine, elle risque d'être renvoyée !

— Je vais essayer de parler à Simone. Dès que j'aurai des nouvelles, je vous informerai. Et rendez-moi la pareille, Flavie et toi. Bon, je dois maintenant retourner auprès de mes internes. On a encore plusieurs salles à visiter et des tonnes d'infirmières à séduire en chemin ! Bonne journée !

Évelina vaqua à ses occupations tout en pensant au fameux docteur Lacasse. « Après seulement une journée de travail, j'ai déjà un interne dans ma mire ! Ma dernière année risque d'être intéressante ! » Pendant quelques secondes, elle songea à Antoine. Puis, elle secoua la tête pour chasser cette pensée. « Tant pis pour lui ! Un de plus dans ma collection ! »

* * *

Les étudiantes de première année étaient alignées dans la salle à manger, attendant d'être jumelées à une élève de troisième qui les superviserait quand elles se trouveraient en présence de patients. Évelina, Flavie et leurs consœurs faisaient face au petit groupe. Les nouvelles semblaient nerveuses, ce qui rappela à Évelina ce qu'elle avait ressenti en attendant d'être jumelée à une fille de troisième année. Fort heureusement, elle avait eu plus de chance que Flavie qui s'était retrouvée avec Suzelle Pelletier. Marie, l'infirmière de troisième année chargée de la surveiller, ne s'était pas imposée, préférant un travail de collaboration. Toutefois, durant les premiers mois, Évelina avait déploré que sa principale tâche consiste à apporter les plateaux de nourriture et à s'occuper de l'hygiène des patients. Par la suite, elle était passée aux choses sérieuses, ayant la responsabilité de prendre les signes vitaux des patients, tâche un peu plus valorisante que de s'occuper de la toilette des patients.

Sœur Désuète avait expliqué clairement le rôle des étudiantes qui superviseraient les nouvelles venues. En tout temps, elles devaient veiller à ce que les recrues effectuent leur tâche en s'assurant du confort des patients et en respectant les consignes. Tout manquement devait être rapporté à la religieuse responsable du groupe. Attendant l'arrivée de la sœur qui devait s'occuper des jumelages, les deux groupes de jeunes femmes, face à face, discutaient entre eux. Les nouvelles élèves se racontaient leur premier cours, tandis que les anciennes discutaient des derniers racontars de l'hôpital.

Georgina s'approcha de Flavie et d'Évelina.

— Il manque quelqu'un à votre beau trio, indiqua-t-elle. Où est passée cette chère Simone ? Est-elle toujours à Saint-Calixte ? Je l'espère !

Georgina laissa sa phrase en suspens. En voyant que personne ne répondait, elle continua :

— Ne me dites pas qu'il lui est arrivé quelque chose de fâcheux comme l'année dernière ?

Évelina savait que Georgina faisait référence aux journées qui avaient suivi l'avortement de Simone. Des rumeurs avaient circulé sur l'absence de celle-ci, mais le secret avait été préservé. Georgina avait pris plaisir à alimenter les commérages concernant Simone. Évelina décida de répondre avec franchise pour éviter que la chipie ne colporte des ragots encore une fois.

— Simone n'est pas encore revenue de Saint-Calixte, répondit Évelina d'un ton impatient.

— Parce que vous pensez, Flavie et toi, qu'elle va revenir? Je pense au contraire qu'elle est partie en douce. Le travail de l'hôpital a dû lui faire peur.

Georgina avait le don de faire sortir Évelina de ses gonds. Habituellement, Simone parvenait à la calmer rapidement. En l'absence de celle-ci, même Flavie ne parviendrait pas à empêcher Évelina de réagir. Serrant les poings, cette dernière murmura d'une voix chargée de colère:

— Tes bonnes résolutions de nous ficher la paix cette année ont déjà pris le bord! Simone n'est pas une lâcheuse; si elle ne revient pas, c'est qu'elle ne peut pas faire autrement. Chaque fois que tu attaqueras une de mes amies, Georgina, sois certaine que tu me trouveras sur ton chemin. Je ne sais pas ce qui me retient…

Flavie posa une main sur le bras d'Évelina et lui montra du doigt la religieuse qui venait d'arriver dans la salle à manger. Georgina retourna à sa place en jetant un regard mesquin à Évelina. La religieuse tapa dans ses mains pour demander le silence.

— Votre attention, mesdemoiselles!

La sœur expliqua aux étudiantes de première année qu'à tour de rôle, elle les nommerait et leur annoncerait ensuite avec qui elles seraient jumelées.

— Le hasard seul a décidé de votre superviseure. Prenez quelques minutes pour faire connaissance avant de vous rendre dans les chambres assignées et de lire les dossiers des patients dont vous devrez assurer les soins.

La salle à manger se vida rapidement, si bien qu'il ne restait plus dans la pièce que Flavie et Évelina ainsi que trois nouvelles. Flavie salua Évelina avant de partir avec sa recrue, Gemma Séguin. La religieuse demanda à Évelina si elle pouvait prendre en charge l'élève désignée pour Simone.

— Peut-être pourriez-vous vous entendre avec mademoiselle Prévost et vous occuper toutes les deux de mademoiselle Lemoine ?

— Je devrais suffire à la tâche, ma sœur.

— Dans ce cas, je vous confie mesdemoiselles Lemoine et Boyer.

Évelina observa les deux nouvelles qui se tenaient devant elle. Ludivine Boyer, une jolie rousse, s'avança et, d'un geste confiant, lui serra la main. Yvette Lemoine lui sourit timidement tout en restant à sa place. Ludivine la fixait en mâchant sa gomme. Évelina avait toujours eu en horreur ces morceaux de matière élastique qui donnaient l'air d'un ruminant à ceux qui en étaient friands.

Ludivine décida de prendre les choses en main. Tout en mâchant, elle demanda à Évelina :

— Est-ce possible de se rendre dans la salle que l'on nous a assignée ? Il me tarde de rencontrer mes patients. J'ai très hâte de commencer mon travail d'infirmière !

Surprise par l'enthousiasme et le sans-gêne de Ludivine, Évelina crut bon de remettre à sa place cette dernière.

— Mademoiselle, vous n'êtes pas encore infirmière. Il est ici question d'un premier contact avec les patients pour vous présenter toutes les deux, mademoiselle Lemoine et vous. Comme sœur Beauséjour l'a précisé tout à l'heure, votre principale tâche comme élève de première année est de distribuer les plateaux aux patients et de leur prodiguer des soins corporels, sans plus. Le reste, je m'en occuperai.

Ludivine mâchait avec énergie. Évelina dit d'un ton résolu :

— Si vous voulez bien me suivre, toutes les deux.

Elle s'arrêta près d'une poubelle avant de sortir et pointa celle-ci à Ludivine :

— Je pense avant toute chose qu'il faudrait que vous vous débarrassiez de votre gomme à mâcher. Ensuite, on pourra passer aux choses sérieuses !

Surprise par ses propres paroles, Évelina réfléchit pendant que Ludivine jetait son chewing-gum. « Mon Dieu ! On aurait cru entendre sœur Désuète ! Un peu plus et je disais qu'une bonne infirmière doit toujours impressionner favorablement ses patients. Crime ! Je ne suis pas sortie du bois avec cette Ludivine ! »

* * *

Flavie était assise confortablement sur son lit et lisait un roman lorsque Évelina entra dans la chambre. La jeune femme s'était permis d'ouvrir la boîte de chocolats qu'Évelina avait reçue un peu plus tôt. Elle se doutait que son amie n'en mangerait pas – non pas parce qu'elle surveillait sa ligne, mais à cause de la provenance du cadeau.

Flavie tendit la boîte à Évelina.

— Tu as reçu ça tout à l'heure ; ça fait changement des fleurs ! s'exclama-t-elle en pointant du menton les deux énormes bouquets qui trônaient au milieu de la commode d'Évelina. Je me suis permis d'ouvrir ton présent. J'espère que tu ne m'en veux pas ?

Évelina saisit la boîte et lut la carte collée sur le couvercle. *Une petite douceur ! C.* Évelina redonna le tout à Flavie.

— Encore Celio ! Si j'avais son adresse, je lui retournerais ses fleurs et ses chocolats illico ! Mais puisque tu sembles aimer ces derniers, je te les offre ! Aussi bien que quelqu'un en profite !

Évelina enleva sa coiffe et entreprit de retirer sa robe pour revêtir sa chemise de nuit. Flavie l'observait du coin de l'œil en dégustant un dernier chocolat. Son amie paraissait contrariée. Flavie fit mine de poursuivre sa lecture. Évelina se laissa choir sur son lit en poussant un soupir.

— Ah ! Je ne sais pas ce qui est passé dans la tête de la responsable des premières années de me confier Ludivine et Yvette en attendant le retour de Simone. Elle va m'en devoir une, celle-là !

— Pour ma part, Gemma est très efficace. Elle a bien écouté les consignes, et demain elle devrait être fin prête pour m'aider avec le service des plateaux.

— Ce n'est pas le cas avec mes deux recrues. Certes, Yvette écoute tout ce qu'on dit ; elle prend même des notes dans un carnet pour se souvenir de tout. J'avais un peu envie de me moquer d'elle. Figure-toi qu'elle a noté quelque chose du genre : «Servir les plateaux à chaque patient en s'assurant qu'il s'agit de la bonne diète, assister le patient s'il présente un handicap pouvant l'empêcher de manger, offrir son aide…» Ça ne prend pas la tête à Papineau pour savoir ça. Même moi, je le savais !

Flavie ne put s'empêcher de sourire. Elle interrogea Évelina au sujet de Ludivine.

— Elle, c'est tout le contraire! Elle écoute attentivement les directives, mais elle semble au-dessus de tout. On dirait qu'on ne peut rien lui apprendre. Je me demande ce qu'elle fait ici; c'est comme si elle avait déjà son diplôme en main! En tout cas, on verra demain comment «Ladivine» réagit au contact de patients plus récalcitrants!

— «Ladivine»! Toi et tes surnoms!

— Ben quoi? Elle connaît tout! Et puis, elle est très jolie. J'ai vu plusieurs médecins se retourner sur son passage.

— Tu as peut-être une rivale dans la place, Évelina! Surveille tes arrières! Elle pourrait te voler ton futur mari!

— Pff! Elle n'a qu'à bien se tenir, car je suis une adversaire redoutable!

Puis, Flavie aborda le sujet qui la préoccupait. Celui-ci n'avait rien à voir avec le combat de «tigresses» qui se préparait.

— J'ai téléphoné à Simone. Pas de réponse, encore une fois. Peut-être qu'on a le mauvais numéro?

— Je ne pense pas, car j'ai noté le même que toi. Paul m'a dit qu'il était prêt à aller la chercher à Saint-Calixte. Il le fera, j'en suis certaine. Il est amoureux fou de notre Simone! Mais parlant d'amoureux fou…

Flavie déposa son livre et se tourna vers son amie pour lui montrer qu'elle lui accordait toute son attention. Évelina continua en utilisant le ton théâtral qu'elle aimait prendre pour annoncer une nouvelle:

— J'ai croisé Clément dans le couloir tout à l'heure. Il semble bien aller, bien qu'il ait toujours cette lueur de tristesse au coin de l'œil quand il parle de toi.

— Évelina! Tu ne vas pas commencer à m'achaler avec ça, toi aussi!

— Flavie, tu devrais peut-être lui laisser une chance. C'est un brave garçon, comme dirait ta grand-mère.

Évelina lui fit un clin d'œil avant de poursuivre :

— Je continue de penser que vous étiez faits l'un pour l'autre.

— Je suis jeune et j'ai bien envie d'en profiter.

— On croirait m'entendre! En tout cas, il s'est informé de toi et m'a dit de te saluer.

— Message reçu! Et maintenant, si on parlait un peu de toi, Évelina…

— Quoi, moi?

— Tu ne m'as pas raconté comment s'était passée ta fin de soirée avec mon frère.

Flavie l'avait questionnée à plusieurs occasions, mais son amie était toujours parvenue à se défiler. Cependant, cette fois-ci, Évelina n'avait pas le choix : son amie attendait une réponse.

— Il n'y a rien à dire. J'ai juste compris que ton frère et moi sommes vraiment trop différents, c'est tout.

— Pourtant, quand il est revenu, il semblait heureux et sûr de lui. J'ai cru que quelque chose entre vous venait de commencer.

— Non, rien, rassure-toi!

Devant l'embarras d'Évelina, Flavie crut bon de préciser :

— Si tu ne m'embêtes pas avec Clément, je te promets que je ne te poserai pas de questions sur Antoine. Du moment que tu ne brises pas le cœur de mon grand frère !

— Ça n'arrivera pas !

— Tant mieux !

Flavie s'étira en bâillant.

— Je pense qu'on ferait mieux de dormir. Demain sera une longue journée… surtout pour toi, avec tes deux « nouvelles » !

* * *

Évelina secoua la tête en soupirant : Yvette venait de sortir son carnet pour la énième fois de la matinée.

— Ce n'est pas nécessaire de noter ça, Yvette ! Prends exemple sur Ludivine. Tout ce que tu as à faire, c'est consulter le dossier du patient et vérifier s'il porte la mention *Diète spéciale*. Si c'est le cas, tu me le dis et je m'occuperai moi-même du plateau de ce patient. Sinon, les plateaux sont là-bas et tu les sers, c'est tout.

« Elle va me rendre folle, celle-là, avec son carnet ! » Évelina essayait de garder son calme, mais elle y arrivait à peine. Pensant à Simone qui n'était toujours pas rentrée et à la menace de sœur Désuète de la renvoyer, Évelina se sentait un brin impatiente. Ludivine s'était occupée de nettoyer les prothèses dentaires des patients en s'exclamant qu'elle ne comprenait pas pourquoi c'était elle qui devait se charger de cette corvée. Évelina l'avait gentiment prévenue de nettoyer les dentiers l'un après l'autre. Ludivine lui avait répondu, offusquée :

— Ben voyons donc! C'est évident! Qui placerait tous les dentiers dans le même bol pour les nettoyer? Il faudrait vraiment être idiot pour faire une chose pareille! C'est dégoûtant!

Évelina n'avait pas révélé que cette mésaventure était arrivée à sa meilleure amie lors de sa première journée. Ludivine, mâchant sa gomme, avait accompli sa tâche rapidement en poussant des soupirs et en marmonnant dans son coin. Évelina avait eu envie de lui dire sa façon de penser, mais elle s'était retenue. Les patients n'avaient pas à subir leur mésentente.

Quand les soins aux patients furent terminés, Ludivine et Yvette quittèrent la salle pour se rendre en classe, au grand soulagement d'Évelina. Elle avait besoin d'une pause avant son cours qui débuterait une dizaine de minutes plus tard. Alors qu'elle se dirigeait vers la salle de repos, elle croisa Charlotte. La jeune novice avait toujours représenté une sorte de curiosité pour Évelina, qui ne saisissait pas ce qui poussait quelqu'un à entrer en religion; après tout, Charlotte aurait très bien pu devenir une infirmière laïque. Même si Flavie et Simone lui avaient maintes fois expliqué qu'il s'agissait d'une question de vocation et que Charlotte n'avait rien connu d'autre que le couvent, Évelina n'arrivait pas à comprendre.

— Tiens! Si ce n'est pas «sainte Charlotte» qui marche vers moi! On dirait presque que tu lévites, Charlotte. Qu'est-ce qui se passe?

Charlotte connaissait bien Évelina, alors ses propos ne la dérangèrent pas. Cette dernière aimait bien se moquer des autres, mais ses taquineries ne recelaient jamais la moindre méchanceté. Évelina appliquait le proverbe: «Qui aime bien, châtie bien.»

— Si je suis de bonne humeur, Évelina, c'est pour la simple et unique raison qu'on m'a assignée en pédiatrie. J'adore passer du temps avec les enfants.

L'année précédente, Évelina aurait envié son affectation en pédiatrie pour une tout autre raison : le docteur Wlodek Litwinski y passait tout son temps. À présent qu'il avait avoué lui préférer Simone, Évelina s'était résignée : le médecin polonais ne ferait pas partie de sa « collection ».

— Je ne vous comprends pas, Simone et toi, de vouloir passer autant de temps avec des enfants, dit-elle. Ils pleurent pour un rien, il faut toujours leur lire des histoires et il est très difficile de les coucher le soir venu.

— Tu exagères ! Les enfants apportent beaucoup à ceux qui les soignent.

— Ouf ! Je ne sais pas comment tu fais pour être toujours sereine, Charlotte. Rien ne réussit à te fâcher ?

— Seule l'injustice me met en colère.

Évelina s'esclaffa :

— Et que fais-tu dans ce temps-là ? J'espère que tu te retiens de blasphémer !

— Évelina ! Franchement !

— Sans farce, j'envie votre tolérance, à Simone et toi. Moi, je suis impatiente et colérique.

— Peut-être, mais tu as un grand cœur, Évelina. Rappelle-toi ce que tu as fait pour Simone, l'année dernière.

Évelina ne l'oublierait jamais. Et c'était Charlotte qui les avait prévenues Flavie et elle après avoir trouvé Simone en pleurs dans la buanderie. La novice continua :

— Simone m'a raconté le sacrifice que tu as dû consentir en demandant l'aide de ta mère. Ne te sous-estime pas, Évelina. Sous tes airs bourrus, tu es une personne extrêmement généreuse.

Évelina ne savait jamais comment réagir quand on la complimentait. Regardant sa montre, elle s'excusa auprès de Charlotte.

— Je vais devoir y aller, j'ai un cours. Je suis contente de t'avoir parlé, Charlotte. Pendant quelques minutes, j'ai oublié que tu portais une robe de novice.

— Une sainte est une femme avant tout, Évelina !

Charlotte lui fit un clin d'œil avant de poursuivre son chemin. Évelina sourit et partit dans la direction opposée. Quelques instants plus tard, Charlotte fit demi-tour et rattrapa sa compagne. Elle déclara :

— J'ai oublié de t'annoncer la grande nouvelle : Simone est enfin revenue ! En montant tout à l'heure, je l'ai croisée ; elle se rendait dans le bureau de sœur Désilets.

4

Simone n'avait pas encore eu le temps de défaire ses bagages quand Flavie et Évelina vinrent la rejoindre pour prendre de ses nouvelles. Évelina s'écria :

— Flavie et moi, on s'inquiétait. Pas de nouvelles pendant des semaines ! On commençait à penser que tu ne reviendrais pas en ville !

Les mains sur les hanches, la jeune femme attendait que Simone dise quelque chose. Celle-ci continua de ranger ses effets personnels dans l'armoire. Devant le reproche à peine voilé d'Évelina, Flavie jugea préférable d'intervenir. D'une voix douce, elle déclara :

— C'est vrai qu'on s'inquiétait, mais surtout, on ne voulait pas que tu manques ton année. Sœur Désuète nous a informées en début de semaine que si tu ne revenais pas, il y aurait de graves conséquences. On est très contentes que tu sois enfin de retour !

Flavie fit les gros yeux à Évelina pour lui indiquer qu'elle désapprouvait son attitude. L'air affable, Évelina raconta :

— Ton preux chevalier était même prêt à aller te chercher à Saint-Meumeu avec son « destrier Ford » !

— C'est vrai ? demanda Simone.

— Penses-tu que j'inventerais ça ?

Simone s'interrogeait, mais Évelina semblait sincère. Flavie témoigna dans le même sens que cette dernière :

— Oui, c'est vrai. Paul m'a demandé à plusieurs reprises si j'avais eu de tes nouvelles. Tu nous as manqué, Simone !

— Vous m'avez manqué aussi…

Les yeux de Simone se remplirent de larmes. Elle se laissa choir à terre au pied de son lit et ramena ses genoux sous le menton.

— Les dernières semaines ont été difficiles. Ma tante s'est tellement accrochée ! Ce n'est pas facile d'accompagner une personne vers la mort, encore moins quand il s'agit de quelqu'un qu'on connaît. Mon oncle et ma tante n'ont pas toujours été justes avec moi, mais je suis contente d'avoir été là pour Henrélie. Je n'ai pas pu revenir avant à cause de l'organisation des funérailles et de tout ce qui vient avec.

Flavie s'assit à côté de Simone, ses épaules frôlant celles de son amie. Évelina opta pour le confort ; elle s'installa sur le lit en face des deux jeunes femmes.

Flavie s'enquit :

— Qu'est-ce que ton oncle va faire, Simone ?

— Pour le moment, je ne sais pas trop. Il devra apprendre à s'occuper de lui-même. La voisine m'a promis d'avoir l'œil sur lui.

— Tu n'auras pas à te préoccuper de ton oncle très longtemps si une voisine veille sur lui… plaisanta Évelina pour essayer de la faire sourire.

— Elle est mariée, alors il n'y a pas de danger.

— Quand même ! On ne sait jamais !

Évelina lui fit un clin d'œil. Simone poursuivit son récit :

— Ç'a été difficile, mais ma tante est bien mieux là où elle se trouve maintenant. Le médecin de Saint-Calixte m'a félicitée de m'être si bien occupée d'elle. Il m'a même dit que si je le voulais, je pourrais travailler à son cabinet après l'obtention de mon diplôme.

— Et il a l'air de quoi ce docteur ?

— Évelina, il a près de soixante-dix ans !

— Ben quoi ! Un médecin, c'est un médecin !

Évelina pouffa. Flavie et Simone l'imitèrent aussitôt.

— Ça m'a fait du bien de séjourner là-bas, contrairement à ce que je pensais, confia Simone. Ça m'a permis de faire la paix avec mon passé.

— As-tu revu ton ancien fiancé ?

— Alphonse Boucher ? Oui. Il est marié et sa femme attend un enfant. La vie suit son cours ! Je suis contente pour lui. Il a trouvé la femme idéale, celle qui lui sera entièrement dévouée toute sa vie.

— Et toi, tu as trouvé un homme dévoué en la personne du docteur Choquette ! Tout est bien qui finit bien, non ?

Simone hocha la tête.

— Oui, peut-être… Je veux finir mon cours d'infirmière avant toute chose. Après, on verra ! Il se pourrait bien que Paul fasse partie de mes projets ! Et puis, quoi de neuf dans ce cher hôpital ? À part, bien entendu, que j'ai eu peine à te reconnaître avec ta nouvelle chevelure, Évelina…

Lorsque cette dernière était entrée dans la chambre, Simone avait porté la main à son cœur en s'exclamant : «Sainte bénite, Évelina ! Es-tu tombée la tête la première dans une chaudière de goudron ?» Puis, elle avait complimenté son amie sur sa nouvelle coiffure en lui disant que le bleu de ses yeux paraissait plus intense.

Simone parcourut la chambre du regard. En voyant les fleurs, elle déclara :

— Est-ce que quelqu'un est mort ? On se croirait dans un salon mortuaire avec toutes ces fleurs !

La jeune femme se dirigea vers les vases de roses rouges. Elle prit une des cartes et la lut à haute voix : «Au plaisir de se revoir bientôt, C.» Après s'être tournée vers Flavie, elle s'écria d'un ton réjoui :

— Ne me dis pas que vous avez recommencé à vous fréquenter, Clément et toi ?

Flavie hocha négativement la tête avant de regarder Évelina. Simone, le regard interrogateur, attendait que cette dernière s'explique. Évelina lui confia la nouvelle lubie de sa mère.

— Ma chère mère m'a trouvé un fiancé ! Elle pense que les mariages arrangés sont encore à la mode !

— Et comment est ton «futur» ?

Évelina proposa un portrait peu élogieux de Celio. Elle ajouta que même s'il venait chanter *O Sole Mio* sous sa fenêtre, elle ne changerait pas d'avis à son sujet.

— C'est vrai que c'est un mari médecin que tu veux, pas un riche importateur italien! la taquina Simone.

— D'autant plus que j'ai envie de choisir moi-même mon époux, pas de me faire imposer quelqu'un par ma mère!

— En dehors de tes récentes aventures amoureuses, quoi de neuf dans l'hôpital?

Évelina et Flavie entreprirent de lui raconter les dernières journées, énumérant les cours auxquels elles avaient assisté, les nouveaux professeurs qu'elles avaient rencontrés et la présence, cette année encore, de sœur Désuète comme responsable de leur groupe.

Évelina se moqua:

— Elle va avoir le bonheur de nous donner les cours de christianisme. Quelle nouveauté!

— C'est normal, Évelina, que nous suivions des cours de religion, affirma Simone. Après tout, une bonne infirmière se doit d'être pratiquante! plaisanta-t-elle.

— Je sais bien! Mais on oubliait de te dire l'essentiel: nous avons à notre charge des infirmières de première année. J'ai dû m'occuper de la tienne pendant ton absence.

— Comment s'appelle-t-elle?

— Yvette Lemoine. Elle a une mémoire phénoménale tant qu'elle ne perd pas son carnet!

— Ah! J'ai tellement hâte de reprendre la vie normale! Ça va me faire du bien de m'occuper des patients et d'assister aux cours.

Simone se releva et déclara:

— Si ça ne vous dérange pas trop, j'irais voir Paul avant le souper.

— Faites donc, garde Lafond, avant que la vie normale ne vous rattrape !

* * *

La religieuse responsable de la distribution du courrier venait de passer pour la deuxième fois cette semaine-là. Évelina n'avait pas encore reçu l'argent de poche que sa mère lui faisait parvenir tous les mois. La jeune femme commençait à craindre qu'Ursule ne l'ait prise au mot quand elle lui avait dit qu'elle ne voulait plus de son argent. Simone et Flavie l'attendaient pour aller faire quelques courses. Simone avait besoin d'une paire de chaussures et Flavie voulait s'acheter une ou deux robes. « Elle, au moins, son père ne l'a pas oubliée, pensa Évelina en détaillant l'enveloppe que Flavie tenait à la main. Bof ! J'ai des économies. Ma mère finira par décolérer et, le mois prochain, elle m'enverra probablement un peu plus d'argent afin de compenser ! » L'envie d'une séance d'emplettes l'ayant emporté sur ses soucis, Évelina décida de suivre ses compagnes.

Flavie sortit de la cabine d'essayage et contempla son reflet dans le miroir. Simone avait délaissé ses amies ; elle s'était rendue au rayon des chaussures. Évelina, qui s'était trouvé une jupe et un chemisier, était prête à passer à la caisse. Elle regardait Flavie tournoyer devant la glace.

— La bleue était mieux, tu ne trouves pas ? commenta Flavie.

— Bah ! Tu peux bien prendre les deux, Flavie. L'une comme l'autre, elles te vont à ravir !

— C'est gentil !

— Il faudrait bien que tu les étrennes ces robes-là.

— Justement, j'ai reçu une invitation de Léo pour l'accompagner lors d'une soirée au Monument-National. Ça te dirait de te joindre à nous ? Ça m'intimide un peu de sortir seule avec lui. Léo m'a dit que je pouvais inviter mes amies si j'en avais envie.

— C'est certain que ça me tente ! N'importe quoi plutôt que de rester à l'hôpital. Mais je n'aurais jamais pensé que je te servirais de chaperon un jour !

— Chaperon est un bien grand mot !

— Si cela t'intimide de sortir seule avec lui, il y a sûrement une raison !

Les pommettes de Flavie prirent une couleur rosée. Elle ne répondit pas et retourna dans la cabine. Évelina rit sous cape. Enfin ! Flavie se décidait à sortir de son cocon ! Clément l'avait assez fait languir. Flavie pouvait sortir avec Léo Gazaille si cela lui chantait. Le journaliste paraissait plutôt bien et Flavie avait le droit de profiter de la vie. Évelina se leva et observa quelques instants sa jupe et son chemisier. Ses économies fondaient à vue d'œil, mais elle avait envie de nouveaux vêtements. « Tant pis, je toucherai mon allocation d'infirmière dans quelques jours. Quelques achats ne me ruineront pas ! »

Flavie sortit de la cabine avec les deux robes dans les mains.

— J'ai décidé de me gâter : je prends les deux ! Évelina, tu viens ? Allons rejoindre Simone dans le rayon des chaussures. J'ai besoin de souliers, moi aussi.

Les deux jeunes femmes retrouvèrent leur amie qui hésitait devant deux paires de chaussures noires.

— Laquelle préférez-vous ?

— Les deux paires sont pareilles, Simone ! rétorqua Évelina avec un brin d'impatience dans la voix.

— Ben voyons ! Ces chaussures ont une petite boucle et l'autre paire est plus classique.

— Je ne vois pas de différence, si tu veux mon avis.

— Qu'est-ce qui se passe, Évelina ? souffla Flavie. Habituellement, tu as l'œil pour ces détails.

— Je commence à être un peu « tannée » d'essayer des trucs. Je vais aller payer mes affaires et je vous attendrai à l'extérieur.

Surprises par les propos d'Évelina, Simone et Flavie suivirent celle-ci des yeux. Flavie se tourna vers Simone.

— Mon Dieu ! La reine du magasinage vient de nous planter là !

— La reine du magasinage n'a pas reçu l'enveloppe de sa mère, on dirait !

* * *

Les mains sur les hanches, Évelina observait Ludivine qui préparait le nécessaire pour faire la toilette d'un patient. Elle se tenait au pied du lit et surveillait les moindres gestes de sa protégée. Ludivine indiqua au patient qu'il pouvait retirer sa chemise de nuit.

Évelina s'avança.

— Vous n'oubliez rien, mademoiselle Boyer ?

— Non. Tout y est, mademoiselle Richer : les gants de toilette et le savon sont là, et l'eau chaude est tiède comme il se doit. Je ne vois pas ce qui manque.

— L'intimité du patient, peut-être ?

Évelina pointa le rideau qui entourait le lit. Ludivine eut un sourire désolé et se précipita pour le fermer. Dans son empressement, elle fit vaciller la bassine remplie d'eau dont le contenu se répandit sur Évelina. Cette dernière inspira profondément : « Il ne faut pas que je m'énerve. Une infirmière doit toujours rester calme devant ses patients ! » Ludivine ramassa la bassine et lui tendit une serviette. Évelina la prit d'un geste brusque et épongea sa robe du mieux qu'elle put.

— Est-ce que je peux vous laisser seule quelques minutes, mademoiselle Boyer, sans que vous déclenchiez d'autres catastrophes ? Je vais aller me changer. Occupez-vous de monsieur Laporte. Je reviens dans quelques instants.

Évelina se faufila derrière le rideau et sortit avec hâte de la salle. Elle avait eu envie de jeter sa serviette au visage de Ludivine, mais il fallait garder le contrôle en tout temps. « Une vraie plaie, cette Ludivine ! Je n'aurais pas pu être moins bien jumelée ! » Contrariée et perdue dans ses pensées, Évelina marchait d'un pas rapide. Elle fonça droit sur un interne qui arrivait en sens inverse, le nez collé sur un manuel de cours.

Sans prendre le temps de voir à qui elle avait affaire, Évelina pesta :

— Vous ne pouvez pas regarder où vous allez ?

— Je me disais exactement la même chose à votre sujet, garde Richer.

En reconnaissant l'interne maladroit, Évelina se radoucit.

— Je suis désolée, docteur Lacasse. J'étais pressée !

— Vous ne devriez pas courir comme ça. Vous êtes toute trempée !

— Une étudiante de première année m'a renversé une bassine d'eau dessus.

— Quelqu'un d'aussi maladroit que moi ? C'est surprenant !

Évelina décela une pointe d'humour dans les propos de l'interne ; celui-ci faisait allusion à leur première rencontre.

— Je ne suis pas comme ça d'habitude. Votre beauté m'a déconcentré.

— Ce n'est pas rassurant pour les patients, si vous vous déconcentrez aussi facilement. La plupart des infirmières sont jolies.

Clovis haussa les épaules.

— Ça fait partie du dur cheminement de tout interne. Je sais que la première impression qu'on a d'une personne est très importante. J'ai eu l'air un peu fou, la dernière fois qu'on s'est vus. Mais peut-être que je pourrais me rattraper avec un café ?

— Pourquoi pas ? Je vous laisse une deuxième chance de faire bonne impression.

— Disons vendredi en fin d'après-midi ?

Évelina essaya de se remémorer son emploi du temps. Vendredi serait parfait ; un café puis, en soirée, la sortie avec Flavie et Léo. Elle devrait être en mesure de s'organiser. De plus, cela terminerait bien la semaine que de faire plus ample connaissance avec Clovis Lacasse. Voyant une religieuse qui s'approchait, Évelina murmura en vitesse avant de s'éloigner :

— J'ai déjà hâte à vendredi !

* * *

Évelina avait confié à Ludivine la tâche de servir les plateaux du déjeuner aux patients. Elle était allée à la pharmacie chercher un médicament qui manquait. En revenant dans la chambre occupée par une dizaine de patients, Évelina sut immédiatement que quelque chose clochait. La moitié des patients avaient leur plateau posé devant eux et mangeaient tranquillement leur déjeuner, l'autre moitié attendait de se faire servir. Mais Ludivine avait disparu. Se dépêchant et s'excusant auprès des patients, Évelina les servit tout en pestant intérieurement contre l'étudiante de première année. « Où est-elle encore passée, celle-là ? On ne peut se fier à personne de nos jours. » S'efforçant de servir les patients en souriant, Évelina ne cessait de chercher Ludivine du regard. Une fois la distribution des plateaux complétée, elle partit à la recherche de la fautive.

Après avoir tourné à l'angle du couloir, Évelina vit Ludivine. Adossée contre le mur, celle-ci discutait avec deux internes et riait à gorge déployée. Évelina avait fait la même chose lors de sa première année d'études, mais jamais elle n'avait négligé les patients. D'un pas rapide, elle se dirigea vers le petit groupe. Ludivine continuait de parler avec les deux internes sans se soucier de la présence d'Évelina – qu'elle n'avait pu manquer, d'ailleurs, car cette dernière s'était approchée en claquant des talons pour annoncer son arrivée. En voyant que ni Ludivine ni les internes ne réagissaient, Évelina émit un « hum hum » assez fort dans le but d'interrompre la conversation.

Ludivine s'excusa auprès des internes et se tourna vers Évelina.

— Oui? Qu'y a-t-il?

Surprise par la désinvolture de l'étudiante, Évelina s'efforça de contenir sa rage.

— Certains patients attendaient leurs plateaux, Ludivine. Tu étais responsable de servir tout le monde, dois-je te le rappeler?

— Vous m'excuserez, messieurs. Il semble qu'on ne puisse se passer de ma présence plus de deux minutes!

Les deux internes saluèrent Ludivine en souriant. Évelina prit la direction de la chambre, la jeune étudiante sur les talons.

— Il manquait des plateaux, émit la fautive. J'attendais qu'ils arrivent pour servir les patients, c'est tout.

— Et pourquoi ne pas charmer quelques internes au passage, du même coup?

— Ben quoi? Aussi bien en profiter pour passer d'agréables moments.

— Tu auras dû aller t'informer aux cuisines à propos des plateaux manquants.

— Ben là! Ce n'est pas ma faute si quelqu'un a mal fait son travail.

— Ludivine, tu dois t'assurer que tes patients mangent tous en même temps et, si possible, qu'ils reçoivent un repas chaud.

— On mange froid la plupart du temps, nous autres!

— On passe bien après les patients, Ludivine. C'est important de ne jamais l'oublier.

— Il n'y avait rien de mal à ce que je jase un peu dans le couloir.

— Tu connais le règlement: les infirmières ne doivent avoir que des contacts professionnels avec les médecins et les internes.

— Et c'est toi qui me dis ça, Évelina Richer? Tout le monde sait que tu ne donnes pas ta place dans l'hôpital!

Stupéfaite et piquée au vif, Évelina s'immobilisa devant la porte de la chambre.

— Ce qui se passe dans ma vie privée ne te regarde pas, Ludivine Boyer. Tu as un *job* à faire, alors fais-le!

— Je pense que ce qui te dérange le plus, Évelina, ce n'est pas que ces pauvres patients n'avaient pas reçu leur plateau, mais bien le fait que je discutais avec les deux internes les plus mignons de l'hôpital. Avoue-le donc!

Ludivine venait de toucher une corde sensible. Elle s'aventurait sur le terrain d'Évelina et cette dernière était prête à tout pour défendre son territoire. «Ce n'est pas une petite nouvelle qui me volera ma place, c'est certain!» Afin que Ludivine ne se rende pas compte qu'elle avait visé juste, Évelina dit d'un ton faussement désintéressé:

— Tu peux bien discuter avec qui tu veux, je m'en fous. Occupe-toi de tes patients et tu t'amuseras après! *Astheure*, si ça ne te fait rien, reprends ton travail sinon je serai obligée de me plaindre à ton sujet.

Ludivine roula les yeux. Au moment où elle allait pousser la porte de la chambre pour aller ramasser les plateaux vides, Évelina retint la jeune femme par le bras.

— Et puis, jette ta gomme à la poubelle! Ça lève le cœur de te voir mâcher comme ça!

Lançant un regard de défi à Évelina, Ludivine étira sa gomme entre deux doigts. Puis, elle remit celle-ci dans sa bouche et entra dans la chambre.

* * *

— Maudit cibole!

Évelina lança au bout de ses bras une troisième paire de bas de soie filés. Elle fouilla dans sa commode, mais elle n'y trouva aucune paire intacte. Flavie arriva juste au bon moment.

— Flavie, je peux t'emprunter une paire de bas de soie? J'ai un rendez-vous dans vingt minutes et, comme tu peux voir, je ne suis pas encore prête.

— Un rendez-vous? J'espère que tu n'as pas oublié notre sortie un peu plus tard avec Léo au Monument-National?

— Non, non! Je serai là comme prévu.

Flavie lui tendit un paquet de bas de soie encore emballés.

— Tu m'as fait peur, j'ai bien cru que tu avais oublié. Et tu as un rendez-vous avec qui, si je peux me permettre?

— Avec Clovis Lacasse, un nouvel interne. On s'en va juste prendre un café. Ça va me faire un bien fou après la journée d'enfer que j'ai passée avec Ludivine!

— Ça ne s'arrange pas, à ce que je peux voir?

— Non, pas vraiment. «Ladivine» se croit tout permis! Ce matin, madame jasait avec des internes plutôt que de s'occuper des patients.

Évelina s'approcha du miroir pour appliquer son rouge à lèvres. Avant que Flavie ne lui fasse la moindre remarque, Évelina la devança.

— Je le sais que j'ai déjà fait ça, moi aussi, mais jamais au détriment des patients. Aujourd'hui, il y en avait plus de la moitié qui n'avaient pas eu leur plateau. Et puis, la maudite gomme à mâcher de Ludivine me rend malade! On se faisait apostropher par les sœurs pour bien moins que ça!

Évelina regarda quelques secondes le vernis sur ses ongles, vernis que les religieuses lui demandaient constamment d'enlever.

— Est-ce qu'il y a quelque chose de plus dérangeant qu'une gomme à mâcher?

En disant cela, Évelina s'était allumé une cigarette. Elle en tira quelques bouffées avant de subir le regard désapprobateur de Flavie.

— Tu sais que tu n'as pas le droit de fumer ici.

Évelina écrasa sa cigarette en chassant la fumée de la main.

— O.K., tu as raison! Comment me trouves-tu avec cette vieillerie sur le dos?

Évelina tournoya devant Flavie. Après avoir reçu l'approbation de son amie, elle contempla une dernière fois son reflet dans le miroir, puis elle sortit.

* * *

Clovis lui avait donné rendez-vous dans un petit café non loin de l'hôpital. En regardant par la vitrine du commerce, Évelina vit le jeune homme assis à une table, penché sur un journal. « Ah non ! Pas un autre qui suit les activités d'Hitler en Europe ! » se dit-elle en le voyant si absorbé par sa lecture. Ce qui se passait en Europe importait très peu à Évelina. Elle avait toujours détesté la politique ; à vrai dire, elle n'y avait jamais rien compris. Pourquoi les hommes aimaient-ils tant discuter voitures, politiques et hockey ? Il n'y avait vraiment rien à dire à propos de ces choses incompréhensibles. L'Europe était à des lieues de Montréal et jamais une guerre ne viendrait perturber la vie trépidante de la métropole. Les gens s'inquiétaient pour rien, selon Évelina.

S'approchant de Clovis qui lui tournait le dos, la jeune femme poussa un soupir de soulagement en voyant qu'il lisait une des bandes dessinées du journal *La Patrie,* soit *Armand et les pirates.* Comme s'il avait senti une présence derrière lui, Clovis referma le journal rapidement – sans doute pour dissimuler ce qu'il était en train de lire – et se retourna.

— Bonjour, Évelina. En t'attendant, je jetais un coup d'œil aux nouvelles internationales.

— Est-ce qu'Armand et ses pirates vont bien ?

Clovis l'invita à s'asseoir en face de lui.

— Je vois que mon secret vient d'être dévoilé au grand jour. J'adore les bandes dessinées et je reconnais volontiers que l'actualité m'ennuie profondément !

« On a un point commun ! » songea avec satisfaction Évelina avant de retirer son manteau et ses gants. Puis, elle s'assit. Clovis continua à justifier son choix de lecture.

— Oh! Mais je ne lis pas que des bandes dessinées! Je lis aussi des manuels et des revues de médecine. Disons qu'*Armand et ses compagnons* me change un peu les idées.

Un serveur vint prendre la commande. Clovis commanda un second café pour tenir compagnie à Évelina. Ce dernier regarda l'horloge derrière la jeune femme.

— J'ai encore un peu de temps, mais je dois retourner à l'hôpital d'ici une demi-heure. C'est comme ça le travail d'interne : on doit toujours être disponible pour combler les besoins.

— Bah! C'est la même chose avec les infirmières. La disponibilité est une qualité très recherchée! Quelle sera votre spécialité, Clovis?

Le serveur revint avec les deux cafés. Clovis prit le temps de mettre du sucre et du lait dans sa tasse et d'en prendre une gorgée avant de répondre à la question.

— Je pense qu'on peut se tutoyer, Évelina? Je ne sais pas trop encore quelle spécialité je choisirai. L'obstétrique m'intéresse, et la médecine générale également. Mon père aurait bien voulu que je suive ses traces – il est avocat –, mais j'ai préféré faire ma médecine. Et toi? Qu'est-ce qui t'a incitée à suivre un cours d'infirmière?

Évelina avala sa gorgée de café de travers. Elle n'allait quand même pas lui avouer que le but premier de ses études était de trouver un mari médecin. Elle toussa un petit moment – tant pour se dégager la gorge que pour gagner du temps – avant de déclarer :

— Ma mère avait d'autres projets pour moi, mais j'ai décidé de faire mon cours d'infirmière.

— Quel genre de projets ?

Évelina ne voulait pas évoquer le souhait de sa mère de lui faire épouser Celio Campino. Après tout, Ursule Richer voulait seulement qu'Évelina ne souffre pas de problèmes financiers. La jeune femme décida de changer de sujet.

— Comment trouves-tu ton internat à l'hôpital Notre-Dame ?

Clovis parla de ses cours, des médecins qu'il côtoyait, des patients… Évelina regrettait d'avoir posé cette question, car son vis-à-vis ne se préoccupait que de lui, de ce qu'il vivait, des personnes avec qui il discutait. Évelina termina son café en l'écoutant, se retenant de soupirer d'ennui. Clovis continua son laïus tout en faisant mine d'ignorer qu'Évelina avait terminé son café et avait repoussé sa tasse.

Soudain, il s'écria :

— Me voilà encore parti en grande avec mes histoires ! Je dois t'ennuyer avec mes propos ?

Évelina hocha la tête négativement tout en essayant de paraître intéressée. Après avoir regardé l'heure à l'horloge, l'interne se leva promptement.

— Il faut que je rentre. Je dois évaluer des patients sous la surveillance du docteur Choquette. J'espère qu'on se reverra bientôt, Évelina ! J'ai encore tant de choses à te raconter et à apprendre sur toi.

« Encore faudrait-il que tu me laisses placer un mot ! » songea Évelina en suivant le jeune homme des yeux lorsqu'il quitta le café. « Comme deuxième impression, c'est une note assez moyenne que je décerne à ce Clovis Lacasse. Espérons qu'il fera mieux la prochaine fois ! » Évelina remit son manteau et ses gants. Le serveur avait laissé les deux additions sur la table, et l'interne était parti sans régler la sienne. Évelina alla payer à la caisse, déçue de sa première sortie avec Clovis.

* * *

Après son rendez-vous avec Clovis, Évelina rentra directement. Elle profita des quelques minutes dont elle disposait pour se refaire une beauté. Flavie terminait de se préparer. Tout en appliquant son fard à joues, elle questionna Évelina sur sa sortie.

— Il n'y a pas grand-chose à dire, répondit son amie. Il a été question de son métier et de sa vie ; bref, Clovis n'a parlé que de lui durant tout le temps qu'a duré notre rendez-vous. En plus, il m'a refilé son addition !

— Il doit avoir oublié de la payer, tout simplement.

Flavie s'était montrée peu attentive aux propos d'Évelina, examinant sa propre apparence pendant ce temps-là. De toute façon, Évelina n'avait pas particulièrement envie de parler de son rendez-vous plus qu'ordinaire avec l'interne. Elle voyait à quel point Flavie était nerveuse. En effet, celle-ci avait commencé à se ronger les ongles ; elle réagissait toujours ainsi sous l'influence du stress.

— Tu es parfaite comme ça, Flavie. Allez, viens ! Ton beau journaliste va nous attendre !

Flavie jeta un dernier coup d'œil dans le miroir avant de quitter la chambre avec Évelina. En passant devant la salle de repos, les deux jeunes femmes aperçurent Simone, installée dans un fauteuil près de la nouvelle radio Westinghouse. Les dames patronnesses avaient offert l'appareil au moment de la rentrée. Les jambes repliées et le nez plongé dans un manuel scolaire, Simone ne vit pas ses deux amies qui l'observaient sur le pas de la porte.

Flavie s'avança vers Simone.

— On sort. Ça te dirait de te joindre à nous ?

— C'est un peu tard pour l'invitation…

Devant la mine désolée de Flavie, Simone s'empressa de rassurer son amie :

— Vous êtes fines de m'inviter, Évelina et toi. Mais j'ai des trucs à lire et je veux écouter l'émission *La pension Velder* qui commence dans quelques minutes.

— Tu aimes mieux passer la soirée à écouter un radio-roman que de sortir avec tes amies ! la taquina Évelina. Nous te reconnaissons bien là, Simone !

— Notre invitation est beaucoup trop à la dernière minute, Évelina, intervint Flavie.

— Même si je l'avais su plus tôt, je n'y serais pas allée, déclara Simone. Je ne veux pas me coucher trop tard. Et puis, j'ai du rattrapage à faire à cause des cours que j'ai manqués au début de l'année.

— La maîtresse d'école a parlé, Flavie. Allons-y ! Léo doit nous attendre en bas. Bonne soirée avec tes « pensionnaires », Simone !

Cette dernière hocha la tête avant de se replonger dans son manuel. Léo attendait à l'extérieur de l'hôpital, profitant de l'air frais de cette soirée d'octobre. Il s'était adossé contre une des colonnes encadrant la porte principale. Lorsqu'il vit Flavie pousser la porte, Léo sourit et alla à sa rencontre. Il salua

Évelina avec courtoisie et invita les deux jeunes femmes à le suivre pour aller prendre le tramway au coin de la rue.

— Je n'ai pas encore les moyens de m'acheter une automobile, mais ça viendra ! J'ai obtenu un nouveau poste un peu plus important que les faits divers avec un salaire en conséquence. D'ici un an ou deux, je devrais être en mesure de rouler en Ford !

Les yeux brillants, Flavie écouta attentivement les propos de Léo durant tout le trajet en tramway. Évelina n'en revenait pas que les seuls sujets que les hommes évoquaient concernaient les automobiles ou ce qui se passait en Europe. Quand ils se trouvèrent devant le Monument-National, boulevard Saint-Laurent, Évelina décida qu'elle avait assez entendu parler de voitures, d'Hitler et des valeureux joueurs de hockey du Canadien. Brisant le silence qu'elle avait observé jusquelà pour laisser toute la place à Léo et, surtout, pour combler Flavie qui buvait littéralement les paroles du journaliste, elle s'informa sur la pièce qu'ils verraient ce soir-là.

Léo s'empressa de répondre :

— Il s'agit d'une comédie musicale : *L'auberge du Cheval blanc*. C'est la troupe des Variétés lyriques qui présente cette opérette allemande de Ralph Benatzky.

« Ah non ! Pas encore quelque chose qui concerne l'Allemagne ! » pensa avec dépit Évelina.

— Au journal, on m'a dit le plus grand bien de cette pièce, poursuivit Léo. Vous connaissez certainement ceux qui chantent dans les Variétés lyriques : il y a, entre autres, Olivette Thibault, Pierrette Alarie et Lionel Daunais.

— Olivette Thibault parle allemand? questionna candidement Flavie.

Léo éclata de rire.

— Non, non! Rassurez-vous, mesdemoiselles. Nous assisterons à la version française de cette opérette.

— Tant mieux! s'exclama Évelina, soulagée. Je n'aurais pu supporter de passer la soirée en entendant crier de l'allemand!

En s'installant à sa place dans le théâtre, Évelina crut apercevoir Marcel Jobin et sa femme assis un peu plus loin dans la salle, quelques rangées devant. S'étirant le cou pour voir s'il s'agissait bien de son amant, Évelina en reçut la confirmation quand celui-ci, se sentant observé, se retourna. Mais il ne la vit pas. La jeune femme s'était toujours efforcée de paraître distante face à la relation qu'elle entretenait avec le médecin. Elle avait souvent dit à Flavie et à Simone qu'elle s'accommodait bien de son rôle de maîtresse. Mais le fait de voir Marcel avec son épouse ce soir-là lui rappela qu'il ne serait jamais SON homme à elle. Joséphine Jobin serait toujours présente dans le portrait. Évelina essaya en vain de chasser le chagrin qui lui avait soudainement étreint les entrailles. Elle écouta d'une oreille distraite les jérémiades du pauvre Léopold, le maître d'hôtel de l'auberge, qui tentait de déclarer son amour à sa patronne, Josefa, qui lui préférait le bel avocat Guy Florès. «Une histoire de triangle amoureux... J'avais bien besoin de ça ce soir!» Évelina se doutait bien que *L'auberge du Cheval blanc* se terminerait comme dans un conte de fées: Léopold finirait avec Josefa, et cette dernière oublierait rapidement Florès. Mais dans sa propre vie, Joséphine resterait toujours aux côtés de Marcel...

Évelina s'essuya discrètement le coin des yeux avec son mouchoir. Flavie ne remarqua rien, subjuguée par Léo qui venait de poser sa main sur la sienne. Évelina serra les mâchoires et rangea son mouchoir dans son sac à main. Elle avait envie d'autre chose ce soir-là que d'être l'éternelle maîtresse du docteur Jobin. Les propos d'Antoine, qui lui avait dit qu'elle cherchait quelque chose sans savoir ce qu'elle voulait vraiment, lui revinrent subitement à la mémoire. Ce soir-là, Évelina aurait eu besoin de poser sa tête sur l'épaule d'un homme qui l'aurait aimée entièrement – sans devoir se partager le cœur en deux. Son amant ne la comblait plus. La jeune femme décida de rompre définitivement avec Marcel.

5

En rentrant du Monument-National, Évelina demeura silencieuse durant tout le trajet. Léo avait insisté pour raccompagner les deux jeunes femmes. Après avoir remercié Léo pour la soirée, Évelina quitta Flavie et le journaliste dans le hall d'entrée, prétextant un mal de tête. Simone dormait déjà quand Évelina entra dans la chambre. Sans faire de bruit, cette dernière se démaquilla et revêtit sa chemise de nuit. Elle se glissait dans son lit quand Flavie entra dans la chambre.

— Est-ce que ça va, Évelina? demanda celle-ci, car elle n'avait pas cru l'excuse de son amie.

— Chut! Simone dort!

Flavie se rapprocha d'Évelina. Elle obligea celle-ci à se pousser pour qu'elle puisse s'asseoir sur le bord du lit.

— Qu'est-ce qui se passe?

— Rien du tout. Je suis fatiguée.

— Je n'aurais jamais cru qu'une opérette te bouleverserait autant! la taquina Flavie. On dirait que tu viens d'apprendre que tu souffres d'une maladie incurable.

— C'est un peu ça… J'aime un homme dont le cœur ne m'appartient pas entièrement. Sa femme s'interposera toujours entre nous deux.

— Les Jobin étaient au Monument-National? Je ne les ai pas vus…

— Normal, car tu n'avais d'yeux que pour ton beau journaliste. Marcel et sa femme étaient installés quelques rangées devant nous.

— Et c'est de les avoir vus ensemble qui te rend aussi triste ?

Évelina ne répondit pas. Elle pouvait difficilement cacher quelque chose à ses amies, car les émotions se lisaient facilement sur son visage. Voyant qu'elle avait misé juste, Flavie continua :

— C'est normal, Évelina, que tu ressentes cela. Tu t'es contentée de cette relation pendant longtemps. Maintenant, tu veux plus. Pour moi, c'était la même chose avec Clément. Il avait très peu de temps à consacrer à notre relation. Je me suis lassée de passer en second plan, après son poste de chirurgien.

— Tu n'as peut-être pas été assez patiente, Flavie. Clément était toujours là pour toi, malgré ses lourdes charges à l'hôpital.

— La patience a ses limites, Évelina…

— Tu as bien raison ! Nous sommes jeunes et belles et nous n'avons que faire des idiots qui nous font languir !

La voix endormie de Simone s'éleva :

— Vous êtes peut-être jeunes et belles, les filles, mais il y en a qui veulent dormir dans cette chambre !

— Ah ! Simone ! Toujours là pour nous ramener à l'ordre ! On dirait que tu ne dors toujours que d'un œil pour nous surveiller.

— Je n'ai pas besoin de dormir d'un œil pour vous entendre parler de vos histoires de cœur. Probablement que la chambre d'à côté est au courant que Flavie est sortie avec Léo, que tu as vu Marcel et sa femme et que vous en avez assez d'attendre après des idiots! En passant, Évelina, tu as encore reçu un bouquet de fleurs. Je l'ai mis dans la salle de repos. Aussi bien en faire profiter nos consœurs, qu'en penses-tu?

Évelina et Flavie s'étonnèrent: Simone avait feint de dormir depuis le début, car elle n'avait rien perdu de leur conversation. Mais Évelina était contente que son amie ait disposé des fleurs. Chaque fois qu'elle contemplait les «cadeaux» de Celio, cela lui rappelait qu'elle devrait se résoudre à entrer prochainement en contact avec l'Italien pour lui dire d'arrêter d'envoyer fleurs et chocolats.

— Bonne idée! s'exclama-t-elle. L'odeur des fleurs commence sérieusement à me lever le cœur! Ainsi, tu es au courant de tout, Simone, ajouta-t-elle, faisant référence à l'intervention de celle-ci alors que Flavie et elle la croyaient endormie. On peut avoir ton avis sur ce qui nous préoccupe?

Simone s'assit dans son lit et se frotta les yeux.

— Ce que j'en pense? Évelina, tu dois mettre fin à ta relation avec le docteur Jobin, une fois pour toutes. Il y a beaucoup d'autres poissons dans le lac. Et toi, Flavie, profite de ton beau journaliste! Il semble libre pour toi, lui, en tout cas. *Astheure*, est-ce qu'on peut dormir?

* * *

Évelina avait distribué les plateaux du déjeuner à la place de Ludivine, qui brillait par son absence. Si elle n'avait pas rapporté cet autre manquement à la sœur responsable, c'était parce que l'insouciance de Ludivine lui rappelait sa première année à l'hôpital. Georgina Meunier n'aurait pas hésité une seconde à dénoncer Ludivine, mais Évelina ne voulait pas s'abaisser ainsi.

Cette dernière dut aussi desservir les plateaux à la place de Ludivine. Elle allait se résoudre à prodiguer les soins d'hygiène aux patients quand la retardataire entra en coup de vent dans la pièce. Évelina, qui s'était promis de la sermonner, figea net en la voyant. Ludivine arborait la même coiffure qu'elle – sauf qu'elle avait gardé ses cheveux roux –, était maquillée de la même façon et portait du vernis à ongles rouge vif ! Une copie conforme ! Toutefois, la jeune femme n'avait pas renoncé à la gomme à mâcher.

— Désolée du retard, dit-elle. Je suis passée tout droit ce matin. Merci d'avoir distribué les plateaux à ma place. Où en es-tu ?

Tout en détaillant son sosie, Évelina bafouilla : « Soins d'hygiène… » Sous le regard inquisiteur, Ludivine crut bon de se justifier :

— J'avais envie de changer d'allure un peu. Aimes-tu ?

Évelina hocha la tête. Elle laissa Ludivine s'occuper de la toilette des patients. Évelina s'empara du dossier de monsieur Lejeune et le feuilleta rapidement pour voir quels médicaments il fallait administrer à ce malade. « Ladivine » ne cesserait jamais de l'étonner. À la fois flattée et surprise que son apparence plaise à Ludivine au point que celle-ci l'ait adoptée, Évelina termina sa matinée avec un sentiment de fierté tout en se demandant ce que pouvait cacher un tel geste.

Durant le dîner, elle demanda l'avis de Simone.

— Décidément, mon avis est important pour toi ces temps-ci ! Je dirais que tu sers de modèle à Ludivine. Elle te voit peut-être comme une grande sœur ?

— Une grande sœur ? Moi ? Voyons, Simone !

— Tu m'as demandé mon avis, alors je te le donne !

Paul, qui venait d'entrer dans la salle à manger, parcourait la pièce du regard. Il se dirigea vers Évelina et Simone, un journal à la main. Prenant place à leur table, il déposa son journal et le montra du doigt.

— Avez-vous lu ça ce matin ? L'Allemagne a envahi la région des Sudètes en Tchécoslovaquie. Hitler a commencé son expansion !

Simone vint s'installer à ses côtés pour lire la nouvelle. Évelina haussa les épaules en signe d'indifférence : « Encore l'Allemagne ! » Elle décida de quitter ses amis.

— Vous m'excuserez, mais je dois y aller. Ce qui se passe ailleurs qu'ici ne m'intéresse pas vraiment pour l'instant.

— Pourtant, ça devrait te préoccuper, Évelina, déclara Simone. La guerre pourrait éclater à tout moment ; c'est quand même assez inquiétant, ajouta-t-elle avant de reprendre la lecture de l'article de journal.

— Bof ! Moi, la politique, tu sais !

— Si la Grande-Bretagne décide d'intervenir, le Canada n'aura pas le choix de suivre, expliqua Paul. Il pourrait y avoir une nouvelle crise de la conscription.

— Je vous laisse à votre nouvelle de première importance ! dit Évelina. Pour le moment, d'autres sujets me préoccupent davantage. Par exemple, mes patients comptent sur moi pour l'administration de leurs médicaments.

Sur ces entrefaites, Évelina laissa Simone et Paul, toujours penchés sur l'article. Que pouvaient-ils changer à ce qui se passait dans le monde, de toute façon? «On s'inquiétera dans le temps comme dans le temps»: telle était la devise d'Évelina depuis longtemps, et elle y tenait fermement. En se rendant auprès de ses patients, la jeune femme croisa Clovis. Il s'arrêta à sa hauteur. Évelina replaça machinalement sa coiffe avant de se tourner vers l'interne.

— Bon après-midi, garde Richer. Comment allez-vous?

La dernière fois qu'ils s'étaient vus, Clovis avait demandé qu'ils se tutoient. Maintenant, il la vouvoyait! Mais Évelina se doutait que c'était parce qu'ils se trouvaient en public; Clovis voulait faire croire aux oreilles indiscrètes qu'il s'agissait d'une conversation purement professionnelle. Évelina décida d'entrer dans son jeu.

— Je vais bien. Heureuse de vous revoir, docteur Lacasse!

— Je suis désolé d'avoir dû écourter notre rendez-vous de l'autre jour. Peut-être pourrions-nous nous reprendre bientôt? lui souffla Clovis sur le ton de la confidence.

— Pourquoi pas? Je vais regarder mes disponibilités. Je vous contacterai rapidement pour qu'on puisse s'organiser quelque chose. Un souper, peut-être?

Évelina pensa: «En espérant que vous réglerez l'addition cette fois-ci.» Ludivine et un groupe d'étudiantes passèrent devant Clovis et elle; les jeunes femmes parlaient fort afin d'attirer l'attention. Clovis les suivit des yeux tout en ignorant

Évelina qui attendait une réponse. Elle se racla la gorge pour qu'il reporte son attention sur elle.

Pris en défaut, Clovis s'empressa de réagir :

— Que disions-nous déjà ?

Évelina lui répondit sur un ton sec :

— Quand vous connaîtrez vos disponibilités et surtout, si vous êtes toujours disposé à m'inviter à souper, vous me le ferez savoir !

Tournant les talons, elle reprit son chemin.

* * *

Marcel fixait la table devant lui. Évelina et lui s'étaient donné rendez-vous dans le café où ils se rencontraient de temps à autre. Le médecin avait un peu de temps de libre avant le prochain cours qu'il devait donner et Évelina profitait de son après-midi de congé. Quand elle avait demandé à son amant s'ils pouvaient se rencontrer, Marcel s'était douté de quelque chose.

La jeune femme prit une profonde inspiration et avala une gorgée de café pour se donner du courage.

— Quand je vous ai vus tous les deux au Monument-National, ta femme et toi, j'ai réalisé que tu aimes toujours autant Joséphine, Marcel. Vous vous êtes probablement perdus de vue avec les années, comme la plupart des couples. C'est ce qui explique que tu te sois tourné vers moi.

— J'ai besoin de toi, Évelina.

— Non. Ce dont tu as besoin, c'est de te rapprocher de ta femme, Marcel. Tu sais comme moi que nous deux, nous ne pourrons jamais être ensemble officiellement.

— Je vous aime toutes les deux ; tu le sais, Évelina. D'ailleurs, j'ai toujours été clair avec toi.

— Oui, tu as toujours été d'une grande honnêteté. Mais je veux plus que quelques rendez-vous par-ci, par-là. Je n'ai plus envie de partager l'homme que j'aime avec quelqu'un d'autre.

Évelina ferma les yeux. Pour la première fois, elle constatait qu'elle attachait peut-être de l'importance à la fidélité. Elle ouvrit les yeux et fixa Marcel pendant quelques secondes. Il avait posé la main sur la sienne et des larmes brillaient dans ses yeux bleus.

— Si c'est ce que tu veux, Évelina, je ne peux pas te retenir. Je t'aime suffisamment pour te laisser partir et souhaiter que tu trouves le bonheur avec un autre homme. J'aurais aimé que ce soit avec moi que tu sois heureuse.

— Je l'ai été, mais j'attends un peu plus de la vie maintenant. Je suis sincèrement désolée.

Marcel se leva et s'essuya rapidement les yeux du revers de sa manche. Il mit son manteau et posa un baiser sur le front d'Évelina avant de sortir du restaurant.

Cette dernière repoussa son café de la main. En voyant Marcel sortir à l'extérieur, les épaules voûtées, elle s'en voulut quelques instants. Elle pensa ironiquement : « Antoine serait fier de moi ! J'ai brisé le cœur d'un homme pour faire le ménage dans ma vie ! »

* * *

Évelina compta ses économies. Dépitée, la jeune femme constata qu'elle ne parviendrait pas à payer le blanchisseur pour l'entretien de ses vêtements. Elle avait porté chacune de ses robes quelques jours de plus, mais désormais, celles-ci requéraient un lavage. Simone venait d'entrer dans la chambre, les bras chargés de livres empruntés à la bibliothèque. En poussant un soupir, elle déposa les ouvrages sur le petit bureau où se trouvait sa machine à écrire.

Pointant les livres du menton, Évelina interrogea son amie :

— Tu t'es rapporté de la lecture de chevet ?

— Non ! Ces manuels me serviront pour un prochain article dans le journal *L'Antenne de Notre-Dame*.

— Tu continues à écrire pour le journal ? Pourtant, la troisième année est beaucoup plus exigeante que les deux précédentes. Es-tu certaine d'avoir le temps d'écrire ?

— On trouve toujours le temps pour quelque chose qui nous passionne. J'adore écrire dans le journal ; ça me détend, et puis ça me change les idées.

Simone désigna les robes d'Évelina qui reposaient sur le lit.

— Tu fais le ménage de tes armoires ?

L'air découragé, Évelina s'assit sur son lit.

— Si seulement ce n'était que ça ! Ma mère m'a coupé les vivres. Je gratte les fonds de tiroirs pour trouver de l'argent.

— Et en sortant toutes tes robes de l'armoire, en as-tu trouvé ? se moqua Simone.

— Tu peux bien rire de moi, Simone Lafond ! Mes robes ont besoin d'être lavées et je ne peux pas les apporter à la buanderie, car je dois restreindre mes dépenses. Comment réussissez-vous à survivre avec une allocation de cinq dollars par mois, les filles ? Si, au moins, c'était un montant hebdomadaire ! C'est épouvantable ! Je n'y arriverai tout simplement pas !

— Cinq dollars par mois, c'est suffisant, Évelina. Après tout, nous n'avons aucune dépense. Nous sommes logées et nourries.

— Mais pas blanchies !

— La plupart des étudiantes – et les gens, en général – lavent eux-mêmes leurs vêtements.

— Je ne peux pas croire que je devrai m'y résoudre ! Et puis, je ne sais pas comment faire !

— Ce n'est pas bien compliqué. Tu mouilles tes vêtements, tu les savonnes, tu les rinces et le tour est joué !

— Je sais bien, Simone ! Mais je n'ai pas le temps !

— Si tu veux restreindre tes dépenses et ne pas quêter de l'argent à ta mère, tu vas devoir t'organiser avec tes affaires ! Il suffit de bien planifier. Il faut toujours se garder une robe propre de côté pour les imprévus et une qu'on porte pendant la journée. Les autres, elles sèchent tranquillement et on peut les revêtir deux ou trois jours après la lessive. Il faut aussi les repasser.

— Ah…

— Tu verras, tu t'en sortiras ! Mais pourquoi ta mère t'a-t-elle coupé les vivres ?

Évelina se rendit compte qu'elle n'avait pas raconté à Simone l'épisode concernant Celio Campino. Elle entreprit de lui relater les faits, ainsi que l'altercation avec sa mère qui avait suivi.

— Je suis partie de chez elle en claquant la porte et en lui disant que je n'avais pas besoin de son argent.

— Tu n'y es pas allée de main morte, Évelina !

— J'en ai assez de son contrôle. Elle a brillé par son absence quand j'étais plus jeune, et maintenant, elle voudrait que nous soyons les meilleures amies du monde. Jamais je ne me conformerai à ce qu'elle souhaite.

— Et ton « fiancé », il est fortuné, je suppose ? Tu ne voulais pas épouser un homme riche, justement ?

— Oui, mais j'aimerais le choisir moi-même ! Je ne pensais pas que ma mère me prendrait au mot et qu'elle arrêterait de m'envoyer de l'argent de poche. Elle agit ainsi pour que je l'appelle et que je m'excuse de mon comportement. J'aime mieux être pauvre et faire moi-même mon lavage que de lui demander quoi que ce soit.

— Eh bien, en attendant que les choses se règlent, il va falloir que tu apprennes à laver tes robes. Viens que je te montre comment on procède !

* * *

Évelina contemplait ses vêtements, accrochés sur des cintres, qui séchaient à l'air dans la pièce servant de buanderie. Un immense sentiment de fierté s'empara de la jeune femme en constatant qu'elle y était parvenue. Évelina suivit Simone qui retournait dans la chambre. Cette dernière s'installa derrière sa machine à écrire et tenta de mettre de l'ordre dans la pile de feuilles sur le bureau. Évelina se laissa tomber sur son lit, le sourire aux lèvres.

— Youpi! s'écria-t-elle. Le lavage est terminé, il ne reste plus qu'à attendre que tout sèche… C'est plus facile que je ne le pensais!

— Tu vas aussi devoir apprendre à repasser et à empeser ton linge, Évelina.

— Quoi? La corvée n'est pas finie?

— Tout à l'heure, tu as vu que j'ai fait tremper tes cols, tes poignets et tes coiffes dans une solution d'amidon. Eh bien, une fois qu'ils seront secs, il faudra les repasser pour qu'ils soient bien empesés.

— Ouf! C'est tellement décourageant. Je ne suis pas un «Chinois», moi!

— Il paraît d'ailleurs que l'eau de riz fait des merveilles pour empeser les vêtements!

— Hein?

Simone ne réagit pas. Elle continua de mettre de l'ordre dans les notes qu'elle avait prises pour écrire son article. En voyant la mine découragée d'Évelina, la jeune femme se fit rassurante :

— Ce n'est rien de bien compliqué. Il suffit d'y penser et de se garder un peu de temps pour faire cette tâche, c'est tout.

— Après ça, je serai bonne à marier! Hé! Je sais cuisiner, laver et repasser mon linge. Une vraie fée du logis!

— Il ne te restera qu'à apprendre à traire les vaches et tu pourras t'installer sur une ferme. Tu étais quand même douée l'an dernier pour faire les foins.

Évelina se redressa sur le lit en prenant appui avec son coude. Elle pensa pendant quelques secondes au long et difficile travail qu'exigeait la fenaison, puis se souvint qu'elle avait trouvé ce dur labeur somme toute gratifiant. Revenant à Simone qui attendait sa réponse, elle déclara simplement :

— Si tu fais allusion à Antoine, ne compte pas trop là-dessus, Simone Lafond ! Je ne pense pas que nous ayons un avenir tous les deux.

— Pourtant, j'aurais juré le contraire. Vous vous entendez bien et, en plus, il est plutôt mignon.

— Peut-être. Mais il est convaincu qu'une fois que j'aurai fait le ménage dans ma vie, je reviendrai vers lui. Le ménage ! Comme si c'était facile !

— On s'entend que tu n'es pas forte là-dessus, en effet !

Évelina secoua la tête.

— Je ne suis peut-être pas douée pour les tâches ménagères, mais tu sauras que j'ai déjà commencé à faire le ménage dans ma vie !

— Que veux-tu dire ?

— J'ai mis fin à ma relation avec Marcel.

— Ce n'est pas trop tôt ! Je détestais tellement ce rôle de maîtresse que tu t'imposais. Il est peut-être bien fin et bien beau, le docteur Jobin, mais il est marié.

— Je sais que tu désapprouvais, mais j'ai quand même passé du bon temps avec lui.

— Qu'est-ce qui t'a décidée à rompre ?

Évelina ne voulait pas avouer à Simone que, même si elle se moquait des paroles d'Antoine, celles-ci lui étaient restées en tête.

— Bah! Il y a d'autres hommes autour qui sont complètement libres et avec qui je pourrais m'amuser.

— Comme qui?

— Clovis Lacasse.

— L'interne? Paul m'a dit qu'il le trouve un peu distrait; il doit sans cesse surveiller ses faits et gestes. Si c'est parce qu'il pense à toi, ça explique tout!

Évelina lui fit un clin d'œil. Simone déclara:

— Tu m'excuseras à présent, Évelina, mais j'ai un article à rédiger.

— Merci encore pour le cours « Lavage des robes d'infirmières 101 ». C'est vraiment très apprécié.

— De rien! Tu sais à quel point j'aime te ramener dans le droit chemin! Ah oui! J'oubliais! Les étudiantes de première année ont demandé aux troisièmes années d'organiser une soirée pour célébrer la fête de l'Halloween. Ça te dirait de faire partie du comité organisateur?

— Une fête avec des costumes et tout? Oh oui! J'aimerais beaucoup!

— Nous nous rencontrons demain en fin de journée, quelques autres élèves de troisième année et moi, pour organiser le tout et présenter notre projet aux religieuses.

— Je serai là!

Évelina laissa Simone travailler. La jeune femme réfléchit ensuite au costume qu'elle porterait pour l'occasion. Elle se déguiserait en geisha. Avec un tel costume, elle ne passerait pas inaperçue !

* * *

Au début, l'organisation de la soirée d'Halloween s'était bien passée. Simone, Évelina et deux autres étudiantes de troisième année s'étaient mises d'accord sur le déroulement de l'événement et elles étaient parvenues à obtenir la salle paroissiale. Les dames patronnesses avaient fourni un peu d'argent pour les victuailles, et les frais d'entrée couvriraient les autres dépenses. Mais une embûche majeure survint. Ayant eu vent de l'affaire, les religieuses avertirent le curé de la paroisse qu'une telle réception ne pouvait avoir lieu dans le sous-sol de l'église. L'Halloween ! Une fête païenne ! Le curé communiqua avec le comité organisateur pour lui signifier que la salle n'était plus disponible. Évelina, Simone et leurs deux autres collègues apprirent la nouvelle à la dernière minute. Il était trop tard pour trouver un autre local. Quelle déception pour les étudiantes qui se préparaient depuis plusieurs jours !

Évelina prit les choses en main. Elle insista pour que Simone l'accompagne au bureau de sœur Larivière, dans une ultime tentative pour sauver la fête. Les deux jeunes femmes attendaient désormais avec impatience l'arrivée de la religieuse.

— Il faut absolument faire changer d'avis la direction, dit Évelina. On ne fera rien de mal ; on veut seulement souligner l'Halloween. Plusieurs cabarets offrent des soirées de ce genre, alors je ne vois pas pourquoi on devrait tout annuler.

— Si les religieuses en ont décidé ainsi, on n'y peut rien, répondit Simone. Nous n'avons pas le temps de trouver un autre endroit. Aussi bien abandonner l'idée et passer à autre chose.

— Pas tant que je n'aurai pas tenté l'impossible, Simone. Après tout, notre plaisir est en jeu !

Sœur Larivière entra dans la pièce avant que Simone n'ait le temps de répliquer. Après avoir refermé la porte, la religieuse s'installa derrière son bureau.

— Que me vaut l'honneur de votre visite ce matin, mesdemoiselles ?

Simone aurait voulu parler la première parce qu'elle manifestait davantage de tact qu'Évelina, mais celle-ci amorça aussitôt la discussion.

— Vous devez être au courant, ma sœur, que nous souhaitions organiser une fête pour célébrer l'Halloween. Tout était prêt. Mais à la dernière minute, le responsable de la salle paroissiale nous a informées que la fête ne pourrait avoir lieu.

— J'ai eu vent de l'affaire, en effet. Des consœurs m'ont informée à ce sujet. Toutefois, je ne crois pas que de célébrer une fête païenne dans un sous-sol d'église soit de mise pour de bonnes infirmières catholiques.

En entendant les derniers mots de sœur Larivière, Évelina pensa immédiatement à sœur Désuète. Cette dernière était la plus susceptible d'avoir rapporté les faits à l'hospitalière en chef. Évelina se redressa sur sa chaise comme si elle s'apprêtait à passer à l'attaque. Simone posa sa main sur le bras de son amie pour lui signifier de demeurer calme.

Évelina inspira avant de répondre à sœur Larivière.

— C'est sœur Désu… Désilets qui vous a raconté cela ?

— Peu importe qui me l'a dit. La fête ne pourra pas avoir lieu, j'en ai bien peur. Cette idée de revêtir des costumes pour l'Halloween ne fait pas l'unanimité, vous savez.

Évelina baissa les yeux. Quelques instants plus tard, elle releva la tête, le regard larmoyant. À quelques reprises, Simone avait vu son amie recourir à un tel manège quand elle n'obtenait pas ce qu'elle voulait. Mais cette fois-ci, c'était le grand jeu ! Simone fut impressionnée, tout comme sœur Larivière.

— Tout ce que nous voulions, ma sœur, c'était nous amuser. Nous travaillons et étudions fort pour réussir notre cours et devenir les meilleures infirmières de la province. Un peu de distraction ne peut qu'être bénéfique pour nous.

— Je comprends fort bien, mademoiselle Richer. Mais le problème est le port de déguisements pour célébrer une fête qui est loin d'être religieuse.

— Nous pourrions faire la fête sans déguisements dans ce cas ?

— Pourquoi pas ? Nous pourrions dire que vous avez organisé cette fête pour célébrer la prise de bonnets des premières années. Après tout, dans quelques semaines, vos consœurs recevront leurs coiffes.

Fascinée, Simone observait en silence la discussion entre Évelina et sœur Larivière. Son amie était parvenue à faire changer d'avis la religieuse en quelques secondes. Évelina émit une suggestion :

— Étant donné que cette soirée coïncide avec la fête de l'Halloween, peut-être pourrait-elle s'articuler autour d'un thème ?

— Que proposez-vous ?

— Un décor digne d'une soirée à Hollywood et des invités vêtus de leurs plus beaux atours.

— Si les tenues sont de bon goût, cela ne pose aucun problème, mademoiselle Richer ! De plus, si vous me certifiez que les dames patronnesses seront présentes pour s'assurer que la fête ne dégénère pas, alors vous avez mon appui.

— Les dames patronnesses y seront, ma sœur. Vous avez ma parole.

Évelina se leva et remercia sœur Larivière de sa compréhension, puis elle fit signe à une Simone médusée de la suivre. Évelina se rendit jusqu'à l'ascenseur et poussa le bouton pour appeler celui-ci.

— On va l'avoir notre fête, Simone !

— Je n'en reviens pas de ta force de persuasion, Évelina. Tu étais au bord des larmes !

— Il fallait que je mette le paquet, tu ne penses pas ?

— En tout cas, si tu ne deviens pas infirmière, tu pourras devenir commis et vendre des réfrigérateurs aux Esquimaux !

* * *

Un tollé de protestations s'éleva dans la résidence des étudiantes lorsque ces dernières apprirent que la soirée costumée pour l'Halloween devrait se faire sans le port de déguisements. Simone tempéra les choses en rappelant que la soirée aurait lieu malgré ce petit inconvénient. Les étudiantes entre-prirent donc de se trouver des vêtements qui seraient un peu plus *glamour*. Des paillettes et des plumes ajoutées ici et là, et elles seraient fin prêtes pour cette soirée tant attendue.

Évelina sortit ses bijoux et une robe qu'elle avait portée seulement quelques fois. Elle avait aussi réussi à mettre la main sur un boa pour agrémenter sa robe. Elle aurait certes pu s'acheter une robe chic pour l'occasion, mais pour cela elle aurait été obligée de faire la paix avec sa mère. Finalement, elle abandonna cette idée. Elle pouvait très bien se contenter de sa « vieille » robe et continuer de subvenir à ses besoins sans l'aide de sa mère. Simone y parvenait bien, elle ! Elle se dépêcha de s'habiller afin de se rendre le plus tôt possible à la salle parois-siale, pour terminer les derniers préparatifs. Simone et Flavie se trouvaient déjà sur place.

À son arrivée, Évelina constata que ses amies avaient fait du bon travail en ce qui concernait la décoration. Un phono-graphe était installé dans un coin de la salle et une pile de disques reposait à côté de l'appareil. La musique créerait une ambiance endiablée. Quelques dames patronnesses donnaient un coup de main aux étudiantes pour terminer les derniers préparatifs.

D'un pas pressé, Simone vint rejoindre son amie.

— Ce n'est pas trop tôt ! On a presque fini la décoration, comme tu l'as sans doute remarqué puisque tu prends plaisir à tout admirer plutôt que de nous aider. Il y a les centres de table à placer là-bas. Et il faudrait aussi disposer les chandeliers afin de créer de l'ambiance dans cette salle un peu morne.

En voyant qu'Évelina ne réagissait pas, Simone la poussa un peu.

— Allez! Les invités vont bientôt arriver.

Évelina saisit les fleurs que Simone lui tendait et alla les déposer sur les tables au fond de la pièce. «Toujours en train de commander, celle-là! La maîtresse d'école n'est jamais bien loin!» Évelina s'affaira ensuite à ordonner les décorations sur les tables tout en maugréant contre les «ordres» de Simone. Soudain, quelqu'un toussota près d'elle pour attirer son attention. Quand elle se retourna, elle se retrouva nez à nez avec Joséphine Jobin.

— Je voulais seulement vous remercier, mademoiselle Richer.

— Euh… pour quelle raison?

Ignorant pourquoi madame Jobin la remerciait, Évelina en déduisit que celle-ci avait probablement hérité de la tâche de décorer les tables et qu'elle était heureuse que quelqu'un d'autre s'en occupe.

— Merci de m'avoir rendu mon mari.

Le souffle coupé, Évelina devint livide. Madame Jobin posa une main sur le bras de son interlocutrice pour la rassurer sur ses intentions.

— Je sais que vous avez été la maîtresse de Marcel. J'ai toujours su que c'était vous, mademoiselle Richer. Je ne vous cacherai pas que je vous ai détestée pendant longtemps, puis j'ai réfléchi à la question. Si mon mari allait voir ailleurs, c'était probablement parce qu'il lui manquait quelque chose à la maison. Ce n'était pas toujours drôle entre nous deux. Il rentrait de l'hôpital exténué par son travail, et moi j'étais si fatiguée à cause de mes journées passées avec les enfants…

— Je ne sais pas quoi vous dire, madame Jobin… Mais sachez que Marcel vous a toujours aimée malgré la distance qu'il y avait entre vous.

— C'est ce qu'il m'a confié l'autre soir. En lui redonnant sa liberté, vous lui avez fait comprendre que quelque chose subsistait entre nous. Il n'est jamais trop tard pour se reprendre. Je vous souhaite beaucoup de bonheur, mademoiselle.

Joséphine lui fit un sourire reconnaissant et retourna vaquer à ses occupations. Évelina ne se serait jamais attendue à recevoir des remerciements de la part de la femme de son amant. Madame Jobin ne lui en voulait pas. C'était si étonnant ! Cette femme l'impressionnait vraiment. Elle était parvenue à passer outre sa rancœur afin de parler avec franchise à la maîtresse de son mari. Une chose était certaine : Joséphine aimait sincèrement son mari, car elle était restée près de lui malgré les circonstances. Évelina espérait qu'un jour, elle connaîtrait un pareil bonheur.

* * *

La fête battait son plein. Évelina n'avait pas le temps de s'ennuyer. Clovis était aux petits soins avec elle ; il l'invitait à danser, lui offrait à boire, lui trouvait une chaise pour qu'elle puisse se reposer quelques minutes. « Il veut sûrement se faire pardonner notre rendez-vous manqué de l'autre soir. » La jeune femme profitait pleinement de la situation : qu'aurait-elle pu souhaiter de mieux puisqu'elle était le centre d'intérêt ? De plus, Évelina avait reçu plusieurs remerciements de la part d'étudiantes reconnaissantes qui avaient appris son intervention auprès de sœur Larivière.

Ludivine, suivie de ses deux amies Gemma et Yvette, se précipita vers elle en entrant dans la salle. Ludivine s'exclama assez fort pour que tout le monde l'entende:

— Ah! Évelina! La véritable héroïne de la soirée! C'est grâce à toi que nous pouvons célébrer ce soir.

Évelina rougit. Pendant quelques instants, elle profita de sa soudaine gloire. Mais en voyant Simone à ses côtés, elle réalisa que le mérite ne lui revenait pas entièrement. Elle déclara:

— Héroïne est un bien grand mot! Simone ici présente a trouvé la salle et a demandé l'aide des dames patronnesses.

— Peut-être. Mais toi, tu as réussi à convaincre l'hospitalière en chef que la fête devait avoir lieu malgré les restrictions. C'est tout de même quelque chose!

Sur ces entrefaites, Clovis revint avec un verre de limonade – l'alcool ayant été proscrit de la soirée, bien entendu – et le tendit à Évelina tout en souriant à Ludivine. Celle-ci enchaîna:

— Et en plus, Évelina, tu es accompagnée par le plus dévoué des internes! Je suis presque jalouse!

Ludivine fit un clin d'œil enjôleur à Clovis. Puis, entraînant ses amies à sa suite, elle lança:

— Venez, les filles! Si nous voulons de la limonade, il faudra nous la servir nous-mêmes! Bonne soirée, tout le monde!

Simone retint un fou rire, car elle avait eu l'impression de voir une version rousse d'Évelina. Cette dernière serra les mâchoires. Elle n'appréciait pas du tout cet air charmant que Ludivine se donnait. «Je devrai l'avoir à l'œil, celle-là!» songea-t-elle en voyant Clovis suivre des yeux la jeune femme. À ce moment-là, Paul se joignit à eux. Il murmura à l'oreille de Simone; celle-ci éclata de rire avant de l'accompagner sur le plancher de danse.

Évelina chercha Flavie dans la foule. Son amie discutait dans un coin de la salle avec Léo. Flavie avait profité du statut de journaliste du jeune homme pour l'inviter à assister à la soirée réservée au personnel médical de l'hôpital Notre-Dame. Évelina avait vu Clément dans la salle, mais il avait disparu. Il était sûrement reparti tout penaud après avoir vu Flavie en compagnie de Léo. Georgina, pendue au bras de Bastien, venait de faire son entrée. Elle détaillait la salle de son regard hautain. La jeune femme portait une coiffure décorée de plumes de paon et une robe à faire mourir d'envie Évelina. «Ses parents ne doivent pas lui avoir coupé les vivres, c'est certain!» Évelina se tenait à côté de Clovis et observait les gens qui profitaient de la soirée. Clovis buvait sa limonade tout en suivant le rythme de la musique sans toutefois inviter Évelina à danser.

Un verre de limonade à la main, Ludivine revint vers eux.

— C'est vraiment fantastique cette fête, Évelina! cria-t-elle. Encore une fois merci!

— Où sont Gemma et Yvette?

— Les deux chanceuses se sont fait inviter à danser par de charmants internes. Elles m'ont plantée là, au beau milieu de la foule.

Ludivine fit un sourire navré à Clovis. Celui-ci, en homme galant et soudainement un peu trop serviable au goût d'Évelina, l'invita à danser.

— Oh oui! s'exclama Ludivine. J'en meurs d'envie! Ça ne te dérange pas, Évelina, si je te vole ton cavalier?

— Vas-y! Ne te gêne surtout pas pour moi!

Ludivine but d'un trait sa limonade. Clovis s'empressa de lui prendre la main et de l'attirer au centre de la salle. «Où il y a de la gêne, il n'y a pas de plaisir, Ludivine! Tout le monde s'amuse, sauf l'héroïne de la soirée!» marmonna pour elle-même Évelina. Elle s'assit, se retenant d'aller réclamer Clovis pour la danse suivante. Soudain, elle aperçut Wlodek dans l'embrasure de la porte. Le pédiatre portait un costume trois-pièces et sa carrure le distinguait des autres hommes. Elle le vit se diriger dans sa direction. «Il cherche probablement Simone», pensa Évelina.

Lorsqu'il arriva à sa hauteur, Wlodek déclara:

— J'ai toujours détesté voir une femme seule dans une soirée comme celle-là… M'accorderiez-vous une danse, mademoiselle Évelina?

— Euh… moi?

— Vous êtes seule et je le suis aussi, alors pourquoi pas?

Sourire aux lèvres, Évelina le suivit. «Il s'est enfin décidé!»

6

É velina était rentrée seule de la soirée d'Halloween. Elle soupçonnait Clovis d'avoir plutôt raccompagné Ludivine. Mais peu lui importait, franchement. Elle avait terminé la soirée avec Wlodek Litwinksi; que demander de plus? Elle avait espéré ce moment pendant toute l'année précédente, pour finalement apprendre que le beau pédiatre était attiré par Simone. Puis, revirement de situation, car Simone fréquentait désormais « officiellement » Paul. Alors, Wlodek s'était tourné vers elle. N'importe qui, sauf Évelina, aurait pu prendre mal le fait que celui-ci s'intéresse à elle par dépit. Mais la jeune femme considérait la situation autrement : Wlodek s'était enfin rendu compte de son erreur !

Évelina avait refusé que ce dernier la raccompagne à l'hôpital pour ne pas briser la magie du moment. « Ça manque tellement de romantisme un hall d'entrée avec tous ces gens qui vont et qui viennent! » Ils s'étaient plutôt salués en sortant de la salle paroissiale. Wlodek l'avait remerciée pour la magnifique soirée passée en sa compagnie. Profitant d'un moment où ils étaient seuls, Évelina s'était haussée sur la pointe des pieds et avait déposé un baiser sur la joue du médecin. Il l'avait retenue par la taille et l'avait embrassée directement sur la bouche. Les papillons au ventre, Évelina avait répondu à son étreinte. Mais elle avait mis fin à leur rapprochement – à son grand regret – en entendant quelqu'un qui venait dans leur direction. Rassurée en voyant Flavie et Léo, elle avait décidé de retourner avec eux à l'hôpital.

Avant de s'éloigner, Wlodek lui avait soufflé :

— Il faudrait bien qu'on se revoie, mademoiselle Évelina...

Les religieuses avaient accepté que le couvre-feu soit reporté d'une demi-heure pour permettre aux étudiantes présentes à la fête de rentrer un peu plus tard. Bien entendu, il était convenu qu'elles seraient au poste le lendemain matin très tôt et qu'aucune ne s'absenterait. Sœur Désuète les avait prévenues : « Il est hors de question que les patients payent pour votre désinvolture et vos réjouissances ! Une bonne infirmière fait abstraction des frivolités de la vie afin de s'occuper avec dévouement de ses patients ! »

Prétextant qu'elle devait ranger la salle, Simone rentra un peu plus tard. Évelina et Flavie étaient déjà au lit, mais elles attendaient la retardataire avant d'éteindre les lampes de chevet.

— Belle heure pour rentrer, garde Lafond ! s'exclama Évelina quand son amie franchit le seuil de la chambre.

— Il fallait bien que quelqu'un range la salle, Évelina. Et malheureusement, tu étais déjà partie...

— Excuse-nous, Simone, dit Flavie. On aurait dû rester pour t'aider.

— Ne t'en fais pas trop, Flavie. Paul s'est occupé des tables et des chaises. Le docteur Jobin, qui était venu chercher sa femme, nous a prêté main-forte.

— Ah ben ! Tu vois, Flavie, que Simone n'avait pas besoin de nous autres ! Paul était là !

Simone fit une grimace à Évelina. Après avoir terminé de se préparer pour la nuit, elle se glissa dans son lit et replaça son oreiller en le frappant du poing.

— Tu as quitté la soirée en excellente compagnie, Évelina, dit-elle. Mais j'ai remarqué que ce n'était pas avec le même cavalier qui t'y avait conduite!

— Effectivement. Clovis était beaucoup trop occupé avec «Ladivine»! Mais je ne suis pas déçue ni fâchée, loin de là! Enfin, Wlodek s'est rendu compte que je représente peut-être un quelconque intérêt!

— Je suis sincèrement contente pour toi, Évelina. Nous sommes chanceuses d'être aussi bien entourées! Évelina et Wlodek, Paul et moi... Est-ce que Léo est dans la course, Flavie?

— On apprend à se connaître, répondit Flavie en souriant. Et on se découvre pleins de points communs autres que le fait d'aimer les mets chinois!

Simone éteignit la première sa lampe de chevet, ce qui eut pour effet de donner le signal à ses compagnes. Dans le noir, Évelina s'exclama, après avoir soupiré de contentement:

— Notre troisième et dernière année d'études sera peut-être couronnée par un mariage triple, qui sait? Bonne nuit, les filles!

* * *

Évelina essayait de replacer sa coiffe qui gisait lamentablement sur sa tête. Elle ne comprenait pas pourquoi celle-ci n'était pas comme d'habitude. «J'ai fait comme Simone m'a expliqué; j'ai lavé et séché, puis j'ai repassé le tout...» Se grattant la tête tout en réfléchissant aux différentes étapes du lavage, elle comprit qu'elle avait oublié un élément important: amidonner ses cols, ses poignets et ses coiffes! Pour les cols et les poignets, le résultat était tout de même surprenant; ils étaient un peu moins rigides, mais personne ne se rendrait compte de son oubli. Mais pour la coiffe, le résultat était catastrophique. Il était hors de question qu'elle se présente en classe et près des patients avec cette « galette » blanche sur la tête.

Évidemment, Flavie et Simone étaient déjà parties. Et si Évelina ne se pressait pas, elle finirait par être en retard. Elle détestait devoir faire une telle chose, mais elle n'avait pas le choix. Elle ouvrit le premier tiroir de la commode de Flavie, là où son amie rangeait ses coiffes. En prenant une coiffe, elle remarqua une enveloppe dissimulée sous une pile de poignets. Curieuse, Évelina saisit le morceau de papier. Ayant reconnu l'écriture de sa mère, Évelina décida qu'elle avait le droit de lire la lettre.

Ursule Richer priait Flavie d'intercéder en sa faveur auprès de sa fille et de lui faire savoir si Évelina avait besoin de quoi que ce soit. Si tel était le cas, elle lui ferait aussitôt parvenir de l'argent. Furieuse, Évelina remit la lettre à sa place et elle referma le tiroir. « Ma mère pense vraiment que je suis incapable de me débrouiller seule ! Si j'accepte son argent, j'accepte du même coup qu'elle gère ma vie, et ça, c'est hors de question ! » Évelina remercia secrètement son amie de ne pas avoir suivi les directives d'Ursule. Flavie ne lui avait pas parlé de la lettre qui datait de presque deux mois, et elle n'avait pas essayé non plus d'arranger les choses entre la mère et la fille. Évelina se promit de parler de la lettre un peu plus tard à Flavie. Elle détestait que sa mère se serve de son amie pour obtenir de ses nouvelles. Après avoir jeté un rapide coup d'œil à sa montre, elle se hâta de se rendre auprès de ses patients. Ludivine était sans doute déjà sur place et attendait qu'elle lui dise quoi faire.

* * *

À la grande surprise d'Évelina, Ludivine avait déjà distribué les plateaux. «C'est bon, ça, qu'elle soit capable de se débrouiller sans moi!» Évelina passa en revue tous les dossiers et s'assura que tous les malades avaient reçu leur médication. Elle observait du coin de l'œil Ludivine qui faisait sa tournée de patients. L'étudiante débarrassait ces derniers des plateaux du déjeuner et les aidait à faire leur toilette. Profitant d'une accalmie survenue avant qu'elle parte à son cours d'anatomie, Ludivine entraîna Évelina à l'écart.

— Tu ne m'en veux pas trop d'avoir terminé la soirée avec le docteur Lacasse? Il est si gentil et si prévenant! Il voyait vraiment que je m'ennuyais à cette soirée et il tenait à ce que je m'amuse en sa compagnie.

Évelina n'avait pas envie d'entrer dans les détails et de lui dire qu'elle avait trouvé cent fois mieux que Clovis Lacasse. Elle se contenta de répondre:

— Non, ça va. De toute façon, nous avons peu de points en commun, lui et moi.

— Tant mieux, dans ce cas, parce qu'on s'est promis de se revoir bientôt.

«Heureusement que ce n'était pas sérieux entre nous!» songea Évelina.

— Je suis contente de voir que tu réagis aussi bien, reprit Ludivine. Clovis m'avait mise en garde. Il était persuadé que ça te briserait le cœur en apprenant que nous étions ensemble.

Comme si un simple flirt pouvait lui briser le cœur! Clovis s'imaginait n'importe quoi. «Il se prend vraiment au sérieux, monsieur l'interne!»

— Rassure-toi, Ludivine. Et explique à Clovis que jamais je n'ai envisagé quelque chose de sérieux avec lui. Je vous souhaite beaucoup de bonheur, tous les deux.

Soulagée, Ludivine quitta la chambre du troisième étage pour se rendre à son cours. Évelina espérait qu'elle passerait le message à Clovis. Ce dernier comprendrait peut-être qu'il s'était donné un peu trop d'importance !

* * *

Le docteur Lambert avait fortement recommandé à ses étudiantes de relire leurs notes de cours sur l'anatomie de l'œil avant le début de leur stage en ophtalmologie. Évelina n'en avait pas l'intention, car l'idée d'étudier autrement que pour un examen la rebutait. Simone, en ancienne maîtresse d'école, lui avait conseillé de suivre l'avis du spécialiste en ophtalmologie. Elle avait utilisé des arguments tels que : « Le docteur Lambert ne peut pas se permettre de perdre son temps avec des incompétentes », ou encore « L'hôpital Notre-Dame est réputé pour son service d'ophtalmologie ; tu ne voudrais pas nuire à la réputation de l'hôpital, n'est-ce pas ? » Évelina avait donc mis de côté ses réticences et elle avait relu des passages de son cahier de notes. D'ailleurs, elle était en train de parcourir celui-ci quand le médecin entra dans la salle de classe avec un chariot et des plateaux contenant quelque chose qu'Évelina ne pouvait distinguer de sa place. Simone lui donna un coup de coude pour qu'elle délaisse son cahier.

Le docteur Lambert se racla la gorge avant de commencer à parler.

— Bonjour, mesdemoiselles, et bienvenue en ophtalmologie. J'ai pensé en premier lieu vous montrer de quoi avait l'air un œil dans toute sa splendeur. Je sais que vous avez rapidement survolé l'anatomie de ce fabuleux organe qu'on peut qualifier de fenêtre sur l'âme. Dans mon cours, vous disséquerez un œil de bœuf. L'organe en tant que tel est identique à celui d'un humain – en un peu plus gros, évidemment. Je voudrais bien voir la tête de quelqu'un avec d'aussi gros yeux !

Le docteur Lambert prit deux yeux et les plaça devant les siens pour faire rire la classe. La plupart des étudiantes s'amusèrent de la plaisanterie, mais Évelina ne trouva pas cela drôle du tout. Elle détestait l'odeur de formaldéhyde qui flottait dans la pièce. Lorsque le docteur Lambert déposa devant elle le plateau contenant un œil de bœuf et un scalpel, Évelina se tourna vers Simone et Flavie et leur fit une moue de dégoût.

— Beurk ! Je ne serai jamais capable de couper cette affaire-là !

Ses amies lui murmurèrent des mots d'encouragement. Évelina s'empara du scalpel et écouta les instructions du professeur.

— Vous devez pratiquer une incision ici afin de bien voir la coupe latérale de l'œil.

Prenant une profonde inspiration, Évelina s'exécuta. La tâche s'avéra moins pénible que ce qu'elle aurait cru. Quelques instants plus tard, elle fut en mesure de voir les différentes parties de l'œil.

— Comme je vous le disais tout à l'heure, l'œil de bœuf est identique à l'œil humain. Vous voyez ici le cristallin, qui sert de lentille naturelle à l'œil. En vieillissant, il s'opacifie ; c'est ce qui cause les cataractes. Le reste, vous le reconnaissez pour l'avoir vu sur des schémas dans les manuels : la cornée, l'iris et le corps vitreux – cette substance gélatineuse. En retirant celle-ci, on aperçoit la rétine, soit la membrane jaunâtre qui recouvre l'intérieur de l'œil. Le nerf optique se trouve à l'arrière. C'est lui qui conduit l'influx lumineux au cerveau…

Le médecin continua ses explications en nommant les différentes parties au fur et à mesure que les étudiantes procédaient à l'analyse du gros œil posé devant elles. La dissection de cet organe suscitait un intérêt inattendu chez Évelina. Il était intéressant de voir quelque chose de concret plutôt que d'en prendre connaissance dans un manuel. Malgré l'odeur du formaldéhyde, Évelina prenait plaisir à l'expérience. En fait, elle était fascinée d'observer de si près l'organe.

Le docteur Lambert conclut le cours pendant que les étudiantes rangeaient leur table de travail.

— Je continue de penser que la meilleure méthode pour bien comprendre le fonctionnement d'un organe est la dissection de celui-ci. Maintenant, mesdemoiselles, quand il sera question du cristallin ou de la rétine, vous saurez de quoi je parle ! Le prochain cours concernera les pathologies de l'œil. Bonne fin de journée !

Puis, le docteur Lambert repartit avec son chariot rempli d'yeux disséqués et de scalpels. Évelina rassembla ses affaires et suivit Simone et Flavie hors de la salle de classe.

Simone lança :

— Et puis, Évelina ? Finalement, tu as survécu !

— Oui, et en plus j'ai pris plaisir à faire cette dissection ! J'ai presque hâte au prochain cours ! Pouvez-vous croire ça ?

— Tu deviens une infirmière modèle, Évelina ! s'exclama Simone. Quelle belle surprise, n'est-ce pas, Flavie ?

— Certain, Simone! Tu deviens vraiment exemplaire, Évelina!

— Je suis peut-être en train de devenir une bonne infirmière, mais je suis incapable d'empeser une coiffe, par exemple! J'ai dû t'en emprunter une, Flavie. Excuse-moi d'avoir fouillé dans tes affaires.

— Pas de problème Évelina, répondit Flavie. Et puis, ça me fera plaisir de te montrer comment procéder.

En passant devant la salle à manger, Évelina sentit son estomac gargouiller même si elle avait éprouvé des haut-le-cœur un peu plus tôt à la vue de l'œil de bœuf. Elle invita Flavie et Simone à se joindre à elle pour grignoter quelque chose. Flavie accepta l'invitation, mais Simone décida de se rendre à la bibliothèque avant le service du souper des patients. Les deux jeunes femmes s'installèrent à une table près d'une fenêtre, avec chacune un morceau de gâteau et un thé. Évelina trouva le moment propice, puisqu'elle était seule avec Flavie, pour parler de sa découverte de ce matin-là.

— Je voulais te remercier, Flavie.

— Ce n'est rien pour la coiffe. Ça me fait plaisir, Évelina.

— Ce n'est pas pour cette raison que je te remercie. En fouillant dans ta commode, je suis tombée sur la lettre que ma mère t'a écrite.

— Ah!

Flavie paraissait mal à l'aise.

— Je ne savais pas trop comment réagir en recevant cette missive, déclara-t-elle. Et puis, j'ignorais si je devais te prévenir. Une chose est certaine: ta mère s'inquiète pour toi.

— J'espère que tu lui as dit à quel point je me débrouille bien sans elle. Tu peux taire l'épisode de la lessive, par contre !

— Je ne lui ai pas écrit. Selon moi, il vaudrait mieux qu'elle entre directement en communication avec toi.

— Sage décision ! Je suis vraiment désolée qu'elle t'ait placée dans une telle situation. Je vais lui demander de te laisser tranquille. Il y a des limites à essayer de contrôler les gens, tout de même !

— Ménage-la, Évelina. Je suis sûre qu'elle n'avait pas de mauvaises intentions.

Flavie était d'une naïveté désarmante. Ursule Richer ne faisait jamais rien dans un but innocent. Évelina repoussa son morceau de gâteau. Évoquer sa mère lui avait coupé l'appétit.

* * *

Évelina n'avait pas revu Wlodek depuis la soirée d'Halloween. Comme elle savait que celui-ci passait le plus clair de son temps au service de pédiatrie, elle décida de se rendre là-bas. Puisqu'elle disposait de quelques heures libres, aussi bien aller prêter main-forte aux infirmières qui s'occupaient des nourrissons. Les bénévoles étaient toujours les bienvenues pour bercer et nourrir au biberon les nouveau-nés. Simone y était allée à quelques reprises l'année précédente avant de s'impliquer dans *L'Antenne de Notre-Dame*. Évelina n'avait jamais été attirée par les jeunes enfants comme ses deux amies. Mais pour rencontrer Wlodek et faire inscrire ses heures de bénévolat à son dossier, pourquoi pas ?

Au poste de garde de la pédiatrie, Évelina demanda comment elle pouvait aider.

— Pour le moment, il n'y a pas de boires à préparer, répondit l'infirmière, mais il y a sûrement quelques couches à changer. J'ai des rapports à rédiger, alors vous seriez gentille de donner un coup de main à l'infirmière dans la pouponnière. Il y a un ou deux bébés qui sont réveillés ; ça ne devrait pas tarder avant qu'il y en ait un qui pleure et qui réveille les autres. C'est un effet domino : un bébé pleure et tous les autres l'accompagnent. On appelle ça une « chorale » de nouveau-nés !

Quand l'infirmière s'amusa de sa boutade, Évelina lui fit un sourire forcé. Elle n'avait pas du tout envie d'entendre un concert de nouveau-nés hurlants ! Évelina se lava les mains avant d'entrer dans la pouponnière. À son grand soulagement, les lieux étaient tranquilles. Entendre des nourrissons pleurer déstabilisait complètement la jeune femme, car elle ne savait pas comment les calmer.

L'infirmière qui se trouvait dans la pouponnière indiqua un des berceaux. Le bébé qui s'y trouvait avait besoin d'être changé de couche. Quand Évelina prit le nouveau-né, celui-ci poussa un petit gémissement. Elle vérifia rapidement le nom de l'enfant. Tout en souriant au petit Gontran Fréchette, elle installa celui-ci sur la table à langer. Ensuite, elle entreprit maladroitement de détacher les épingles retenant la couche. Après avoir jeté la couche souillée dans le contenant prévu à cet effet, Évelina n'eut pas le temps de mettre une couche propre au poupon : le petit Gontran se soulagea sur elle. Elle aurait dû prendre un des sarraus qui se trouvaient près de l'évier ! Elle se dépêcha d'épingler la couche, puis elle recoucha le bébé. Aussitôt, elle se précipita au lavabo pour se nettoyer.

Wlodek observait Évelina depuis un certain temps. En voyant cette dernière éponger sa robe, il s'approcha et toussota pour attirer son attention.

— Premier changement de couche ?

Évelina désigna le devant de sa robe souillée par l'urine du petit garçon.

— Rectification… Premier changement de couche sur un sujet masculin sans la protection d'un sarrau !

— Il faut toujours faire attention à ces petits polissons qui ne savent pas se conduire devant une dame !

— Je m'en souviendrai. Chose certaine, je me munirai d'un imperméable la prochaine fois !

— C'est ce qu'on appelle prendre de l'expérience ! Mais je suis surpris de vous trouver ici, Évelina. Je pensais que vous n'aimiez pas travailler au service de pédiatrie.

Évelina n'allait tout de même pas avouer qu'elle faisait du bénévolat dans l'unique but de le rencontrer.

— Pour être franche, je ne suis pas très à l'aise avec les nouveau-nés. Je me suis dit qu'en passant un peu de temps avec eux, je prendrais confiance en moi.

Ce n'était pas bête comme raisonnement. Fière de sa réponse, Évelina s'apprêtait à retourner à la pouponnière.

— Vous m'excuserez, docteur Litwinski, mais un petit monsieur attend que je lui donne son biberon.

— Ce bébé a beaucoup de chance d'avoir une infirmière aussi dévouée à son service. Peut-être que lorsque cette infirmière aura un peu de temps libre, cela lui dirait de sortir avec un pédiatre ?

— L'infirmière de Gontran serait heureuse de sortir avec le meilleur pédiatre de l'hôpital! Quand le pédiatre en aura envie, qu'il lui fasse signe!

Wlodek sourit. Puis, il annonça que le vendredi suivant, il n'était pas en service.

— Dans ce cas, l'infirmière attendra avec impatience ce vendredi!

— Ça devrait lui laisser le temps de se changer d'ici là! Le pédiatre prendra l'infirmière dans le hall d'entrée vers sept heures. Cela lui va?

— Et comment! Bonne journée, docteur!

— Bonne journée, mademoiselle Évelina!

Wlodek se dirigea vers la sortie du service de pédiatrie. Évelina le suivit des yeux quelques instants. Sa colère au sujet de sa robe souillée s'était estompée. Certes, elle aurait un peu de lessive à faire, mais le plus important, c'était qu'elle avait un rendez-vous avec Wlodek! Elle ne regrettait pas d'être venue offrir son aide pour s'occuper des nouveau-nés. Le cœur léger, elle prépara le biberon du bébé. Quand elle fit boire le nouveau-né, elle lui sourit. Même si l'invitation de Wlodek était en grande partie responsable de sa joie, elle se surprit à aimer le contact du bébé dans ses bras. «Je vais devoir laver ma robe, Gontran, mais j'ai enfin obtenu un rendez-vous avec Wlodek! Que demander de plus?»

* * *

Une grande agitation régnait dans la résidence des infirmières. Ce soir-là, les étudiantes de première année recevraient officiellement leur coiffe. Cette cérémonie était attendue par toutes celles qui rêvaient de devenir infirmières. Leur période d'essai de quatre mois étant terminée, les étudiantes percevraient dorénavant une allocation mensuelle. Évelina observait les premières années qui étaient survoltées par cette soirée. Elle se rappelait qu'elle aussi avait été impatiente de porter la coiffe malgré l'effet dévastateur de celle-ci sur une mise en plis. Mais la fierté de ressembler à une vraie infirmière faisait bien vite oublier ce léger inconvénient.

Simone s'était une fois de plus impliquée dans l'organisation de la remise des coiffes. Flavie aurait bien voulu assister à la soirée, mais elle était de garde. Évelina s'était proposée pour la remplacer, mais la jeune femme avait décliné l'offre : « Clément y sera sûrement, car la plupart des médecins assistent à l'événement. Je n'ai pas vraiment envie de me retrouver nez à nez avec lui. » Évelina n'avait pas insisté. Elle attendait avec impatience la remise des coiffes. « Je risque d'y croiser Wlodek ! »

En apprenant qu'Évelina serait présente à la cérémonie, Simone avait supplié son amie de jouer du piano pour agrémenter la soirée. Évelina ne s'était pas fait prier longtemps ; Simone lui avait présenté comme argument qu'elle jouait vraiment bien. « Elle sait me prendre par les sentiments, celle-là ! » Évelina avait préparé quelques partitions pour l'occasion ; installée au piano, elle attendait dorénavant le signal de Simone pour commencer. Dès les premières notes, les étudiantes de première année firent leur entrée, visiblement nerveuses. Portant la coiffe reçue un peu plus tôt dans la journée, elles devaient désormais prêter serment de respecter l'éthique médicale et de faire honneur à la profession. Sœur Marleau, la directrice, remettait une copie du discours aux futures infirmières pour qu'elles n'oublient pas leur serment.

La directrice rappela aux jeunes femmes qu'au moindre manquement, la coiffe pouvait leur être retirée. La menace fit effet sur les étudiantes de première année qui se dévisagèrent, l'air inquiet. Depuis son arrivée à l'école d'infirmières, Évelina n'avait jamais eu connaissance que quelqu'un se soit fait enlever sa coiffe. Mais la menace de perdre cette sorte de « couronne » calmerait les esprits les plus insubordonnés.

La cérémonie avait quelque chose de majestueux. Un silence solennel régnait dans la salle chaque fois qu'une aspirante prêtait serment. Après s'être exécutée, Ludivine retourna fièrement à sa place. Au passage, elle sourit de toutes ses dents à Évelina. Celle-ci découvrit alors Clovis dans l'assemblée. L'interne détourna son regard de Ludivine quelques secondes pour la saluer de la main. Toujours assise derrière le piano, Évelina hocha la tête en guise de salutation. Le visage de la jeune femme s'illumina quand elle remarqua Wlodek, posté à l'arrière de la salle. En voyant les yeux du médecin rivés sur elle, une chaleur l'envahit.

Évelina était persuadée que Wlodek était là pour elle. « J'attends un rapprochement avec lui depuis tellement longtemps ! » Elle se voyait déjà au bras du pédiatre, remontant l'allée de l'église. Simone choisit ce moment de grâce pour lui signifier qu'elle devait entamer la pièce musicale concluant la cérémonie. Chassant cette magnifique pensée de son esprit, Évelina entama la pièce, le cœur rempli d'espoir.

* * *

Évelina avait passé le reste de la semaine sur un nuage ; elle attendait impatiemment son rendez-vous avec Wlodek. Elle se préparait justement pour la fameuse soirée. Elle ennuyait sans doute ses amies, une fois de plus, en les entretenant du pédiatre, mais elle ne pouvait s'en empêcher.

— Après avoir tant espéré qu'il daigne me manifester de l'intérêt, voilà que mon rêve le plus cher se réalise enfin! s'exclama-t-elle. Hier, je l'ai croisé dans le couloir. Il m'a fait un de ces sourires – à faire fondre une banquise, littéralement! Je n'ai jamais ressenti quelque chose comme ça en pensant à quelqu'un!

Simone lui rappela qu'elle avait tenu le même discours en parlant de Marcel Jobin.

— Ce n'est pas la même chose, voyons! protesta Évelina. Wlodek est libre comme l'air! Aucune épouse ne l'attend à la maison! J'ai peut-être enfin trouvé chaussure à mon pied. Pourtant, vous ne semblez pas vous réjouir pour moi, Flavie et toi.

— Nous sommes contentes pour toi, Évelina. C'est seulement que Simone et moi, nous espérons que tu ne te fais pas des illusions concernant Wlodek. C'est votre premier vrai rendez-vous, après tout.

— Je t'ai connue plus romantique que ça, Flavie! Tu deviens aussi sage et pragmatique que Simone. Et puis, quand tu nous parles avec enthousiasme de ton journaliste, on ne te rabaisse pas le caquet.

Flavie resta silencieuse, un peu blessée par les propos d'Évelina. Celle-ci s'excusa en voyant qu'elle avait causé de la peine à son amie.

— Pardonne-moi, Flavie. Je suis à cran. Ce rendez-vous-là m'énerve beaucoup; j'espère tellement être à la hauteur!

— Sois toi-même, Évelina, et tout ira bien! la rassura Simone.

— Je ne sais pas si c'est une bonne chose que je reste moi-même. J'étais un peu trop extravertie pour Wlodek, l'année dernière. Je suis trop prompte, aussi, et trop…

— Évelina! Fais-toi confiance! Si Wlodek t'a invitée à souper, c'est parce qu'il a envie de passer du temps avec toi, c'est tout.

— Ou parce que tu n'es plus libre, Simone…

— Voyons donc! J'espère que tu ne penses pas qu'il a jeté son dévolu sur toi par dépit? Tu es une des plus jolies et gentilles infirmières de l'hôpital. Wlodek gagne à te connaître, crois-moi.

Évelina avait emprunté une robe à Flavie, ne trouvant rien de «potable» dans sa propre armoire. Le vêtement était un peu court pour elle, mais il ferait l'affaire car il mettait ses courbes en valeur. Une fois que son vernis à ongles fraîchement appliqué eut séché, Évelina fut fin prête pour son rendez-vous. En chœur, Flavie et Simone levèrent le pouce pour lui signifier qu'elle était parfaite. Évelina saisit son manteau, son chapeau et ses gants, puis elle sortit en affichant un sourire confiant malgré sa grande nervosité.

Vêtu d'un pardessus et d'un chapeau, Wlodek l'attendait dans le hall d'entrée comme convenu. Dès qu'il vit Évelina, il marcha à sa rencontre. Après avoir complimenté celle-ci sur son apparence, il lui prit délicatement le bras et l'invita à le suivre dehors.

— Si ça ne vous fait rien, Évelina, nous prendrons le tramway. J'ai envie de vous faire connaître la cuisine polonaise. Il y a un petit restaurant tout à fait charmant dans le sud-ouest de la ville ; celui-ci est tenu par un couple de Polonais qui habite Montréal depuis quelques années. On y sert un bigos exquis.

— Je n'ai pas d'envie particulière pour le souper. Je suis prête à tenter l'expérience.

Évelina avait menti. Quand Flavie l'avait conduite dans le restaurant chinois qu'elle fréquentait, la jeune femme n'avait pas vraiment aimé les boulettes de pâte bouillies qu'on lui avait servies. Ses horizons culinaires se limitaient aux plats du terroir québécois. Évelina ne voulait pas décevoir Wlodek en lui disant qu'elle n'avait pas vraiment envie de goûter ce fameux bigos et qu'elle se contenterait d'un sandwich à la viande fumée. Mais elle préféra s'abstenir.

Durant le trajet vers le restaurant, Wlodek s'informa de la famille d'Évelina. Ne voulant pas trop parler de sa mère, la jeune femme se contenta de lui dire qu'elle venait d'une famille aisée, que son père était mort quand elle était enfant et qu'elle avait passé sa vie en pensionnats. Lorsqu'ils parvinrent devant un petit bâtiment, Évelina fut soulagée d'entendre Wlodek annoncer : « Voilà, nous y sommes ! » Le médecin avait commencé à lui poser des questions sur sa mère, et Évelina refusait de s'aventurer sur ce terrain glissant.

Wlodek poussa la porte du restaurant. Évelina et lui se retrouvèrent dans une petite pièce mal éclairée qui comptait tout au plus une dizaine de tables. Quelques clients étaient déjà attablés et levaient joyeusement un verre de vodka.

— C'est un peu bruyant comme atmosphère. Mais vous verrez, c'est vraiment délicieux.

Évelina se demandait ce qu'elle faisait dans un coin perdu comme celui-ci en compagnie d'une bande de Polonais qui s'amusaient, mangeaient et buvaient avec plaisir. Cette scène lui rappelait l'épluchette de blé d'Inde à laquelle elle avait participé l'année précédente chez Flavie – à l'exception que, ce jour-là, elle ne comprenait pas la langue utilisée. Pendant quelques secondes, elle ne put s'empêcher de comparer Wlodek et Antoine. Ils avaient à peu près la même taille et tous deux manifestaient une grande confiance en leurs moyens.

Le propriétaire du restaurant, un homme bedonnant et chauve, vint leur souhaiter la bienvenue en polonais. En constatant qu'Évelina ne comprenait pas un traître mot de cette langue, il salua celle-ci dans un français approximatif. Wlodek commanda en polonais pour sa compagne et lui. Évelina faisait entièrement confiance au médecin. De toute façon, elle ne connaissait rien à la nourriture polonaise. En attendant le repas, la jeune infirmière examina l'environnement. Dans un coin de la pièce, un drapeau polonais était accroché au mur ainsi qu'un étendard rouge portant, au centre, un aigle blanc couronné. Constatant l'intérêt d'Évelina envers ces objets, Wlodek expliqua la signification de l'aigle.

— Pendant longtemps, le drapeau a été interdit par les tsars. Mais quand nous avons accédé à l'indépendance après la Première Guerre mondiale, il nous a été rendu. Nous sommes fiers de ce qu'il représente.

— L'aigle est majestueux, en tout cas.

— Comme l'est mon pays, Évelina.

« Et vous aussi, Wlodek ! » pensa-t-elle. Le médecin lui raconta ensuite brièvement les grandes lignes de l'histoire de la Pologne. Évelina essayait vraiment d'avoir l'air intéressée, mais elle craignait qu'il se rende compte que l'histoire ne la passionnait pas – cette matière ne l'avait jamais beaucoup intéressée à l'école. Soudain, Wlodek s'inquiéta : son discours ennuyait peut-être Évelina.

— Je suis désolé. Mon pays me manque parfois. J'ai été bien accueilli quand je suis arrivé ici, mais quelquefois, la nostalgie s'empare de mon esprit. De plus, avec ce qui se passe en Allemagne ces temps-ci, je ne suis pas rassuré quant au sort de mes compatriotes.

Évelina retint un soupir. « Ah non ! Pas encore l'Allemagne ! » Wlodek continua comme s'il se parlait à lui-même.

— Plus de 200 synagogues incendiées sur le territoire du Reich, des milliers de commerces détruits et des Juifs assassinés par centaines… Je ne veux pas vous embêter avec ça, Évelina, mais on ne peut rester indifférent devant ce qui se passe en Europe.

— Rassurez-vous, Wlodek, ça m'intéresse vraiment.

Le médecin s'apprêtait à parler lorsque le restaurateur arriva avec la commande. Évelina examina le contenu de son assiette. Le plat ressemblait à une espèce de ragoût fait de chou et de viande, et était accompagné de pain de seigle et de pommes de terre bouillies. Wlodek l'observa repousser la nourriture avec sa fourchette. Le serveur vint déposer au centre de la table un bol contenant d'énormes cornichons et deux verres remplis de vodka.

— Ce n'est pas « ragoûtant », comme vous dites ici, dit Wlodek. Mais vous verrez, le bigos est un mets délicieux et surtout très nourrissant. Le chou est fermenté comme de la choucroute allemande. Essayez-le avec un peu de vodka. *Na zdrowie !*

Il leva son verre et en vida le contenu en fixant Évelina. Celle-ci l'imita, essayant de se retenir de tousser quand le liquide lui brûla la gorge. Wlodek éclata de rire en voyant les yeux pleins d'eau de sa compagne.

— On s'habitue à la vodka, Évelina, comme à n'importe quoi !

— Sûrement !

La jeune femme décida de prendre une bouchée de son bigos afin de limiter les effets dévastateurs de l'alcool qui lui irritait l'estomac. Elle avala la nourriture en tentant de retenir une moue de dégoût. Elle n'avait jamais aimé expérimenter de nouveaux plats et l'effort qu'elle faisait ce soir-là pour ne pas formuler de commentaires relevait du défi. La saveur du plat la surprit. C'était plutôt gras, mais tout de même réconfortant comme mets.

— Antonina faisait le meilleur bigos qu'il m'ait été donné de manger. Mais celui-ci n'est pas trop mal.

— Qui ?

— Antonina, ma femme.

« C'est vrai, il est veuf… » se rappela Évelina en prenant une bouchée plus substantielle cette fois.

— J'ai parfois l'impression d'avoir vécu deux vies. Une en Pologne, où j'étais un médecin marié et respectable, et une autre ici, où je dois constamment faire mes preuves.

— Je ne pense pas que vous ayez à prouver quoi que ce soit, Wlodek. Vous êtes un des meilleurs médecins de l'hôpital.

— En tout cas, avec vous, je dois me montrer à la hauteur. Je n'ai pas toujours été juste avec vous, Évelina. Je me suis mépris à votre sujet.

La jeune femme leva le nez de son assiette – tout compte fait, cette espèce de ragoût de chou lui plaisait –, car Wlodek avait attiré son attention.

— Je n'étais pas certain des vraies raisons qui expliquaient votre présence à l'école d'infirmières. Quand je vous ai vue l'autre jour avec les nouveau-nés, j'ai compris à quel point vous êtes dévouée. Alors, ce que certaines personnes m'ont raconté à votre sujet a été vite relégué aux oubliettes !

Évelina se doutait de la nature des ragots colportés sur son compte.

— Qu'est-ce que vous avez entendu au juste, Wlodek ?

— Je ne sais pas si je devrais vous le dire, mais bon… puisque j'ai commencé, aussi bien finir. En fait, certaines personnes prétendent que vous suivez une formation d'infirmière dans le seul but de vous trouver un mari.

Évelina avala péniblement sa bouchée et posa sa fourchette. Elle avait une petite idée de l'identité de la personne à la source de ces commérages.

— Je mettrais ma main au feu que c'est Georgina Meunier qui vous a raconté ça.

— Je préférerais ne pas entrer dans les détails.

— Je suis certaine que c'est elle, Wlodek. Elle essaie de me nuire depuis le début de mes études. D'après ce que je constate, elle a presque réussi à vous détourner définitivement de moi…

Wlodek posa sa main sur la sienne.

— Je pense qu'elle s'est trompée. Ne vous inquiétez pas avec ça, Évelina. Je suis capable de me forger ma propre opinion sur vous. J'estime que vous êtes une excellente infirmière se dévouant pour ses patients. J'aimerais qu'on apprenne à se connaître un peu mieux tous les deux. Je suis vraiment très heureux que vous ayez accepté mon invitation.

«Et moi donc! Mais à cause de la maudite Georgina, je dois maintenant rebâtir ma réputation!» Wlodek et Évelina poursuivirent leur repas et se firent resservir de la vodka. Cette fois-ci, Évelina apprécia la chaleur que lui procura l'alcool. Elle mangea des pounchkis, une sorte de beignet, et termina le repas avec quelque chose qu'elle connaissait: du café! Wlodek la raccompagna à l'hôpital. Évelina espérait qu'il l'embrasserait et la retiendrait, mais il n'en fit rien. Le médecin se contenta de déclarer qu'il avait passé une agréable soirée en sa compagnie. Au moment où elle allait pousser la porte du hall d'entrée, il l'attira vers lui et l'embrassa avec passion. Évelina sentit les papillons lui envahir le cœur et le corps tout entier. Si Wlodek lui avait demandé de le suivre, elle aurait accepté sur-le-champ. Mais il lui souhaita bonne nuit et lui dit au revoir. La jeune femme entra sans se retourner dans la chaleur et l'odeur de l'hôpital. Elle ferma les yeux quelques secondes pour s'imprégner des moments divins qu'elle venait de vivre.

* * *

Le lendemain de sa sortie avec Wlodek, Évelina flottait encore sur un nuage. Il l'avait embrassée! Il l'avait retenue contre lui! Plus rien ne comptait! En se rendant à ses cours, elle repensa à ce que Wlodek lui avait dit concernant les racontars de Georgina. Si, au début de ses études, son objectif avait été de se trouver un mari médecin, à présent, elle reconnaissait volontiers que la profession d'infirmière l'enchantait de plus en plus. Les tâches ingrates n'avaient pas disparu, mais la gratitude des patients ajoutait un baume à tous les aspects déplaisants de la profession. La cérémonie de remise des coiffes avait rappelé à Évelina l'importance du métier et tout le réconfort qu'une infirmière pouvait prodiguer aux personnes souffrantes.

En passant devant le local des dames patronnesses qui tenaient leur réunion mensuelle, un parfum qu'elle aurait reconnu entre mille lui chatouilla les narines. Celui-ci lui rappelait sa mère. Évelina s'éloignait du local quand la porte s'ouvrit. Elle entendit la voix de sa mère remerciant la responsable des dames patronnesses de l'avoir reçue.

Évelina aurait voulu fuir en courant, mais elle n'en eut pas le temps. Ursule l'avait déjà repérée. De sa voix stridente, cette dernière s'exclama en se dirigeant vers sa fille :

— Évelina ! Ma chérie !

— Maman ! Que fais-tu ici ?

Évelina s'informa d'un ton faussement inquiet :

— J'espère que tu n'es pas malade, au moins ?

— Non, non, rassure-toi, ma chérie. Tu as devant toi une nouvelle dame patronnesse ! Tes cheveux sont très jolis !

Évelina ne releva pas le compliment. Elle s'écria :

— Toi ? Une dame patronnesse ?

— Je donne des sommes substantielles à l'hôpital depuis des années, comme tu le sais ! Maintenant, j'ai décidé de m'impliquer dans les œuvres de charité. Et puis, cela me permettra de te voir plus souvent.

Évelina répondit en essayant de contenir sa rage.

— C'est ta nouvelle tactique pour contrôler ma vie ?

— Voyons, Évelina ! C'est normal qu'une mère cherche à se rapprocher de sa fille.

— Tu as eu beaucoup d'années pour faire ça, maman. Mais tu n'y es jamais parvenue !

— Je veux rattraper le temps perdu.

Ursule baissa la tête. Évelina réagit fortement :

— Même en y mettant tous les efforts, chère maman, tu ne parviendras jamais à faire oublier aux gens d'où vient ton argent. Même si tu consacrais tout ton temps aux bonnes œuvres, cela ne changerait rien à la situation.

Ursule leva la tête et fixa sa fille.

— L'argent fait oublier beaucoup de choses, Évelina !

La jeune femme s'approcha de sa mère. Elle souffla, avant de poursuivre son chemin :

— Ton argent n'est jamais parvenu à me faire oublier ton absence dans ma vie. Et il ne pourra pas tout racheter !

7

Les étudiantes de première année portaient fièrement la coiffe. Après la cérémonie de remise des coiffes, Ludivine – plus prétentieuse que jamais – avait donné les soins d'hygiène des patients à une autre élève de première année. Évelina la laissa faire pendant quelques jours. Mais un matin qu'Évelina arriva avec quelques minutes de retard, elle constata que Ludivine avait lu les dossiers et avait distribué les médicaments aux patients. Elle décida alors d'intervenir. Elle exigea que Ludivine cesse de prendre de grands airs auprès des autres étudiantes.

— Dois-je te rappeler, Ludivine, que malgré ta coiffe, tu es encore une étudiante de première année et non une garde diplômée?

— Pardonne-moi, Évelina. Je deviens de plus en plus à l'aise dans mon rôle d'infirmière. En plus, j'ai lu tous les dossiers attentivement avant de distribuer les médicaments.

— Peut-être bien, mais cette tâche ne fait pas partie de tes responsabilités cette année. Je te prierais de t'en souvenir. En aucun cas, tu ne dois administrer de médicaments à un patient.

— Je suis désolée. Je ne recommencerai pas, promis!

— Tu sais, Ludivine, ça s'est déjà vu une étudiante de première année qui perd sa coiffe!

— Serait-ce des menaces?

Ludivine, une lueur de défi dans les yeux, se rapprocha d'Évelina.

— Il ne s'agit pas de menaces, mais d'un avertissement. Si tu t'en tiens à tes tâches, tout ira bien.

Le reste de la matinée se déroula bien. Ludivine n'outrepassa pas ses responsabilités d'étudiante de première année. Évelina détestait son rôle de superviseur. Au début, elle avait apprécié cette charge, mais plus les semaines passaient, moins elle aimait devoir surveiller constamment. Si une erreur survenait, la faute lui incomberait entièrement. Quand elle s'était rendu compte que Ludivine avait administré les médicaments, elle avait ressenti un instant de panique. Une erreur de dosage pouvait se révéler fatale ; dans un tel cas, l'incident serait rapporté dans son dossier et non dans celui de Ludivine.

Évelina aurait dû être au comble du bonheur depuis sa sortie avec Wlodek, mais il n'en était rien. Ces derniers jours, rien n'allait comme elle l'aurait voulu. Elle était submergée par le travail, les études, la supervision de Ludivine et, surtout, par ce qui la préoccupait plus que tout : la présence de sa mère dans l'hôpital. «Je risque de la croiser ici à tout moment et, en plus, elle sera présente lors des événements de charité. Comme si j'avais besoin de ça!»

S'étant aperçue qu'Évelina était furieuse depuis quelques jours, Flavie interrogea cette dernière :

— Qu'est-ce qui se passe, Évelina ? Depuis ton rendez-vous avec Wlodek, on ne te reconnaît plus. Habituellement, tu es enjouée et tu nous fais rire, mais là, on dirait que tu en veux à la terre entière. Ça s'est si mal passé avec Wlodek ?

— Tout a bien été avec lui. On semble passer aux choses sérieuses, Wlodek et moi. Non, ce n'est pas ça. Rien ne va comme je le voudrais ces temps-ci.

Flavie déposa le manuel qu'elle était en train de lire et attendit les confidences d'Évelina. Cette dernière se laissa tomber sur son lit, puis elle entreprit le récit de ses « malheurs ».

— J'en ai plus qu'assez de toujours surveiller Ludivine. Les premières années prennent de plus en plus leurs aises. Si elles faisaient une erreur, c'est nous les superviseures qui serions blâmées.

— Je ne prends pas de chance. J'arrive toujours avant Gemma pour être là quand elle commence ses tâches.

— Je devrais faire la même chose que toi. Ludivine en profite pour prendre des responsabilités quand je ne suis pas sur place.

Flavie doutait que le comportement de Ludivine ait pu à lui seul assombrir l'humeur d'Évelina. Celle-ci reprit, avant que Flavie ne la questionne :

— Si seulement il n'y avait que « Ladivine » en cause ! Veux-tu savoir la dernière ? La cerise sur le sundae ?

D'un signe de tête, Flavie encouragea Évelina à continuer. Elle n'avait aucune idée de ce dont il était question.

— Tiens-toi bien ! Imagine-toi que ma chère maman a décidé de racheter ses péchés et de devenir une dame patronnesse !

Flavie poussa un soupir de soulagement. Elle s'était attendue au pire, vu l'état d'Évelina.

— Ah !

— Ah ? C'est tout ce que tu trouves à dire, Flavie ? As-tu pensé que je vais côtoyer ma mère à tout bout de champ dans l'hôpital ?

— Je comprends, Évelina. Mais tu sais, c'est une belle façon de s'impliquer. Je ne suis pas très proche moi-même de ma mère, mais si Bernadette devenait une dame patronnesse dans l'établissement où j'étudie et je travaille, je prendrais ça comme un geste de bonne volonté à mon égard.

— Ben, pas moi ! Ma mère est devenue une dame patronnesse seulement pour garder son emprise sur moi, j'en suis persuadée !

— Et si tu lui disais que cela te dérange qu'elle œuvre à Notre-Dame ?

— Pff ! Elle ne m'a jamais écoutée, alors je ne pense pas que ça donnerait grand-chose que je lui en parle !

Évelina se mit à réfléchir. Une seule personne de sa connaissance parvenait à faire entendre raison à sa mère. Pourquoi n'y avait-elle pas pensé plus tôt ? Elle n'avait qu'à se rendre chez cette personne, lui expliquer la situation et la prier d'intercéder auprès d'Ursule afin de la faire changer d'idée. Évelina retrouva le sourire. Elle remercia Flavie et lui dit qu'elle avait peut-être trouvé la solution à son problème. Elle sortit de la chambre d'un pas joyeux. Flavie espérait qu'Évelina ne serait pas déçue.

* * *

Après plusieurs changements de tramways et d'autobus, Évelina se tenait enfin devant une série de triplex, rue Henri-Julien, tout près de l'église Notre-Dame-de-la-Défense dans le quartier de la Petite-Italie. La fatigue du voyage de même que la pluie froide et cinglante qui tombait à présent la firent presque revenir sur sa décision de rencontrer la seule personne capable d'influencer positivement sa mère. Elle tenait à la main un bout de papier indiquant l'adresse de Fedora, son ancienne nourrice, qu'elle avait griffonnée en vitesse avant de partir. Elle gravit les marches menant au deuxième étage du bâtiment de briques beiges tout en espérant qu'il s'agissait de la bonne adresse. Après avoir frappé à la porte, elle se recoiffa rapidement. Son parapluie n'avait pas réussi à la protéger suffisamment ; la pluie froide de novembre avait gâché sa mise en plis.

La porte s'ouvrit. Fedora Campino resta interdite sur le seuil pendant quelques secondes en voyant sa visiteuse.

— Évelina ! Quelle belle surprise ! Ne reste pas sur la galerie, *bella* ! Entre te réchauffer !

Fedora prit la jeune femme par la main et l'entraîna dans l'appartement. Une odeur de cuisine italienne flottait dans l'air, ce qui réveilla l'estomac d'Évelina. Elle tendit son manteau et son parapluie à Fedora. Ensuite, elle suivit celle-ci dans un long couloir qui débouchait sur une petite cuisine où mijotait un chaudron sur le poêle.

— J'ai fait mon fameux minestrone. En veux-tu un bol ? Cela te réconforterait.

Vérifiant l'heure à sa montre, Évelina s'aperçut qu'il était déjà midi.

— Je ne voulais pas arriver à l'heure du dîner. Le trajet pour venir jusqu'ici a été plus long que je ne le pensais.

— Dans ce cas, tu vas manger avec moi.

Fedora déposa aussitôt un bol de soupe fumant devant Évelina. Les effluves du potage lui rappelèrent son enfance. Celle-ci adorait lorsque Fedora préparait les repas. Après avoir avalé une cuillerée de soupe, elle constata que son ancienne nourrice était encore une excellente cuisinière.

— Tu ne travaillais pas aujourd'hui ? demanda la vieille femme.

— J'avais mon après-midi de congé. J'en ai profité pour venir vous rendre visite.

— Si tu savais comme ça me fait plaisir de te voir, *bella* ! Nous n'avons pas eu la chance de discuter beaucoup lors de la réception de ta mère. Comment va-t-elle, d'ailleurs ?

— Euh… À vrai dire, je suis un peu en brouille avec elle.

Fedora croisa les bras dans l'attente d'une explication. Évelina se souvint qu'autrefois, quand elle avait fait une sottise, sa nourrice prenait le même air.

— En fait, les choses se sont gâtées entre nous depuis qu'elle m'a présenté votre neveu, Celio. J'ai refusé ce mariage arrangé. Je peux très bien me trouver un mari moi-même. Je n'ai certainement pas besoin que ma mère se mêle de mes affaires.

— Celio est un bon garçon, Évelina…

— Je n'en doute pas un instant. Mais… euh… vous savez…

— Il ne te plaît pas, voilà tout !

Fedora sourit devant l'embarras d'Évelina.

— Ce que je dis, *bella*, reprit-elle, c'est que tu devrais laisser la chance au coureur. Quoi qu'il en soit, c'est donc pour cette raison que tu ne parles plus à ta mère.

— Entre autres… Je lui ai dit que je pouvais gérer mes affaires toute seule – d'ailleurs, c'est ce que je fais depuis plusieurs mois. Elle ne m'envoie plus d'argent ; je me débrouille avec mon allocation mensuelle d'infirmière.

— Pourquoi es-tu ici, alors ?

— Pour vous voir, tout simplement !

— Évelina, je me doute que tu as un service à me demander. Je te connais ; quand quelque chose te tracasse, tu as la manie de te pincer l'oreille.

La jeune femme lâcha son oreille avant de répondre.

— D'accord, vous avez raison. Si je suis ici aujourd'hui, c'est pour vous demander d'intervenir auprès de ma mère. Elle vous a toujours tenu en très haute estime ; en quelque sorte, vous êtes la mère qu'elle n'a pas eue. Je suis certaine que si cela vient de vous, Fedora, elle sera réceptive. Figurez-vous donc qu'elle est devenue une dame patronnesse à l'hôpital où j'étudie !

— C'est très noble de sa part de contribuer à des œuvres de charité, Évelina.

— Peut-être bien, mais je n'ai vraiment pas envie qu'elle se dévoue dans mon hôpital.

— Je pense que ta mère ne veut qu'une chose, Évelina : se rapprocher de toi. C'est le moyen qu'elle a trouvé.

— Il est un peu tard pour ça, je pense.

— Il n'est jamais trop tard pour bien faire, tu sais.

Fedora pointa de sa cuillère la soupe qui refroidissait dans le bol d'Évelina.

— Mange pendant que c'est chaud, *bella*. Je vais te répéter la même chose que tout à l'heure à propos de Celio : laisse la chance au coureur. Ta mère n'a aucune mauvaise intention ; elle veut seulement se rapprocher de toi. Et puis, je serais bien mal placée pour essayer de la faire changer d'idée. Ursule ne m'a jamais écoutée, et ce n'est certainement pas aujourd'hui qu'elle va commencer !

Évelina termina son bol de soupe en regrettant d'être venue demander l'aide de Fedora. Elle avait cru à tort que son ancienne nourrice l'aiderait à raisonner sa mère. Voyant la mine triste de la jeune femme, Fedora se pencha vers celle-ci :

— Je vais essayer, Évelina, mais je ne te garantis rien !

* * *

Évelina regardait par la fenêtre en espérant que le mauvais temps se calmerait bientôt. Elle était impatiente de rentrer à l'hôpital, mais la pluie froide s'était transformée en grésil, l'empêchant de partir. Fedora l'avait invitée à passer l'après-midi avec elle. Comme elle n'avait rien de prévu, Évelina avait accepté l'offre.

Pour se distraire, la jeune femme feuilleta les albums de photos de Fedora. Elle y découvrit quelques photos d'elle-même, même si son ancienne gouvernante n'était plus au service d'Ursule.

— Je te considère comme la fille que je n'ai pas eue, Évelina. Tu as toujours fait partie de ma famille !

— J'ai passé de si belles journées avec vous, Fedora. J'adorais quand vous m'emmeniez au parc. Vous souvenez-vous à quel point j'adorais les balançoires ?

Fedora fit du café et offrit des biscottis à Évelina. Cette dernière se sentait bien chez son ancienne gouvernante. L'appartement, bien que modeste, était décoré avec goût. Évelina pensa, non sans un pincement au cœur, qu'elle ne s'était jamais considérée véritablement chez elle dans la maison de sa mère. Chez Fedora, elle était calme et détendue. Un seul autre endroit lui procurait la même sensation : la maison de la famille de Flavie à La Prairie. Évelina pensa à Antoine. Celui-ci concoctait probablement de nouvelles recettes de fromage dans sa laiterie.

Après avoir terminé son café, la jeune femme s'étira en poussant un soupir.

— Je vais devoir rentrer, annonça-t-elle. Ce soir, je suis de service auprès des patients.

— Tu ne peux pas te promener par un temps comme celui-ci. Je vais t'appeler un taxi.

Évelina aurait bien voulu voyager en taxi, mais elle avait seulement les moyens de se payer l'autobus et le tramway.

— Non, non ! Je vais prendre le tramway. C'est une petite marche de quelques pâtés de maisons tout au plus !

Fedora s'apprêtait à répliquer lorsqu'on frappa à la porte. Elle alla ouvrir. Quand elle revint à la cuisine, Celio l'accompagnait.

— Évelina, tu te souviens de Celio, mon neveu ?

« Comment pourrais-je l'oublier, celui-là, avec les milliers de fleurs et les chocolats qu'il m'offre à tout bout de champ ! » pensa Évelina en se contentant de sourire. Fedora lui fit un clin d'œil lorsque Celio serra la main de la jeune femme dans la sienne. Évelina dut se maîtriser pour ne pas grimacer.

— Moi, je me souviens fort bien d'Évelina, tante Fedora! Comment aurais-je pu l'oublier? Vous allez bien, Évelina?

— Oui! Très bien!

Quand Évelina lâcha la main moite de Celio, elle se retint de s'essuyer sur sa robe. Voyant que Celio restait planté là, semblant attendre une quelconque réaction, la jeune femme se tourna vers Fedora:

— Bon! Je vais y aller et vous laisser seuls tous les deux. Je travaille ce soir et je ne veux pas arriver trop tard à l'hôpital.

— Mais Celio va te raccompagner, Évelina! N'est-ce pas, Celio? Il est hors de question qu'Évelina se promène par ce temps; elle pourrait contracter un rhume.

— Avec plaisir, tante Fedora! Ma voiture est garée devant.

— Ne vous dérangez pas, Celio. Je vais rentrer par mes propres moyens.

— Mais j'insiste!

— Tu ne peux rien refuser à un Italien, *bella*! s'exclama Fedora. Allez! Et promets-moi de revenir me voir bientôt! J'ai passé un agréable après-midi en ta compagnie.

— Je reviendrai dès que je le pourrai, Fedora. Merci pour tout.

Fedora embrassa et serra sur son cœur Évelina avant que celle-ci ne sorte, suivie de Celio qui ne la lâchait pas d'une semelle. La jeune femme descendit les marches. Une fois sur le trottoir, son compagnon la précéda pour lui ouvrir la portière et l'aider à monter à bord de sa rutilante voiture. Lorsque Celio s'installa au volant, il déclara:

— Sachez que ma tante ne m'avait pas prévenu de votre visite.

— Elle n'était pas au courant. Je devais lui parler de quelque chose.

— Ah bon ? À quel propos ?

— Rien qui ne vous concerne, Celio.

Évelina ne voulait pas se confier à cet homme. Elle croisa les bras et garda le silence. Une odeur désagréable de cigare et d'eau de Cologne flottait dans la voiture. À cause du temps froid, Évelina s'abstint d'ouvrir la fenêtre. Celio fredonnait tout en conduisant. Ne quittant pas la route des yeux, il dit :

— Je suis heureux de vous raccompagner, Évelina. Je peux profiter de l'occasion pour faire meilleure impression. Notre première rencontre ne s'est pas tellement bien déroulée.

La jeune femme repensa au verre de vin qu'elle lui avait lancé au visage. Elle n'avait pas envie de s'excuser pour le geste commis, mais elle avait quand même appris les bonnes manières durant ses années passées au pensionnat.

— J'espère que vous avez réussi à faire disparaître les taches sur votre costume.

Celio sourit.

— Votre mère m'avait prévenue que vous aviez du caractère. J'étais loin de me douter que vous en aviez autant !

— C'est de famille, monsieur Campino ! Comment vont vos affaires d'importation ?

Évelina avait délibérément détourné la conversation. Elle refusait de discuter de sa mère et encore moins du mariage arrangé que celle-ci avait manigancé.

— Oh ! Mes affaires vont très bien, Évelina…

Celio commença à lui expliquer qu'il importait des nouveautés directement de l'Italie et que la demande pour ses produits était de plus en plus forte. Évelina feignait d'être intéressée par ses propos. Pendant que Celio parlait avec passion de ses affaires, elle n'avait nul besoin d'échanger avec lui.

Le trajet de retour fut beaucoup moins long dans la voiture de Celio qu'en tramway, mais il parut interminable à Évelina. Quand la voiture s'arrêta devant l'hôpital, Celio posa sa main sur le genou de sa passagère. Mais il la retira aussitôt en voyant le regard assassin que celle-ci lui lança.

— Il faudrait qu'on se revoie bientôt, Évelina. J'aimerais faire plus ample connaissance avec vous.

— Vous savez, Celio, j'ai beaucoup de travail et je dois étudier, en plus. La dernière année à l'école d'infirmières est la plus exigeante de toutes. Je souhaiterais que vous arrêtiez de me faire livrer des fleurs. Elles prennent énormément de place, ce qui embarrasse mes compagnes de chambre.

— Si vous me le demandez, Évelina… Je désirais seulement égayer vos journées et, aussi, je voulais que vous sachiez que je pense à vous !

Celio sortit un morceau de papier et un crayon de sa poche et griffonna son numéro de téléphone.

— Appelez-moi quand vous aurez du temps libre. Je connais un excellent restaurant et je tiens à vous inviter pour souper.

— Merci pour la balade de retour, Celio. Bonne fin de journée !

Évelina prit le morceau de papier et le tint jusqu'à ce qu'elle entre dans le hall de l'hôpital. En passant devant une corbeille, elle s'en débarrassa. « Ma mère serait vraiment trop fière de savoir que je sors avec lui. En plus, j'ai mille fois mieux à faire que de passer du temps en compagnie de Celio Campino ! »

* * *

Évelina pensait que son ancienne gouvernante réussirait à convaincre sa mère. Mais en croisant celle-ci dans les couloirs de l'hôpital quelques jours après sa visite chez Fedora, la jeune femme comprit qu'Ursule n'avait pas renoncé à sa charge de dame patronnesse.

Sa mère se précipita vers elle.

— Ma chérie ! Comment vas-tu ? Fedora m'a dit que tu étais allée lui rendre visite et que Celio t'avait raccompagnée. Je suis si heureuse de savoir que vous vous êtes revus. Il paraît qu'il t'a laissé son numéro de téléphone. J'espère bien que tu vas lui téléphoner.

— Ne compte pas trop là-dessus, maman. J'ai jeté à la poubelle le bout de papier. Et puis, j'ai demandé à Celio d'arrêter de m'envoyer des fleurs.

Ursule éclata de rire.

— Tu es incorrigible, Évelina ! Tu pourrais apprendre à le connaître un peu avant de renoncer à le fréquenter. C'est si romantique en plus qu'il t'envoie des fleurs !

— Si tu espères encore que j'épouserai cet homme, je tiens à te préciser que je n'ai pas changé d'avis.

Ursule hocha la tête. Elle décida de ne pas s'aventurer sur ce terrain miné. Évelina se rendrait bien compte par elle-même que Celio n'était pas un mauvais garçon. D'une voix calme, elle s'enquit :

— As-tu entendu parler du concert de charité que nous organisons ?

— Nous… ? Ah oui ! Tu parles des dames patronnesses ! Tu fais encore partie de ce groupe ?

— J'ai vraiment envie de m'impliquer dans une œuvre de charité, Évelina. Peu importe ce que tu en penses…

— Oui, je sais, peu importe ce que j'en pense !

— Ton amie Simone fait partie du comité qui organise le concert de charité. Elle m'a dit que, l'année dernière, tu avais joué du piano. Je suis contente de savoir que tes années d'études au pensionnat ont été rentables ! Comptes-tu participer cette année ?

— Si tu collabores à l'événement, je refuserai !

— Évelina ! Tu es douée et c'est une noble cause de ramasser de l'argent pour les nécessiteux. Oublie notre différend et implique-toi.

— Je vais y penser.

Ursule n'insista pas. Elle connaissait sa fille et savait que celle-ci avait tendance à se braquer si on insistait trop. Elle souhaita une bonne journée à Évelina et la laissa partir. Voir sa fille dans son uniforme d'infirmière la remplissait de fierté, malgré le fossé qui les séparait toutes les deux. Ursule ne comprenait pas comment elles avaient pu tant s'éloigner l'une de l'autre. Elle n'avait jamais rien refusé à Évelina. Elle avait fait en sorte que sa fille fréquente les meilleures écoles, elle avait engagé une excellente gouvernante pour pallier ses absences, elle avait vraiment fait tout en son pouvoir pour que sa fille s'épanouisse. À présent qu'Évelina était adulte, Ursule avait cru qu'elle pourrait enfin rattraper le temps perdu avec sa fille. Mais Évelina se montrait rétive à un rapprochement mère-fille. Ursule ne pouvait le nier : sa fille était son portrait craché ! Évelina avait le même entêtement, la même volonté de réussir par elle-même. Ursule avait beaucoup souffert dans sa jeunesse ; elle avait refusé l'aide de ses parents et s'était retrouvée dans la rue. Néanmoins, elle considérait qu'elle avait réussi sa vie, malgré les embûches et les préjugés liés à sa profession. Ursule s'était juré que sa fille ne passerait pas par les mêmes chemins et qu'elle ne manquerait jamais de rien.

D'un pas décidé, Évelina s'éloigna de sa mère. Elle sentait le regard de celle-ci peser sur son dos. Mais sa décision était prise. Puisque Ursule souhaitait qu'elle joue du piano au concert de charité, eh bien… elle ne jouerait pas. Point final ! Simone tenterait de la convaincre – et sûrement aussi Flavie –, mais elle ne céderait pas.

Évelina se rendait à son cours d'ophtalmologie quand, en tournant dans le couloir, elle heurta de plein fouet Wlodek qui arrivait en sens inverse. Pendant une fraction de seconde, elle se retrouva collée contre la poitrine du médecin. Comme ils se trouvaient à l'hôpital, ils s'écartèrent précipitamment l'un de l'autre. Évelina aurait passé un mauvais quart d'heure dans le bureau de l'hospitalière en chef si une religieuse avait été témoin de l'incident. Étant donné qu'ils ne s'étaient pas revus depuis leur dernière sortie, un sentiment de gêne flotta quelques secondes entre Wlodek et Évelina. Le temps parut suspendre sa course, malgré les allées et venues du personnel tout autour.

Wlodek brisa le silence :

— Je suis heureux de « tomber » sur vous, Évelina. Tout à l'heure, j'ai fait la connaissance de votre mère. Vous ne m'aviez pas dit qu'elle faisait partie des dames patronnesses. Elle a eu vent de mes talents de violoniste et m'a demandé si j'avais envie de participer au concert de charité donné à l'occasion de Noël. Comme il s'agit d'une bonne cause, j'ai tout de suite accepté.

Évelina recula d'un pas. Ainsi, sa mère avait approché Wlodek pour le concert… La jeune femme espérait qu'Ursule s'était comportée en dame patronnesse et non en matrone comme elle avait l'habitude de le faire avec les hommes. Évelina ne lui pardonnerait jamais si elle avait fait mauvaise impression et que sa relation avec Wlodek s'en trouvait entachée. En voyant son visage inquiet, ce dernier se fit rassurant :

— Votre mère est une dame charmante, Évelina. Elle m'a seulement mentionné que sa fille travaillait dans l'hôpital et que je la connaissais peut-être. Quelle n'a pas été ma surprise en apprenant qu'il s'agissait de vous ! L'année dernière, au concert, je vous avais dit que ce serait un grand honneur pour moi que vous m'accompagniez au piano la prochaine fois que je jouerais devant un public.

Évelina se souvenait de cette conversation. Wlodek jouait merveilleusement du violon et il avait ébloui la salle. La résolution de ne pas jouer au concert, qu'elle avait prise quelques minutes auparavant, ne tenait plus. Elle ne pouvait refuser d'accompagner Wlodek. Ils devraient répéter ensemble pour offrir la meilleure performance possible. Évelina aurait une raison valable de passer du temps en compagnie du pédiatre. Comme s'il avait lu dans ses pensées, Wlodek renchérit :

— Ça nous donnerait une raison de plus de nous voir. Je me plais bien en votre compagnie, Évelina.

— C'est réciproque, Wlodek. J'avais décidé de ne pas participer au concert. Mais puisque vous sollicitez mes services de pianiste, je m'impliquerai avec plaisir !

— Je suis libre en fin de journée. Nous pourrions nous retrouver dans la salle de repos, là où il y a un piano.

— J'y serai sans faute.

— À plus tard, Évelina !

Avant de partir, Wlodek lui effleura le bras du bout des doigts. Évelina ressentit un frisson qui parcourut son épine dorsale en entier. Qui aurait cru que l'intervention de sa mère la rapprocherait de Wlodek ?

* * *

Évelina termina sa tournée de patients à la hâte. Elle se rendit ensuite dans sa chambre pour se refaire une beauté avant de retrouver Wlodek dans la salle de repos. En voyant son amie se recoiffer, Simone, penchée sur sa machine à écrire, lança :

— Tu te mets *swell* pour aller distribuer les repas aux patients ?

— J'ai déjà fini cette tâche.

— Ça tombe bien que tu sois là, car je souhaitais te demander si tu accepterais de jouer du piano au concert de charité. Je me doute que ma proposition ne t'enchante pas vraiment puisque ta mère fait partie des dames patronnesses. Mais l'an dernier, tu nous avais si bien accompagnées, Flavie et moi, quand nous avions chanté…

Simone énuméra d'autres arguments favorables. Elle savait pertinemment que son amie aimait se faire prier et que, de plus, il serait ardu de la convaincre à cause de sa mère. Évelina leva la main pour signifier qu'elle voulait parler :

— Ménage ta salive, Simone. Tout est déjà arrangé. Je vais participer.

L'air perplexe, Simone s'étonna :

— Ah oui ? Et qu'est-ce qui t'a convaincue ?

— Tu devrais plutôt me demander qui a réussi cet exploit !

— Je donne ma langue au chat.

— Wlodek veut que je l'accompagne au piano quand il jouera du violon.

— J'aurais dû deviner que seul quelqu'un de la trempe de Wlodek réussirait à te persuader ! Je suis contente de savoir que tu seras présente. Mais dis-moi, accompagnerais-tu Paul et Clément par la même occasion ? Ils veulent chanter quelque chose ensemble. Ils ne savent pas encore ce qu'ils interpréteront, mais ça devrait être tout un numéro ! Flavie va probablement chanter, elle aussi. Pour ma part, je passe mon tour cette année. J'en ai plein les bras avec l'organisation du concert.

— Pas de problème, ça me fera plaisir d'accompagner tout ce beau monde. Tu m'excuseras, Simone, mais je dois me dépêcher. J'ai rendez-vous avec Wlodek pour répéter dans la salle de repos.

— Dans ce cas, bonne répétition ! Et sois sage, Évelina !

Cette dernière fit un clin d'œil à Simone. Elle sortit de la chambre en se déhanchant de façon exagérée. Elle entendit rire Simone malgré la porte qui s'était refermée.

* * *

Évelina était déjà installée au piano quand Wlodek arriva, l'étui de violon à la main. Il avait également apporté un paquet de partitions pêle-mêle. Il déposa les feuilles sur une table, et l'étui sur un guéridon près du piano. Deux étudiantes étaient installées sur un sofa un peu plus loin et bavardaient. Évelina aurait préféré que la salle soit vide afin de profiter pleinement de la compagnie de Wlodek. À son grand désarroi, les jeunes femmes ne semblaient pas vouloir quitter la pièce. Évelina poussa un «hum hum» assez fort pour leur signifier qu'elles la dérangeaient, mais les étudiantes ne lui portèrent aucun intérêt.

Pendant que Wlodek accordait son violon, Évelina s'approcha des deux pots de colle.

— Est-ce qu'il serait possible que vous nous laissiez seuls? Nous voudrions répéter en toute tranquillité pour le concert de charité.

— On était là avant!

— Je sais bien. Si nous le pouvions, nous irions ailleurs. Mais ce n'est pas évident de déménager un piano, comme vous vous en doutez.

Les jeunes femmes quittèrent la pièce en grommelant. Satisfaite, Évelina retourna s'installer au piano. Elle attendit que Wlodek soit prêt.

— J'avais pensé à jouer un concerto de Bach, mais finalement, j'ai opté pour une sonate de Mozart comme la dernière fois. Vous aimez Mozart ?

— Oh oui ! Mais je préfère Chopin.

— Un Polonais ! Décidément, la Pologne semble vous attirer, Évelina !

— De plus en plus… Et si nous commencions ?

Wlodek prit une partition dans la pile et la lui tendit. Après s'être installé à côté du piano, il plaça son archet sur les cordes, prit une inspiration et commença à jouer. Évelina essayait de le suivre malgré la bouffée de chaleur qui parcourait son corps à cause de la proximité du médecin. Absorbé par la musique, Wlodek avait fermé les yeux – il connaissait la sonate par cœur. Évelina jouait tout en observant du coin de l'œil le profil parfait et les lèvres charnues du pédiatre. Comme elle avait aimé les rares fois où il avait posé ses lèvres sur les siennes ! Soudain, Wlodek se pencha vers elle. Évelina leva la tête ; elle crut qu'il avait lu dans ses pensées et qu'il s'apprêtait à l'embrasser. Elle cessa de jouer, mais laissa ses mains sur les touches du piano. Évelina se rapprocha de Wlodek, qui n'était plus qu'à quelques centimètres d'elle. Le souffle du médecin effleura sa joue quand il s'inclina davantage afin de pointer la partition.

— Je pense qu'on devrait reprendre ici.

— Euh… oui… peut-être…

Évelina recula, se sentant ridicule d'avoir imaginé que Wlodek avait eu l'intention de l'embrasser. Le médecin reprit le morceau à l'endroit qu'il avait indiqué à Évelina. Inspirant profondément pour calmer ses palpitations, cette dernière s'exécuta. Le reste de la soirée représenta une véritable torture pour Évelina. Wlodek était tout près, mais la jeune femme ne pouvait entreprendre quoi que ce soit par peur de se faire surprendre par une étudiante qui s'empresserait d'aller rapporter ses faits et gestes à sœur Désuète. Pire encore, elle craignait d'effrayer Wlodek si elle se montrait trop hardie.

Lorsque Évelina revint à sa chambre après cette heure et demie de véritables supplices, elle s'écroula sur son lit sous le regard inquiet de Simone et de Flavie.

— Épuisant comme soirée ? s'informa Flavie.

— Tu peux le dire !

— Trop de patients à t'occuper ?

— Ce soir, Évelina a accompagné Wlodek au piano, expliqua Simone.

— Ah ! Je comprends tout !

— L'avoir si près de moi sans pouvoir rien faire… Quelle torture ! Quand vous êtes près de Paul et de Léo, comment réussissez-vous à ne pas leur sauter dessus ?

— On prend notre mal en patience, Évelina. On profite de l'instant présent, c'est tout.

Simone éteignit sa lampe de chevet. Flavie se glissa dans son lit. Évelina fixa le plafond en marmonnant :

— C'est justement ce que je souhaitais, moi : profiter de l'instant présent !

* * *

Tout était prêt pour le concert de charité. Les décors étaient en place, et tout le monde attendait son tour dans les coulisses de la salle de concert du Plateau – qui avait été prêtée à l'hôpital pour l'occasion. La présidente des dames patronnesses était venue prononcer le discours d'ouverture et Simone, dans les coulisses, un carnet à la main, indiquait l'ordre des numéros. Évelina ne comprenait pas ce qui lui arrivait ; elle éprouvait une grande nervosité, ce qui lui arrivait rarement. Mais elle voulait tant faire bonne figure devant Wlodek, qui comptait sur ses talents de pianiste.

Évelina s'en allait vérifier une fois de plus son maquillage avant de se rendre sur scène quand une main se posa sur son épaule. Chic, maquillée et parfumée, sa mère se tenait près d'elle. Ursule chuchota :

— Bonne chance, ma chérie. Je serai dans la salle pour t'acclamer.

Évelina ferma les yeux. « Il faut que je joue divinement bien. Je veux impressionner ma mère pour une fois ! » À gauche de la scène, elle distingua Wlodek dans la pénombre. Il tenait fermement son violon et lui sourit pour l'encourager. Le prochain numéro était le leur. Simone fit signe à Évelina de se tenir prête. Cette dernière inspira profondément pour se détendre. Flavie lui murmura que tout irait bien. Évelina ressentit une immense bouffée d'amour pour son amie ; ce sentiment réussit à faire disparaître sa nervosité.

Au signal de Simone, Évelina entra sur scène et s'installa au piano. Sentant des centaines d'yeux braqués sur elle, sa nervosité sembla vouloir ressurgir, mais le sourire confiant de Wlodek ancra la jeune femme dans l'instant présent. Durant tout le temps de sa présence sur scène, Évelina oublia complètement l'audience. Wlodek et elle étaient seuls au monde, et leurs instruments s'accordaient parfaitement. Après que les musiciens eurent joué la dernière note, le temps sembla suspendu quelques secondes avant que les applaudissements les ramènent à la réalité. Évelina se leva et salua l'assistance. Puis, elle retourna en coulisse, le cœur léger d'avoir accompli une performance sans faute.

Dans les coulisses, Wlodek remercia Évelina de l'avoir accompagné. Il l'embrassa tendrement sur la joue avant d'aller s'asseoir dans la salle. Pour sa part, la jeune femme resta sur place, car elle accompagnerait Flavie qui avait choisi d'inter-préter *Les anges dans nos campagnes*. Après le court entracte, Évelina jouerait du piano pour Clément et Paul; ces derniers chanteraient *Y a d'la joie!* de Charles Trenet. Évelina aurait aimé suivre Wlodek dans la salle afin de profiter pleinement du spectacle. Avec regret, elle regarda le médecin s'éloigner. « Bof! Qu'est-ce qu'on ne ferait pas pour avoir son moment de gloire? »

* * *

Encore une fois, le concert de Noël remporta un franc succès. Tous les participants donnèrent le meilleur d'eux-mêmes. La voix claire de Flavie charma les spectateurs. Ludivine, quant à elle, en étonna plus d'un en jouant un air d'accordéon. Évelina n'eut d'autre choix que de la féliciter, même si elle lui en voulait un peu de lui avoir « volé la vedette » pendant le spectacle. Comme l'année précédente, Georgina récita *La Charlotte prie Notre-Dame*. Cette année-là encore, la jeune femme oublia quelques phrases. Simone, texte à la main, dut lui souffler celles-ci. « C'est à croire que c'est le seul texte qu'elle connaît, celle-là! Et après deux ans, elle en oublie encore des bouts! » se moqua Évelina auprès de Simone durant l'entracte. Ursule profita de ce moment pour revenir en coulisse afin de féliciter sa fille de sa performance.

— Comme tu as bien joué, ma chérie ! Je suis si fière de toi ! N'est-ce pas, Simone, qu'elle était la meilleure ?

— En effet, tu t'es bien débrouillée, Évelina. Il ne reste plus que cinq minutes avant la reprise du spectacle.

Simone laissa la mère et la fille seules. Avant de s'éloigner, elle croisa le regard désemparé d'Évelina. Manifestement, la jeune femme n'avait pas envie de converser avec sa mère.

— Avoir su, j'aurais invité Celio à m'accompagner pour qu'il constate à quel point tu es fabuleuse !

Soulagée qu'Ursule n'en ait rien fait, Évelina s'excusa auprès de sa mère lorsque Wlodek lui fit signe. Le médecin sourit en voyant Évelina s'approcher.

— Je voulais seulement vous remercier encore une fois d'avoir bien voulu m'accompagner au piano ce soir. Je dois rentrer, car je travaille tôt demain matin. Passez une excellente fin de soirée, Évelina.

Wlodek se pencha pour l'embrasser. Mais Évelina, se doutant que sa mère était encore dans les parages, tendit la joue plutôt que les lèvres. Le médecin se prêta au jeu de sa compagne en pensant qu'elle réagissait ainsi pour éviter les racontars de ses consœurs. Évelina avait eu raison d'agir de la sorte : Ursule se trouvait à proximité et discutait avec Simone. Toutefois, Évelina savait pertinemment que sa mère n'avait rien manqué de son échange avec Wlodek.

Les lumières dans la salle s'éteignirent ; la deuxième partie du spectacle commencerait sous peu. Ursule regagna la salle, tandis qu'Évelina retourna sur la scène pour accompagner Paul et Clément. Ces derniers se tenaient exagérément droits derrière leurs microphones, attendant le lever du rideau.

— Tout se passera bien, messieurs les docteurs. Tenez-vous prêts! leur murmura Évelina avec un sourire pendant que le rideau se levait.

* * *

Évelina s'endormit très tard ce soir-là. À la fin du concert, elle avait aidé Simone à ranger les décors. Ursule était venue saluer sa fille avant de partir. Elle l'avait priée de venir faire un tour chez elle durant les fêtes.

— Tu pourrais inviter Simone et Flavie pour un souper chez moi; ça me ferait très plaisir de vous recevoir toutes les trois. Ton ami polonais pourrait également se joindre à nous. Plus on est de fous, plus on rit, n'est-ce pas?

Évelina avait simplement répondu qu'elle réfléchirait à la proposition, même si elle savait déjà qu'elle n'emmènerait jamais Wlodek chez sa mère. «Ma vie privée m'appartient. Je ne laisserai pas ma mère mettre son nez dans mes histoires, certain!» Avant de s'endormir, la jeune femme pensa quelques secondes à Flavie. Celle-ci avait observé, les yeux brillants, la prestation de Clément et de Paul. Évelina, qui avait levé les yeux plusieurs fois du piano, s'était aperçue que son amie portait un grand intérêt à son ancienne flamme. «Même si Flavie passe beaucoup de temps avec le beau journaliste, Clément occupe encore ses pensées… J'ai toujours cru qu'ils étaient faits pour être ensemble, ces deux-là!» Évelina sourit dans la pénombre de la chambre. Elle devait intervenir pour que son amie comprenne qu'elle passait à côté de quelque chose en se tenant loin de Clément. Évelina avait toujours aimé jouer les entremetteuses. La partie entre Clément et Flavie n'était pas gagnée d'avance, mais relever des défis ne lui faisait pas peur!

8

En raison du succès retentissant du concert de charité, tous ceux et celles qui n'avaient pu y assister se promirent d'y être l'année suivante. Les dames patronnesses avaient amassé une somme substantielle qui servirait à offrir des paniers de victuailles à plusieurs familles nécessiteuses. Même sœur Désuète, habituellement avare de commentaires, prit quelques minutes avant le début du cours de christianisme pour féliciter celles qui avaient participé au concert.

— Je ne suis pas une adepte de ce genre d'événements et je désapprouve cette façon d'amasser des dons. Mais cette fois-ci, vous m'avez beaucoup impressionnée, mesdemoiselles. Mes sincères félicitations à Simone Lafond qui faisait partie du comité organisateur de ce concert, à Flavie Prévost et à Évelina Richer qui ont offert des prestations intéressantes. Et j'accorde une mention spéciale à Georgina Meunier qui a su faire monter quelques larmes avec sa *Charlotte prie Notre-Dame*. Je suis très fière d'être votre titulaire, mesdemoiselles. À présent, je tiens à vous rappeler la raison pour laquelle vous êtes ici. Ce n'est certainement pas pour devenir chanteuses, comédiennes ou musiciennes – il y a déjà suffisamment de dévergondées en ville –, mais bien pour consacrer votre vie au service des malades.

— Des dévergondées ! On aura tout entendu ! Évidemment, elle ne peut pas nous laisser savourer notre heure de gloire sans nous ramener à la réalité, celle-là ! marmonna Évelina juste avant de recevoir un coup de coude de Simone.

— N'attire pas les foudres de la sœur, Évelina, chuchota-t-elle. Elle vient de nous complimenter, alors aussi bien en profiter. Ça arrive si peu souvent !

La mine boudeuse, Évelina haussa les épaules. Les propos de sœur Désuète la faisaient souvent réagir. La jeune femme était incapable de se contenir quand la religieuse faisait la morale à sa classe. Chaque fois, elle se promettait de rester coite, mais sœur Désuète trouvait toujours le moyen de la faire sortir de ses gonds. Heureusement que Simone se tenait à l'affût, prête à lui rappeler de se taire et de ne pas répliquer à la religieuse.

Perdue dans ses pensées, Évelina n'écoutait pas sœur Désuète. Pendant les cours de christianisme, celle-ci rabâchait son sermon sur les pratiques religieuses. Évelina griffonnait dans la marge de son cahier. Elle ne se souciait nullement de savoir quand il fallait prévenir l'aumônier afin qu'il vienne administrer les derniers sacrements ou encore quand la communion aux malades s'avérait nécessaire. Ses dessins importaient beaucoup plus que le discours vieux jeu de la religieuse. Elle sursauta quand sœur Désuète donna un coup de poing sur son pupitre, ce qui suscita le ricanement de ses consœurs et le regard désapprobateur de Simone. Fort heureusement, cette fois-ci, Évelina n'accrocha pas par mégarde le voile de la religieuse comme cela était arrivé pendant la première année de cours. Le crâne rasé de sœur Désuète avait alors été exposé au grand jour, ce qui avait été appelé « l'incident de "la capine" ».

Au lieu de réagir promptement, Évelina tenta de dissimuler les fleurs et les cœurs qu'elle avait dessinés dans son cahier.

— Mademoiselle Richer ! gronda la religieuse. Mes propos vous ennuient, peut-être ?

— Non, ma sœur. Je suis désolée.

Sœur Désuète prit la main de la jeune femme pour voir ce qu'elle cachait. Affichant un sourire ironique, elle déclara :

— Vous êtes une véritable artiste, à ce que je constate. Quels magnifiques dessins ! Mais à l'avenir, je vous prierais de créer vos œuvres d'art pendant vos moments libres. Vous êtes dans un cours de soins infirmiers et non pas dans une classe de beaux-arts, dois-je vous le rappeler ? Je vous attends à mon bureau immédiatement après le cours.

Évelina déposa son crayon à regret et croisa les bras. Elle subirait encore une fois les foudres de la religieuse. Comme toujours quand ses avertissements n'étaient pas pris au sérieux, Simone exprimait silencieusement le message : « Je te l'avais bien dit ! »

* * *

Évelina frappa à la porte. Elle n'attendit pas qu'on lui réponde avant d'entrer dans le bureau de sœur Désuète. Cette dernière, la moue réprobatrice, désigna la chaise en face de son bureau. Les lèvres pincées et les bras croisés, Évelina prit place, attendant les récriminations de la religieuse. Sœur Désuète s'assit et posa les mains sur son bureau. Elle entreprit ensuite son laïus.

— Vous devez être attentive durant les cours, mademoiselle Richer. Il me semble que je ne devrais pas être obligée de vous rappeler cette règle ; après tout, vous êtes en troisième année. Et puis, c'est indigne d'une infirmière catholique de ne pas écouter attentivement durant les cours de christianisme. Mais ce n'est pas l'unique raison pour laquelle je voulais vous voir. J'ai eu vent d'un événement qui aurait pu s'avérer fâcheux.

Évelina ne savait pas du tout de quoi il s'agissait. Elle était convaincue que la religieuse l'avait convoquée à son bureau pour lui faire un sermon sur son manque d'attention en classe.

— De quoi est-il question, ma sœur?

— J'ai appris que l'étudiante de première année qui est sous votre responsabilité a administré des médicaments aux patients.

Évelina blêmit. De toute évidence, quelqu'un – probablement Georgina – s'était empressé d'aller raconter ce fait.

— Nous avons décidé de ne pas intervenir étant donné qu'il n'est rien arrivé de fâcheux aux patients en cause par suite de votre supervision inadéquate. Surtout, nous n'avons rien fait parce qu'il s'agissait de vous, mademoiselle Richer.

— Que voulez-vous dire, ma sœur?

— Vous avez la chance d'avoir une mère très influente et très fortunée. Si ce n'avait été d'elle et de son influence auprès du conseil d'administration de l'hôpital, et des dons généreux dont elle gratifie notre établissement, vous auriez été renvoyée sur-le-champ.

Évelina sentit la colère monter en elle. Elle décroisa les bras et posa les mains sur ses genoux pour essayer de se calmer. La gorge sèche, elle s'enquit:

— Puis-je savoir, ma sœur, qui vous a rapporté l'incident?

— Ne comptez pas sur moi pour vous révéler ma source, mademoiselle Richer.

— De toute façon, je me doute de qui il s'agit.

Sœur Désuète ne tint aucun compte de l'intervention d'Évelina.

— Sachez que, si ce n'était que de moi, il y a longtemps que vous auriez quitté notre école. Votre mère a beau être l'une des femmes les plus influentes de Montréal, tout le monde sait de quel milieu elle provient.

Une fois de plus, Évelina eut honte de sa mère. Mais cette fois-ci, devant cette religieuse conservatrice et bornée qui la semonçait avec mépris, la jeune femme choisit de défendre Ursule.

— Ma mère n'a jamais caché ses origines, ma sœur. Elle a fait des choses répréhensibles pour se sortir de la misère, j'en conviens, mais elle n'a jamais hésité à donner de l'argent pour aider les plus démunis.

— Sa générosité ne me fera pas changer d'idée à son sujet. Mais revenons-en à vous. Votre manque d'attention d'aujourd'hui est en quelque sorte la goutte d'eau qui fait déborder le vase. Vous êtes une élève indisciplinée, ce que vous avez prouvé à maintes reprises pendant vos années d'études. Aujourd'hui, vous êtes allée trop loin en préférant gribouiller dans votre cahier plutôt que de m'écouter. Je pense que je vais rapporter votre manque d'attention à sœur Larivière. Les cours de christianisme sont aussi importants que tous les autres cours que vous suivez. Une bonne infirmière…

Évelina se leva. Furieuse, elle hurla :

— Laissez-moi donc tranquille avec vos sermons de « bonne infirmière » ! Surtout, ne vous gênez pas pour aller tout raconter à sœur Larivière ! En fait, je ne vous laisserai pas le plaisir de lui demander de me renvoyer. Je vais quitter l'établissement par moi-même !

Sous les yeux de la religieuse ébahie, Évelina sortit du bureau d'un pas saccadé et claqua la porte.

* * *

Fulminant encore à cause de sa rencontre avec sœur Désuète, Évelina contemplait sa valise ouverte sur le lit. La jeune femme ne pouvait plus supporter l'attitude de la religieuse. Certes, l'incident des médicaments aurait pu avoir des conséquences graves. Pourtant, personne ne l'avait convoquée pour lui signifier qu'elle avait mal agi.

Évelina réalisait seulement à présent les répercussions de ce qu'elle avait fait. Sur un coup de tête, elle avait décidé de quitter l'établissement. Il était probablement trop tard pour reculer. Son cœur menaçait d'éclater ; elle ne voulait pas quitter l'école d'infirmières ! Il ne lui restait que quelques mois avant d'obtenir enfin ce diplôme qui la faisait rêver depuis quelque temps. Évelina avait toujours été impulsive, mais cette fois-ci, elle était allée trop loin et le regrettait amèrement.

Simone entra dans la chambre. Voyant son amie plantée devant sa valise, elle s'inquiéta aussitôt, surtout qu'Évelina affichait une expression troublée.

— Tu pars en voyage ?

Évelina éclata en sanglots.

— Non. Je viens de faire une grosse gaffe. Je me suis fâchée contre sœur Désuète et je lui ai dit que je quittais l'hôpital.

— Mais qu'as-tu fait là ?

Évelina lui raconta son entretien avec la religieuse. Simone ferma les yeux quelques instants avant de proposer :

— Et si tu allais dire à sœur Larivière que tu as agi sous le coup de l'impulsivité ?

— Et il faudrait que je m'excuse auprès de sœur Désuète ? Jamais !

— Évelina, si tu désires partir, ce dont je doute en constatant ta réaction, tu peux t'en aller immédiatement. Mais si tu souhaites rester, il n'y a que cette seule option. Veux-tu vraiment tourner le dos à tout ce que tu as accompli jusqu'ici ?

Les mains devant le visage, Évelina hocha la tête en murmurant un «non» à travers ses sanglots. Simone lui tendit un mouchoir. Au moment où elle allait parler à son amie, on frappa à la porte. Une étudiante de deuxième année informa Évelina que sœur Larivière la convoquait immédiatement à son bureau. La jeune femme se moucha bruyamment avant de s'éponger les yeux.

— Je vais t'accompagner chez l'hospitalière en chef, annonça Simone. Allons-y, Évelina ! Il faut battre le fer pendant qu'il est chaud.

* * *

Simone fut priée d'attendre à l'extérieur du bureau de sœur Larivière. Pour encourager Évelina, elle leva le pouce et chuchota : «Ça va aller !» L'étudiante suivit l'hospitalière en chef dans son bureau. La mine renfrognée, sœur Désuète s'y trouvait déjà, assise sur une chaise. Elle suivit d'un regard sévère Évelina avant que celle-ci ne s'installe à côté d'elle.

Sœur Larivière entama aussitôt la discussion.

— Sœur Désilets m'a appris que vous souhaitiez quitter notre établissement?

— J'ai seulement dit à sœur Désilets que si elle voulait que je sois renvoyée, je préférais partir de moi-même.

Sœur Larivière se tourna vers sa subalterne. Celle-ci commenta:

— Mademoiselle Richer m'a manqué de respect durant le cours de christianisme. Elle gribouillait dans son cahier plutôt que de suivre attentivement mes propos. Elle se montre réfractaire à l'enseignement de la religion catholique.

— Sœur Désilets m'a aussi dit que c'était grâce à l'influence de ma mère si j'étais encore ici.

— Est-ce vrai, ma sœur? questionna l'hospitalière en chef.

— Ma sœur, vous savez comme moi à quel point madame Richer est importante pour notre hôpital.

— Là n'est pas la question. Ce qui nous préoccupe est le fait que mademoiselle Richer ait manqué d'attention durant votre cours et qu'elle vous doive des excuses.

Sœur Larivière se tourna vers Évelina. Celle-ci n'eut d'autre choix que d'approuver d'un signe de la tête. Évelina marmonna: «Désolée, ma sœur», puis elle baissa les yeux. Devant la tournure des événements, sœur Désilets – qui s'attendait à une réprimande plus sévère envers Évelina – balbutia:

— Je souhaite seulement que mademoiselle Richer soit plus attentive pendant mes cours.

— Elle ne sera plus distraite durant les cours de christianisme. N'est-ce pas, mademoiselle Richer?

Évelina acquiesça. Sœur Larivière invita sa consœur à la laisser seule avec l'étudiante. La religieuse sortit, surprise de la façon dont s'était réglée l'affaire.

Sœur Larivière attendit que la porte se referme pour s'enquérir :

— Ainsi donc, mademoiselle Richer, vous voulez partir ?

— Euh… non, pas vraiment, ma sœur. J'ai agi sous le coup de l'impulsivité, j'en ai bien peur. Il est vrai que j'ai manqué d'attention durant le cours de sœur Désilets, mais je n'ai commis aucun crime grave. Après tout, je ne faisais que dessiner ! Mes résultats scolaires sont satisfaisants, ma sœur, vous ne pouvez le nier. Et je travaille d'arrache-pied auprès des patients.

— Sœur Désilets m'a aussi dit qu'elle vous avait parlé d'un incident relatif à votre supervision de mademoiselle Boyer.

— Effectivement. J'aurais probablement dû parler de cet événement à la responsable de Ludivine Boyer. Mais je déteste l'esprit de délation dont certaines de mes collègues font preuve. Puisque personne n'a subi de préjudices, j'ai décidé de ne pas rapporter ces faits pour éviter de porter atteinte à mademoiselle Boyer.

— C'est tout à votre honneur, mademoiselle. Mais, malgré tout, vous auriez dû prévenir la religieuse responsable du groupe de mademoiselle Boyer.

— Je n'ai rien à cacher, sœur Larivière. L'influence de ma mère dans cette institution ne m'importe aucunement. Cela n'a rien à voir avec le travail que j'effectue ici. J'ai toujours été disponible et efficace auprès des patients ; vous ne pouvez pas me contredire là-dessus.

— Non, en effet. Vous vous montrez quelque peu insubordonnée, mais je vous considère tout de même comme une bonne infirmière.

— Tant mieux pour votre hôpital si ma mère lui consent des dons généreux. Mais je vous le répète, je ne me sens pas du tout concernée par cela. Si je suis ici, c'est uniquement parce que je l'ai désiré et non pas à cause du statut de ma mère.

— Oh! Mais je le sais parfaitement, mademoiselle. D'ailleurs, rassurez-vous, il n'a jamais été question de renvoi dans votre cas.

— Pourtant, sœur Désu… euh… Désilets a laissé sous-entendre que ma mère serait souvent intervenue pour m'éviter d'être renvoyée.

— C'est certain que votre mère jouit d'une bonne réputation au sein du conseil d'administration, mais cela ne joue pas nécessairement en votre faveur. Mademoiselle, j'ai l'habitude de me fier à mon jugement. Sachez que personne ne peut m'influencer.

Les paroles de sœur Larivière rassurèrent Évelina.

— Vous savez comme moi à quelle vitesse circulent les rumeurs dans l'hôpital, reprit la religieuse. J'ai entendu dire que vous étiez ici dans l'unique but de vous trouver un mari. Je pense que si cela avait été le cas, vous ne seriez plus ici, mademoiselle. Il y a longtemps que vous auriez pris vos jambes à votre cou devant la charge de travail. Il serait vraiment dommage que vous nous quittiez alors que vous êtes si près du but. Vous avez tout ce qu'il faut, mademoiselle Richer, pour réussir dans la profession d'infirmière. En fait, il ne vous manque qu'un peu de pondération.

— J'avoue que je suis un peu prompte, ma sœur, mais je tiens réellement à terminer mes études.

— Aujourd'hui, je vous donnerai seulement un avertissement, mademoiselle Richer. Mais à l'avenir, j'aimerais beaucoup que vous soyez attentive en classe et que vous ayez une conduite exemplaire. Les cours de christianisme sont aussi importants que les autres cours que vous suivez dans cet établissement. Vous arrivez à la moitié de votre troisième et dernière année d'études ; il serait bête de gâcher vos chances de recevoir votre diplôme.

— Je vous remercie, ma sœur.

Sœur Larivière se leva pour signifier à Évelina que l'entretien était terminé. La jeune femme remercia une seconde fois la religieuse avant de sortir. Elle l'avait échappé belle cette fois-ci. Évelina se promit de mieux gérer son impulsivité à l'avenir.

* * *

Évelina, Simone et Flavie avaient décidé de partager le coût du taxi qui les conduisaient rue Dunlop, chez la mère d'Évelina. À cause de l'emploi du temps chargé de sa fille durant le temps des fêtes, Ursule avait décidé d'organiser un souper quelques semaines avant Noël. Doutant d'avoir fait le bon choix en acceptant l'invitation de sa mère, Évelina avait cédé à la pression de ses deux amies qui avaient insisté pour y aller.

Lisant de l'appréhension sur le visage d'Évelina, Flavie tenta de la rassurer :

— Ma grand-mère dit toujours qu'il faut laisser la chance au coureur. Ta mère tient vraiment à renouer avec toi.

— Je continue de penser que tu aurais dû inviter Wlodek à se joindre à nous, intervint Simone. Ta mère aurait compris que Celio n'a aucune chance devant ton beau docteur polonais.

— C'était hors de question. Moins ma mère en sait sur ma vie, moins elle aura envie de la contrôler. Et puis, je n'ai vraiment pas envie que Wlodek en apprenne davantage sur Ursule.

— En tout cas, on aura au moins réussi, Flavie et moi, à te convaincre de venir ce soir.

— On aura au moins réussi ça, en effet, approuva Flavie. Les filles, êtes-vous libres la veille de Noël ? Victor nous invite.

— Les élèves de deuxième année travaillent la veille de Noël et du Nouvel An, cette année, précisa Simone. C'est à notre tour de travailler à Noël et au jour de l'An.

— Donc, cela vous tenterait-il de m'accompagner chez Victor ? Il aimerait bien que nous arrivions tôt en après-midi le 24 décembre.

— Je ne sais pas trop pour ma part, répondit Simone. Paul voudrait que j'aille chez lui ; il veut me présenter ses parents.

— Oh ! Ça devient officiel, vos affaires ! se moqua Évelina.

Flavie hocha la tête par dépit.

— J'irai seule, dans ce cas.

— Je n'ai rien de prévu, annonça Évelina, alors ça me fera plaisir de t'accompagner. Et puis, j'aime bien rendre visite à ton père, Flavie. Est-ce qu'Antoine sera là ? ajouta-t-elle en prenant un air faussement indifférent.

— Non, Antoine ne viendra pas, car il doit s'occuper de ses animaux, ni ma mère ni ma grand-mère d'ailleurs. Nous serons seules avec Victor.

— Comme tu dois être soulagée, Évelina ! s'exclama Simone en guise de douce revanche pour la taquinerie au sujet de Paul.

Devant le regard interrogateur de Flavie, Évelina expliqua :

— Ton frère m'a dit mes quatre vérités lors de notre dernière rencontre. Je ne lui ai pas reparlé depuis.

— Je ne le savais pas. Ça aurait peut-être été l'occasion rêvée de régler tout ça avec lui.

— Oui, peut-être bien…

Évelina remercia le ciel que le taxi arrive à destination à ce moment précis. Simone régla la course, puis les trois amies descendirent du véhicule. Sur le trottoir, Flavie et Simone attendaient qu'Évelina s'engage dans l'allée qui menait à la résidence de sa mère. Simone la poussa du coude.

— Un peu de courage, Évelina. On ne va quand même pas passer la soirée ici, avec ce froid mordant ! Il commence à neiger en plus.

Évelina s'avança vers la porte d'entrée. Après avoir sonné, elle entra avant que la domestique ne vienne lui ouvrir. Ursule s'empressa d'accueillir ses invitées. Elle déposa un baiser sonore sur la joue d'Évelina, et fit de même avec Simone et Flavie.

— Je suis si heureuse que vous soyez là, toutes les trois ! Ma cuisinière nous a concocté un petit festin. Suivez-moi. Quelques invités attendent déjà dans le petit salon.

Évelina sourcilla en entendant la dernière phrase de sa mère. Jamais Ursule n'avait dit que d'autres personnes seraient conviées à ce souper. La jeune femme suivit sa mère ; elle ne put s'empêcher de signifier son mécontentement en pinçant les lèvres. Flavie posa une main sur son épaule pour la rassurer. Parmi les invités se trouvant au salon, Évelina reconnut quelques dames patronnesses de l'hôpital accompagnées de leur conjoint. Joséphine et Marcel Jobin bavardaient avec les autres invités. Marcel lui tournait le dos, mais Joséphine avait remarqué son arrivée. Elle salua Évelina d'un hochement de tête et d'un pâle sourire. La jeune femme la salua également, quelque peu mal à l'aise de trouver son ancien amant et la femme de celui-ci dans le salon de sa mère. Ursule ignorait certainement son ancienne relation avec Marcel. Mais les Jobin étaient là parce que Joséphine faisait partie des dames patronnesses, tout comme Ursule.

Évelina sourit en voyant Fedora. Celle-ci vint aussitôt à sa rencontre. Au moins, sa mère avait pensé inviter l'ancienne gouvernante, pensa la jeune femme ; pendant quelques instants, elle en fut reconnaissante à Ursule. Mais Évelina tiqua en apercevant Celio derrière Fedora. L'Italien semblait pressé de venir lui offrir ses hommages.

— Très heureux de vous revoir, Évelina ! Et vous aussi, mademoiselle Flavie.

Simone s'avança pour se présenter à Celio et, surtout, pour le détailler d'un peu plus près. Évelina n'avait pas exagéré quand elle l'avait qualifié d'imitation bon marché d'Al Capone. Visiblement, l'homme voulait impressionner par sa stature, mais il n'y arrivait pas à cause de sa petite taille. Évelina le dépassait d'une tête. Serrant la main de Simone avec désinvolture, Celio exhala un nuage de fumée de cigare avant de reporter toute son attention sur Évelina. Embarrassée par la présence de l'Italien, celle-ci laissa Simone et Flavie en compagnie de Celio et se rendit près du petit cabinet faisant office de bar. Évelina se servit un verre de scotch qu'elle avala d'un trait. Elle se versa un second verre et retourna auprès de ses amies. «La soirée sera longue!» songea-t-elle en souriant bêtement à Celio qui expliquait à Simone en quoi consistaient ses affaires d'importation.

On sonna à la porte. Ursule se leva promptement pour aller accueillir son dernier invité. Évelina suivit sa mère des yeux, se demandant bien de qui il pouvait s'agir pour que sa mère se précipite à la porte au lieu de laisser la domestique faire son travail. La jeune femme vida son verre. Une idée folle lui vint en tête; elle espérait de tout cœur que son intuition se révélerait fausse. En voyant Wlodek qui pénétrait dans le salon à la suite de sa mère, elle crut défaillir. Le visage du médecin s'illumina quand il la vit. Les jambes tremblantes, Évelina alla tout de même à sa rencontre. Machinalement, elle lui tendit la main, qu'il serra délicatement dans la sienne. Ursule laissa Wlodek en compagnie d'Évelina. Elle se posta ensuite au centre du petit salon et déclara:

— Puisque vous êtes tous là, mes amis, nous pouvons maintenant passer à table. Si vous voulez bien me suivre…

Wlodek sourit timidement à Simone et Flavie avant de reporter son regard sur Évelina. Celle-ci était encore troublée du fait de la présence du médecin.

— Je n'aurais peut-être pas dû accepter l'invitation de votre mère. Vous semblez mal à l'aise à cause de moi, Évelina.

— Euh… c'est seulement que je ne m'attendais pas à vous voir ici. Je suis ravie que vous soyez là, Wlodek, croyez-moi.

Évelina s'empressa de se rendre à la salle à manger pour devancer sa mère; la jeune femme voulait installer Flavie et Simone de chaque côté d'elle. Il n'était pas question qu'elle se retrouve près de Celio, ni de Marcel ou de Wlodek. «J'ai l'impression de faire un cauchemar!» songea Évelina en voyant Marcel, Celio et Wlodek prendre place à la table. «Il ne manque qu'Antoine, et le compte serait bon!»

* * *

Le repas se déroula sans encombre au grand soulagement d'Évelina, mais elle resta sur ses gardes, s'attendant au pire. Elle mangea peu, beaucoup trop tendue par l'atmosphère qui régnait dans la salle à manger. «Ce souper est un vrai vaudeville!» En hôtesse charmante, Ursule veillait à ce que ses invités ne manquent de rien. À cause des deux verres de scotch qu'Évelina avait bus en peu de temps, la tête lui tournait légèrement. Celle-ci se contenta de quelques gorgées de vin, préférant garder l'esprit clair, malgré son envie de s'enivrer pour oublier cette soirée catastrophique.

Comme toujours, Celio parla de ses importations et de ses succès en affaires. Silencieuses, Simone et Flavie écoutaient les différents invités, prêtes à intervenir si Évelina leur demandait de l'aide, ne serait-ce que par un regard suppliant de sa part. La scène aurait pu paraître cocasse, mais Évelina ne riait pas du tout. Durant le repas, elle se sentit constamment observée par Marcel, Wlodek et Celio. Le souper de sa mère aurait très bien pu passer pour une mauvaise pièce de théâtre, dont Évelina déplorait d'être la grande vedette: *L'ancien amant, le prétendu fiancé et le nouveau soupirant.* Le vaudeville se termina avec un dessert qu'Ursule présenta en grande pompe comme la pièce de résistance. Mais Évelina toucha à peine à son assiette.

Après le dessert, les convives furent invités à passer au salon pour prendre un digestif. Simone et Flavie discutaient au coin du feu avec Fedora qui semblait bien s'amuser en compagnie des deux amies. Le rire chaleureux de la vieille femme parvenait de temps à autre aux oreilles d'Évelina. Marcel complimenta cette dernière sur son apparence, profitant du fait que Joséphine discutait un peu plus loin avec une dame patronnesse.

— Tu n'as jamais été aussi jolie, Évelina.

— Merci Marcel, répondit-elle. Ta femme et toi formez un des plus beaux couples de la soirée! ajouta-t-elle en voyant Joséphine venir vers eux.

Cherchant des yeux Wlodek, Évelina découvrit le médecin en train de discuter avec Celio. Craignant le pire, elle décida d'aller s'immiscer dans la conversation des deux hommes. Elle arriva au moment où Celio apprenait à Wlodek qu'il était question de fiançailles entre Évelina et lui. La jeune femme entraîna à l'écart le pédiatre en foudroyant Celio du regard. Ce dernier ne comprenait pas pourquoi Évelina voulait l'empêcher de discuter avec le médecin.

Lorsque Évelina et lui se furent suffisamment éloignés des invités, Wlodek, la mine déconfite, déclara:

— Je comprends maintenant votre peu d'enthousiasme face à ma présence à cette soirée, Évelina. Vous n'aviez pas envie de me présenter à votre fiancé. Je pense que je ferais mieux de partir. Remerciez votre mère de ma part pour son invitation, voulez-vous?

Évelina refusait qu'il s'en aille avant que le malentendu ne soit dissipé. Posant la main sur le bras de Wlodek, elle expliqua:

— Nous ne sommes pas fiancés, Celio et moi. Il est le seul à le penser, Wlodek. En fait, cette histoire de mariage a été montée de toutes pièces par ma mère qui souhaite me voir épouser le neveu de mon ancienne gouvernante.

Sourcils froncés, Wlodek la regarda d'un air sceptique. Évelina ne put s'empêcher de sourire devant le ridicule de la situation. Elle était de plus en plus convaincue que la soirée de sa mère ferait un excellent scénario pour une pièce burlesque.

— Je sais que tout ça peut paraître absurde, Wlodek. Mais croyez-moi : il n'est absolument pas question que j'épouse Celio.

— Durant tout le repas, il n'a eu d'yeux que pour vous, Évelina. Je dois vous avouer que, ce soir, mes sentiments pour vous ont été mis à rude épreuve…

Wlodek venait d'évoquer ses sentiments pour elle ! Évelina jubilait intérieurement. Le médecin reprit :

— J'ai appris à vous connaître au cours des dernières semaines. Je dois dire que je ne suis pas déçu. J'apprécie de plus en plus votre présence, Évelina.

— Je tiens à vous moi aussi, Wlodek.

— Vous me rassurez, Évelina. Que diriez-vous si nous précisions les choses dès maintenant à ce Celio ?

Évelina ne comprenait pas où Wlodek voulait en venir, mais quand il la prit par la taille et l'embrassa devant tout le monde, elle s'abandonna complètement dans ses bras. Quand il mit fin à l'étreinte, Évelina recula, encore étourdie par ce qui venait de se produire et par la déclaration de Wlodek, habituellement si réservé. Il n'avait pas eu peur de montrer devant tout le monde qu'il y avait quelque chose entre eux.

En grande conversation avec un de ses invités, Ursule tourna la tête quand le silence se fit dans le petit salon. En voyant Évelina se détacher de Wlodek, elle saisit pourquoi sa fille était aussi distante vis-à-vis de Celio. Celui-ci, qui n'avait rien perdu du baiser d'Évelina et de Wlodek, comprit qu'il venait de perdre sa fiancée. Il jeta un regard désolé à Ursule avant de quitter la pièce.

* * *

Les invités étaient partis depuis un bon moment. Seules Évelina, Flavie et Simone étaient encore assises dans le petit salon. Elles observaient en silence Ursule qui faisait les cent pas. Celle-ci s'exclama :

— Pauvre Celio ! Comment as-tu pu lui faire ça, Évelina ?

Cette dernière s'approcha de sa mère.

— Arrête ta comédie, maman ! Tu savais que je n'épouserais jamais Celio. Sincèrement, croyais-tu vraiment que tes manigances viendraient à bout de ma résistance ?

— J'espérais vraiment que tu changerais d'avis, Évelina. Celio serait un bon parti pour toi.

— Jusqu'à présent, je n'ai pas pris beaucoup de décisions concernant ma vie, maman. Cependant, je peux te certifier qu'épouser Celio Campino n'a jamais figuré dans mes plans.

— Pauvre petit, tu lui as brisé le cœur ! larmoya Ursule. Il est venu me voir avant de partir. Si tu avais vu son air abattu !

Évelina connaissait suffisamment sa mère pour savoir que celle-ci tentait de la prendre par les sentiments. Ursule continua sur un ton affligé :

— Tu aurais au moins pu avoir la décence de lui dire que tu ne voulais pas l'épouser.

«C'est vrai que je n'ai peut-être pas été assez directe avec lui», songea Évelina. Elle n'avait jamais exprimé clairement à Celio qu'elle ne voulait pas se marier avec lui. Seule sa mère connaissait son mécontentement. Mais Évelina avait pensé que Celio comprendrait qu'il ne l'intéressait pas étant donné qu'elle ne lui avait jamais téléphoné et qu'elle s'était toujours montrée distante en sa compagnie. De toute évidence, Ursule s'était bien gardée de lui dire que sa fille n'était nullement intéressée à l'épouser.

Voyant qu'Évelina ne se laissait pas émouvoir, Ursule ajouta, l'air navré :

— Tu préfères un Polonais qui vient juste de débarquer ici et qui vit encore dans des conditions précaires d'immigrant?

— Conditions précaires? Wlodek est quand même pédiatre! Et puis, je suis sûre que Celio s'en remettra! Maintenant, il faudrait que tu préviennes ton chauffeur. Mes amies et moi, nous devons partir si nous voulons arriver à temps pour le couvre-feu.

Ursule secoua la clochette pour signifier à la domestique d'avertir le chauffeur. Elle se tourna ensuite vers Évelina :

— Il n'y a rien à faire pour que tu reconsidères l'offre honnête de Celio?

— Non! Ménage ton énergie, maman. Wlodek et moi, c'est maintenant du sérieux. Je pense que ton Italien ne peut rivaliser avec «mon Polonais», comme tu dis!

9

Comme tout bon commérage, la nouvelle concernant la formation du couple Wlodek-Évelina fit rapidement le tour de l'hôpital. Certains embellirent même l'histoire : ils prétendirent que Wlodek avait joué du violon chez la mère d'Évelina et était rapidement reparti en « sauvant » Évelina du méchant fiancé. Mais celle-ci n'avait que faire des racontars. Wlodek lui avait avoué ses sentiments, et ce qu'elle avait si ardemment désiré était enfin arrivé. Le beau pédiatre polonais s'intéressait à sa personne, et c'était tout ce qui intéressait la jeune femme.

À l'hôpital, Wlodek se montrait un peu trop discret au goût d'Évelina. Il respectait à la lettre la distance qui devait exister entre un médecin et une infirmière. Il saluait la jeune femme quand il la croisait dans un couloir, mais guère plus. Évelina en vint presque à croire qu'elle avait rêvé ce qui s'était passé chez sa mère. Elle aborda le sujet avec Simone et Flavie avant de se rendre chez Victor.

— Je ne sais pas comment tu fais, Simone, pour côtoyer Paul tous les jours et faire comme si de rien n'était entre vous deux.

— Tout le monde sait que nous formons un couple. Nous sommes discrets, c'est tout.

— Wlodek est trop réservé. Il agit vraiment comme si rien ne s'était passé entre nous. Même Clément, discret de nature, n'agissait pas comme ça quand vous vous fréquentiez, Flavie. C'est comme si Wlodek avait honte de moi !

— Voyons donc, Évelina! Franchement, tu exagères!

— J'ai l'impression d'avoir rêvé qu'il m'a embrassée. Il se montre d'une telle indifférence!

— Clément était un peu comme ça, commenta Flavie avec de la tristesse dans la voix. En fait, quand j'y repense, je me dis qu'il agissait ainsi probablement parce qu'il ne voulait pas m'attirer d'ennuis. Les religieuses surveillent de près notre vertu!

— Et Dieu sait qu'elles ne ménagent pas leurs efforts là-dessus! Elles rôdent toujours aux alentours, espérant nous prendre en défaut! Une bonne infirmière ne tient que des discussions professionnelles avec les médecins et, assurément, ne tombe jamais amoureuse de l'un d'entre eux!

Évelina compléta son maquillage. Simone avait perçu du chagrin chez Flavie à l'évocation de Clément. Celle-ci était assise au bout de son lit et fixait le plancher, attendant qu'Évelina soit prête.

— À ce que je vois, Clément occupe encore tes pensées, dit-elle à son amie.

— Je me dis parfois que j'aurais dû être un peu plus patiente avec lui.

— Peut-être bien, car le métier de chirurgien est exigeant. Clément est quelqu'un de consciencieux, et il veut être le meilleur.

— Le docteur Talbot prendra bientôt sa retraite. J'ai entendu dire que Clément avait de bonnes chances de le remplacer comme chirurgien en chef. Je le lui souhaite de tout cœur.

Évelina, qui venait de jeter un dernier coup d'œil à sa coiffure, prit son manteau dans son armoire pour signifier à Flavie qu'elle était prête.

— Moi aussi, je souhaite sincèrement qu'il obtienne le poste, déclara-t-elle. S'il fallait que ce soit Bastien qui remplace le docteur Talbot, Georgina ne porterait plus à terre ! Vous imaginez : elle serait madame-la-femme-du-chirurgien-en-chef ! Et que dire de Bastien, qui est tellement imbu de lui-même !

— Je ne suis pas certaine que je pourrais continuer de travailler ici après ma remise de diplôme, commenta Simone. Voir Bastien régner en roi et maître dans l'hôpital me donnerait la nausée !

— Et comment ! Bon, Flavie, je suis prête. Tu viens ? Arthur doit déjà nous attendre en bas.

— Tu es certaine que tu ne veux pas nous accompagner, Simone ? s'enquit Flavie pendant qu'elle sortait son manteau et son chapeau.

— Ce soir, je vais chez monsieur et madame Choquette. Paul a tellement insisté pour que je rencontre ses parents ; il leur a beaucoup parlé de moi, à ce qu'il paraît ! Vous saluerez Victor de ma part. Et souhaitez-moi bonne chance !

— Ils vont t'adorer, j'en suis certaine, la rassura Évelina avant de mettre ses gants.

— Je l'espère bien ! Bonne soirée à vous deux !

* * *

Assises au coin du feu, Évelina et Flavie savouraient un verre de vin chaud préparé par Victor. Celui-ci, installé à l'écart, demeurait silencieux. Évelina avait connu le père de son amie un peu plus joyeux ; ce soir-là, il semblait mélancolique. Comme son amie ne réagissait pas à la lassitude de son père, Évelina s'apprêtait à demander à Victor ce qui le rendait aussi nostalgique. Mais soudain, ce dernier se leva d'un bond.

— Je viens d'avoir une idée. Les routes sont belles, alors si on part tout de suite, nous arriverons à temps pour souper chez ta mère, Flavie. Qu'en penses-tu ?

— Là ? Maintenant ?

— Pourquoi pas ?

— Oh ! Quelle bonne idée ! En plus, nous n'avons pas de couvre-feu à respecter pour la veille de Noël.

Évelina fixait son verre à moitié plein. Avait-elle envie de revoir Antoine ? Les choses commençaient à se placer pour elle, et Wlodek était l'homme qu'elle voulait. La jeune femme craignait que le fait de se retrouver face à Antoine lui fasse abandonner ses bonnes résolutions.

— Euh… Évelina, viens-tu avec nous ?

— Je ne sais pas trop, Flavie. Je vais peut-être retourner à l'hôpital. Wlodek est sûrement encore là.

— Je ne pense pas, Évelina. Tu voudrais vraiment fêter le réveillon toute seule là-bas ?

Évelina hocha la tête par dépit. Si elle passait la soirée seule à l'hôpital, elle aurait vraiment l'impression d'être la dernière des pestiférées !

— Bon ! O.K., puisque tu insistes.

— Dans ce cas, mesdemoiselles, allez chercher vos manteaux. Je préviens Arthur !

* * *

Contrairement à son habitude lors de ses précédents voyages à La Prairie, Évelina resta silencieuse pendant le trajet. Elle écouta les propos de Flavie et de Victor. Son amie confia à son père qu'elle avait le cœur tiraillé entre Léo, qui était vraiment gentil et prévenant avec elle, et Clément, qui lui manquait tant. Évelina comprit qu'elle vivait un peu le même dilemme avec Wlodek et Antoine. Elle avait tellement rêvé et espéré que Wlodek s'intéresse à elle que, à présent qu'il lui avait avoué ses sentiments, la jeune femme n'était plus certaine de ce qu'elle éprouvait pour lui. À la pensée qu'elle reverrait Antoine sous peu, des papillons envahirent sa tête et son cœur.

Lorsque Arthur immobilisa le véhicule devant la maison, Évelina doutait de se trouver au bon endroit. Trop heureuse de revoir sa famille, Flavie s'empressa de sortir du véhicule avant même qu'Arthur lui ouvre la portière. Évelina prit son temps ; elle mit ses gants et boutonna son manteau avant de saisir son sac et de rejoindre son amie. Elle était consciente qu'elle avait cherché à gagner du temps avant de se retrouver face à Antoine. Même Victor, de son pas lent et calme, et Arthur avaient eu le temps de la précéder. Évelina entra donc la dernière dans la maison chaleureuse et parfumée d'odeurs de plats savoureux qui mijotaient. Refermant délicatement la porte derrière elle, elle attendit en observant en silence les retrouvailles de son amie avec sa mère et sa grand-mère. Delvina enlaçait affectueusement sa petite-fille tandis que Bernadette, plus réservée, se contentait de lui tapoter l'épaule. Ayant déjà retiré son manteau, Victor serrait la main des invités présents. Évelina reconnut quelques voisins qu'elle avait rencontrés l'été précédent lors de la fameuse épluchette de blé d'Inde. Celle-ci avait été organisée en guise de remerciement à ceux qui avaient aidé à couper et à rentrer le foin. Personne ne se préoccupait de sa présence. Même Flavie, dans les bras de sa grand-mère – qui voulait «tout savoir de ce qui se passait dans la grande ville» – avait oublié qu'elle était là.

Évelina chercha Antoine du regard. Dans le fond de la cuisine, celui-ci était en grande conversation avec une brune qui riait vraisemblablement d'une plaisanterie du jeune homme. Se sentant observé, Antoine leva les yeux. Dès qu'il la vit, il s'excusa auprès de son invitée et se dirigea vers elle. Affichant un sourire timide, il la débarrassa de son manteau.

Delvina lâcha finalement Flavie et rejoignit Évelina. L'air joyeux, elle déclara :

— Quelle belle surprise vous nous faites là ! Quelle bonne idée Victor a eu de vous emmener ici ! Pauvres vous autres ! Passer le réveillon dans un hôpital ! Viens te joindre à nous, Évelina ! Quand il y a de la gêne, il n'y a pas de plaisir ! Antoine, offre-lui donc à boire, s'il te plaît.

Ce dernier partit aussitôt. Évelina ne savait trop s'il agissait ainsi pour obéir à sa grand-mère ou parce qu'il désirait retourner auprès de son invitée. Il s'était contenté de lui sourire en silence. «On ne peut pas dire qu'il semble très heureux de me voir ici. J'avais peur d'une confrontation avec lui. S'il ne m'adresse pas la parole, l'affaire sera vite réglée !» Évelina tenta de voir dans quelle direction il se dirigeait, mais Delvina la prit dans ses bras et l'embrassa. Ensuite, la vieille femme la complimenta :

— À vous voir toutes les deux, Flavie et toi, on voit tout de suite que vous suivez la mode des grands magasins de Montréal ! C'est bien simple, vous êtes habillées comme deux «cartes de mode» !

Évelina ne put s'empêcher de rire. Le langage coloré de la femme la réjouissait chaque fois. Bernadette lui souhaita la bienvenue avec sa réserve habituelle.

— Heureuse de vous compter parmi nous, Évelina.

— Merci de votre accueil, madame Prévost. C'est toujours un plaisir de venir vous rendre visite à La Prairie.

Évelina n'était jamais parvenue à saisir la vraie nature de cette femme : était-elle austère ou simplement timide ? Bernadette semblait toujours mal à l'aise en sa présence, et ce sentiment était réciproque. Voyant sa mère et son amie se dévisager en silence, Flavie vint rapidement à la rescousse.

— Viens, Évelina, que je te présente aux voisins que tu n'as pas encore eu la chance de rencontrer.

Soulagée, la jeune femme s'éloigna de la mère de Flavie qui régnait sur son foyer en véritable maîtresse de maison. Flavie lui servit un verre de vin de pissenlit que sa grand-mère avait préparé au début de l'été.

— Ma grand-mère est tellement fière de servir son vin de pissenlit lors des grandes occasions !

Sceptique, Évelina examina le contenu de son verre avant d'y tremper les lèvres. Elle fut agréablement surprise par le goût de la boisson.

— Mmm… Mais c'est délicieux ! C'est vraiment fait avec des pissenlits ?

— Oui, Évelina !

— Eh bien, en campagne, vous utilisez vraiment toutes les ressources disponibles, dis donc !

Flavie aperçut son frère qui discutait avec Jeanne Guillemette. En remarquant qu'Évelina aussi avait porté son attention sur le couple, Flavie expliqua :

— Antoine et Jeanne se connaissent depuis la petite école. Elle habite la maison en pierre grise à l'entrée du village.

— Ils en ont long à se dire ! Une chance que tu m'as servi ton vin de pissenlit. Antoine avait été mandaté par ta grand-mère pour me rapporter quelque chose. Si je l'avais attendu, je serais morte déshydratée !

Flavie s'amusa de la dernière phrase d'Évelina, même si elle soupçonnait que cette dernière n'avait pas voulu faire de l'humour. En réalité, Évelina semblait plutôt blessée par l'indifférence d'Antoine. Flavie l'entraîna avec elle pour la présenter à quelques amis qui conversaient un peu plus loin.

— Tu te souviens de Cyprien et de Normand, notre violoneux attitré, qui étaient à notre épluchette de blé d'Inde l'année dernière ? Ce sont des amis d'Antoine.

— Nous, en tout cas, on se souvient de toi, Évelina ! déclara Normand. Comment oublier une aussi jolie fille ! ajouta-t-il avant de lever son verre et d'en avaler tout le contenu.

Quelque peu flattée, Évelina gratifia le jeune homme de son plus beau sourire. Flavie sermonna ce dernier pendant qu'il remplissait son verre.

— Vas-tu être capable de jouer du violon tout à l'heure avec tout ce que tu bois, Normand ? On ne voudrait surtout pas que Cyprien soit obligé de te remplacer !

Cyprien protesta :

— Tu sauras, mademoiselle Flavie, que je me débrouille pas pire avec un archet. C'est sûr que je suis meilleur à la guimbarde, mais quand même! Et puis, tu n'es pas fine de me déprécier devant ton amie Évelina!

En voyant la mine désolée de Flavie, Cyprien éclata de rire. La jeune femme lui donna une tape sur l'épaule.

— Tu as toujours été pince-sans-rire, Cyprien. Je l'avais oublié depuis le temps!

Évelina chercha des yeux Antoine. Celui-ci parlait encore avec cette Jeanne. « Il fait vraiment comme si je n'existais pas, celui-là… » Elle s'installa sur une chaise libre à côté de Flavie et écouta cette dernière raconter des anecdotes concernant l'hôpital. Un peu plus tard, Delvina tapa dans ses mains pour attirer l'attention de tous. Avec plus de simplicité que ne l'avait fait Ursule lors de son repas, la vieille femme convia les invités à s'installer à table.

— On va faire deux tablées. Comme ça, tout le monde mangera chaud.

Affamée, Évelina se leva pour faire partie de la première tablée. Mais en voyant que Flavie aidait au service, elle se ravisa. De toute évidence, les hommes inaugureraient le repas tandis que les femmes serviraient. Évelina suivit son amie. Flavie la nomma «gérante des patates», tâche qui consistait – bien sûr – à distribuer les pommes de terre aux invités déjà attablés.

Delvina lui tendit un bol en riant:

— C'est un peu comme dans les chantiers ici! Tu vas voir, Évelina, que les patates ont la cote auprès des messieurs.

— Dans ce cas, je suis bien contente de savoir que je serai plus populaire que Flavie avec son ragoût de pattes !

* * *

Après le repas, la table fut rangée le long du mur pour faire plus de place au centre de la pièce, là où Normand – encore sobre – s'installa avec son violon pour entamer un rigodon. Évelina n'avait jamais été attirée par la danse traditionnelle. Mais en voyant Antoine entraîner Jeanne dans la danse, elle accepta avec entrain la demande de Cyprien qui avait mis de côté sa guimbarde pour faire danser la demoiselle de la ville. Flavie avait choisi de jouer de la cuillère pour accompagner Normand.

Évelina essayait vraiment de s'amuser, mais l'indifférence d'Antoine lui vrillait le cœur. Heureusement, l'atmosphère était à la fête et Cyprien était drôle, ce qui aidait la jeune femme à ne pas se laisser miner par l'attitude d'Antoine. Après quelques pièces, Normand décida de faire une pause pour se désaltérer. Évelina en profita pour se faufiler à l'extérieur, afin de prendre un peu d'air frais. Ses cheveux collaient sur son front et elle avait chaud. Malgré tout, elle ressentait un bien immense parce qu'elle avait réussi à s'amuser, et ce, non pas grâce à Antoine, mais plutôt grâce à Cyprien. Elle se sentait comme la légendaire Rose Latulipe qui avait dansé une soirée complète avec le diable, sans se soucier de ce qui se passait autour. En fait, pendant qu'elle dansait avec Cyprien, Évelina s'était aperçue qu'Antoine s'était désintéressé de Jeanne et qu'il les observait à la dérobée, son compagnon et elle.

En refermant la porte derrière elle pour empêcher le froid de pénétrer à l'intérieur de la maison, elle se retrouva nez à nez avec Antoine qui prenait l'air sur le balcon. Évelina se demanda si elle ne devrait pas rentrer dans la maison, mais

Antoine l'invita à rester. Pour montrer un peu de désinvolture, la jeune femme fouilla dans sa poche de manteau, sortit une cigarette de son paquet et l'alluma. En prenant une bouffée, elle fixa les étoiles à la recherche de quelque chose à dire à Antoine. Ils contemplèrent l'horizon en silence quelques instants avant qu'Antoine ne parle.

— Tu avais l'air de bien t'amuser avec Cyprien tout à l'heure. Il est assurément un bien meilleur danseur que moi.

Antoine était jaloux de Cyprien! Mais c'était sa faute; après tout, il l'avait ignorée durant toute la soirée.

— Je ne sais pas si Cyprien danse mieux que toi, indiqua-t-elle. De toute façon, tu étais passablement occupé. Au moins, lui, il était plus bavard que toi! ajouta-t-elle sur un ton de reproche.

— Cette couleur de cheveux te va à merveille. Tu es magnifique...

Évelina croisa les bras. Antoine continua:

— Je ne m'attendais vraiment pas à te voir ce soir, Évelina.

Elle fit de grands efforts pour lui répondre sagement, sans s'emporter, mais elle ne réussit pas à se contenir. Elle rétorqua:

— J'ai bien vu ça! Sinon, tu n'aurais sûrement pas invité ta Jeanne pour te tenir compagnie!

Évelina ferma les yeux. Simone ne serait pas fière de la voir réagir ainsi, elle qui lui conseillait souvent d'être moins prompte. Évelina regrettait le ton revêche qu'elle venait d'employer. Elle s'était pourtant juré de se montrer indépendante et de ne surtout pas se laisser entraîner dans les dédales de la jalousie. Elle avait la gorge sèche et sa cigarette lui donnait la nausée ; Évelina lança sa cigarette dans la neige. Elle fixa celle-ci jusqu'à ce qu'elle s'éteigne. Antoine avait toujours eu le don de la décontenancer et cela ne s'améliorait pas…

Antoine se racla la gorge et se rapprocha d'elle, tout en conservant une certaine distance entre eux.

— Même si je ne savais pas que tu viendrais ici pour le réveillon, je suis très heureux de te revoir.

Évelina croisa les bras pour se réchauffer. Antoine reprit :

— Je pensais que tu me donnerais des nouvelles de temps en temps cet automne.

Que croyait-il ? Qu'elle n'avait que cela à faire, téléphoner à La Prairie pour prendre de ses nouvelles ? Il aurait très bien pu appeler lui aussi ! Elle avait tout de même eu à gérer plusieurs choses cette année : sa mère, Celio, Marcel, Ludivine et, tout récemment, Wlodek. Toutefois, pour le moment, celui-ci se trouvait très loin dans ses pensées.

— J'étais beaucoup trop occupée avec mes cours et, surtout, à faire le ménage dans ma vie comme tu me l'avais fortement suggéré.

Antoine se rapprocha encore ; il lui frôlait à présent l'épaule. Évelina essaya de rester impassible en sentant la chaleur du jeune homme qui transperçait son manteau.

— Et puis ?

— Et puis quoi ?

— Ce ménage, l'as-tu fait ?

« Et comment ! D'ailleurs, je pense sérieusement que je vais continuer mon ménage, Antoine Prévost. Tu vas rapidement

te retrouver dans la poubelle si tu poursuis sur ta lancée!»
Évelina décida qu'un revirement de situation s'imposait.
Antoine la questionnait alors qu'elle n'avait aucune idée de ce
qu'il avait fait durant l'automne.

— Peu importe! De toute manière, cela ne te concerne
plus. D'ailleurs, on dirait que toi aussi, tu as fait du ménage
dans ta vie.

— Si tu veux parler de Jeanne…

— Non, je n'ai pas vraiment envie de parler d'elle. En
venant ici, j'ai eu la confirmation que tu ne pensais pas du tout
ce que tu m'as dit à la fin de l'été. T'en souviens-tu? Tu m'as
affirmé que tu étais prêt à m'attendre. Mais je trouve que tu
n'as pas été très patient!

— Évelina…

— Quoi?

Celle-ci se rapprocha de la porte. Le violon de Normand
avait repris du service; la musique était perceptible de l'extérieur. La jeune femme aurait voulu dire à Antoine à quel point
la présence de Jeanne l'avait rendue jalouse. Mais surtout,
Évelina aurait voulu lui confier qu'elle s'était rendu compte,
probablement trop tard, qu'elle tenait vraiment à lui. Au lieu
d'ouvrir son cœur, elle souffla:

— Je vais rentrer. J'ai froid.

Antoine la retint par le bras.

— Évelina, attends une minute!

— On n'a plus rien à se dire, Antoine. Et puis, de toute façon, je suis beaucoup trop compliquée pour toi, comme tu me l'as déjà signifié.

— Quand je t'ai vue franchir le seuil de la porte derrière Flavie et Victor, j'ai cru pendant quelques secondes que tu étais venue m'annoncer que ta décision était prise, que c'était une vie avec moi que tu avais choisie. Le cœur a bien failli me sortir par la poitrine ! Et puis, rien ! Tu as agi comme si je n'existais pas. Tu as fait connaissance avec Normand et Cyprien, tu as jasé avec tout le monde sans t'occuper de moi. J'ai cru que tu me fuyais.

Évelina se retourna vers lui dans un mouvement brusque, se dégageant de son emprise.

— J'aurais eu l'air d'une belle dinde de tomber à genoux devant toi et ta Jeanne et de déclarer : « C'est toi que je veux, Antoine ! ». De toute évidence, il me reste encore du ménage à faire dans ma vie. Je te souhaite beaucoup de bonheur avec elle…

Évelina inspira profondément et ravala les sanglots qu'elle sentait poindre. Les yeux embués de larmes, elle retourna dans la maison, laissant Antoine derrière elle.

* * *

Évelina travailla comme un automate la journée de Noël, tentant d'oublier la soirée désastreuse de la veille. Après avoir laissé Antoine sur le perron, elle avait passé le reste de la soirée à danser avec Cyprien, essayant de se divertir malgré son envie de se rouler en boule dans un coin pour pleurer. En fin de soirée, Arthur les avait ramenées à Montréal, Flavie et elle, parce que toutes deux travaillaient le lendemain. Évelina n'avait pas voulu reparler de la soirée avec son amie ; elle ne souhaitait pas placer celle-ci en conflit d'intérêts. Elles n'avaient revu Simone qu'au déjeuner, car cette dernière dormait déjà quand elles étaient rentrées de La Prairie. Tout comme Flavie, Simone semblait enchantée de sa soirée. Habituellement peu loquace, cette dernière ne tarissait pas d'éloges à l'endroit des parents de Paul. « Ils sont tellement sympathiques ! Je me suis découvert des points communs avec sa mère puisqu'elle a aussi enseigné pendant quelques années avant de se marier. Je me suis sentie acceptée tout de suite ! » Évelina aurait pratiquement pu dire le contraire au sujet de sa propre soirée. « Antoine m'a ignorée, puis il m'a accusée de ne pas m'être occupée de lui. Hormis la grand-mère de Flavie, je ne me suis pas vraiment sentie bien accueillie. Je suis convaincue maintenant que la mère de Flavie et d'Antoine me déteste cordialement. » Mais elle avait préféré se taire. Ce n'était pas dans son habitude de se montrer discrète, mais elle ne désirait pas que Flavie et Simone la rassurent et tentent de minimiser ses émotions.

Évelina avait donc traversé la journée en faisant abstraction de ce qui la troublait par rapport à Antoine. Elle avait rarement éprouvé de la jalousie, doutant très peu de ses charmes et de son pouvoir sur les hommes. Mais lorsqu'elle songeait au couple formé par Antoine et Jeanne, la jalousie la rongeait. Heureusement, ses patients l'avaient ramenée à la réalité en ce jour de Noël. Elle n'avait pas le temps de s'apitoyer sur son sort de pauvre-fille-délaissée-pour-une-habitante ! Pour certains patients, la journée de Noël était très difficile, car ils la passaient loin de leur famille, alors que l'heure était aux réjouissances. Évelina s'était donc efforcée d'être de bonne humeur pour eux.

À la fin de sa journée de travail, se retrouvant seule dans la salle de repos, la jeune femme se permit de penser à la soirée de la veille. Après avoir retiré ses chaussures, elle ramena ses genoux sous son menton, s'efforçant de trouver un semblant de réconfort dans cette position. C'est ainsi que Flavie la découvrit, elle qui avait passé plusieurs minutes à chercher son amie dans la résidence.

— C'est ici que tu te caches! On te cherchait! Tu ne devineras jamais ce que Simone a déniché?

— Non, quoi?

— En se rendant à la buanderie tout à l'heure, elle a trouvé une bouteille de gin, dissimulée dans une pile de vêtements de contention. De toute évidence, ce n'est pas notre bouteille – on ne l'avait pas assez bien cachée parce qu'elle a disparu –, mais celle-ci est à notre entière disposition si tu as envie de prendre un petit coup!

— Bah! Pourquoi pas?

Évelina suivit Flavie dans les dédales de l'hôpital. Elles rejoignirent Simone dans la buanderie. Après avoir posé une pile de couvertures sur le sol, les deux jeunes femmes s'installèrent confortablement. Simone prit une gorgée de la bouteille et tendit le flacon à Évelina, qui en avala elle aussi une bonne lampée.

— Ouais! La maîtresse d'école devient délinquante!

— C'est Noël, après tout. Et puis, je ne sais pas pour vous, mais j'ai travaillé très fort aujourd'hui. On dirait que les patients ne voulaient pas rester seuls longtemps. Il y en avait toujours un qui me sonnait pour quelque chose.

— Ils s'ennuient le jour de Noël, c'est normal! murmura Flavie avant de boire elle aussi au goulot de la bouteille. Oh là là! C'est bien plus fort que le vin de pissenlit de ma grand-mère, ce truc-là! ajouta-t-elle en se retenant de tousser.

Évelina sourit. Elle sentait que l'alcool commençait lentement à faire effet, réchauffant son estomac et se déversant lentement dans toutes les parties de son corps. Lentement, les tensions de la journée se dissipèrent et Évelina ressentit un grand bien-être. Simone replaça les couvertures pour être mieux installée, puis elle demanda à Évelina un compte rendu de la veille.

— Bah! Il n'y a pas grand-chose à dire. J'ai très peu parlé avec Antoine, car il était occupé.

— Je ne crois pas que tu devrais t'en faire avec Jeanne, tenta de la rassurer Flavie. C'est une amie de longue date, c'est tout.

Les effets de l'alcool s'étant accentués, Évelina s'exclama avec une certaine désinvolture :

— Bof! À vrai dire, je me fous de qui il fréquente, ton frère. Nous sommes beaucoup trop différents.

— On a bien vu ça que tu t'en fous, Évelina, commenta Simone. Tu as passé la journée perdue dans tes pensées, l'air triste et maussade.

— Pourtant, je vous ai vus discuter sur le perron, Antoine et toi. Je pensais que vous aviez réglé votre différend.

— Non, nous n'avons rien réglé! Je suis une fille beaucoup trop compliquée pour ton frère, Flavie. Et puis, Wlodek fait désormais partie de ma vie…

— C'est officiel, maintenant? s'enquit Simone.

— Je ne sais pas trop encore. Wlodek et moi, on ne s'est pas vraiment reparlé depuis la fameuse soirée chez ma mère.

On s'est croisés à quelques reprises dans les couloirs, mais il est très discret.

Simone but une gorgée de gin avant de lancer :

— Veux-tu que je te dise franchement ce que je pense, Évelina ?

— Euh… je ne sais pas trop. Habituellement, toi et ta franchise… euh…

— Je sais que ma franchise ne fait pas toujours ton bonheur, en effet. Tu veux savoir ?

— Allez… vas-y !

— Je crois que ça fait ton affaire que Wlodek s'intéresse à toi, mais qu'en fait c'est à Antoine que tu penses le plus souvent. Et je pourrais aussi ajouter, tant qu'à être franche…

— … et un peu ivre aussi, compléta Évelina.

— C'est vrai, je suis un peu pompette. Ce que je veux dire, c'est que Flavie et toi, vous avez le même problème. Flavie, tu aimes bien le fait que Léo s'intéresse à toi, mais Clément compte encore énormément pour toi. Est-ce que je me trompe ?

Flavie saisit la bouteille, puis elle hocha la tête.

— Tu as peut-être raison, Simone. Je ne sais plus trop où j'en suis.

— Et puis toi, la maîtresse d'école, même si tu es avec Paul, peut-être as-tu quelqu'un d'autre en tête ?

— Non. Paul occupe toutes mes pensées… après mes patients, bien sûr ! Une bonne infirmière…

— Blablabla ! se moqua Évelina.

Simone prit un air sérieux.

— Paul m'a demandé ce que je comptais faire après mes études. Il veut savoir si envisager une vie avec lui est dans le domaine du possible pour moi.

— Ça sent la demande en mariage, ça! Mais c'est injuste! C'est toi, Simone, qui as eu l'idée de notre pacte de célibat et c'est toi la première qui te marieras.

— On n'a rien prévu encore. Paul a seulement sondé le terrain. Et puis, je veux terminer mon cours avant de prendre une décision.

— C'est toujours la même chose! s'exclama Évelina sur un ton faussement plaintif. Les plus studieuses, sages et endurcies trouvent chaussure à leur pied avant celles qui rêvent du prince charmant. En tout cas, au train où vont les choses, Flavie et moi serons demoiselles d'honneur bien avant de remonter l'allée vers notre futur mari.

Passablement éméchée, Simone leva la bouteille et s'écria:

— Et vous serez fabuleuses, marchant devant moi, pendant que je remonterai l'allée!

— Tu as abusé du gin, Simone! On ne te reconnaît plus! Tu vois, Flavie? L'alcool aura eu raison de notre «maîtresse d'école». Sur qui maintenant prendrons-nous exemple?

* * *

Depuis que Simone fréquentait «officiellement» Paul, Évelina et Flavie trouvaient que leur amie avait beaucoup changé. Celle-ci semblait plus calme, plus détendue et, surtout, elle prenait plaisir aux petites choses du quotidien. C'est ainsi que la jeune femme leur avait fait une proposition:

— Et si nous allions dans un club qui célèbre l'arrivée de la nouvelle année ? Puisque nous sommes en congé toutes les trois ce soir-là, j'ai pensé que ça vous plairait de venir avec moi. Paul a pris la peine d'inviter Wlodek, Évelina. Et puis toi, Flavie, tu pourrais inviter Léo à se joindre à nous.

Les trois amies se trouvaient à présent dans un taxi en direction du club où Paul et Wlodek les attendaient déjà. Léo les rejoindrait peut-être plus tard, mais rien n'était certain. Évelina vérifia l'état de son rouge à lèvres dans son petit miroir. En se recoiffant du bout des doigts, elle s'adressa à Simone :

— Tu me surprends de plus en plus, Simone. C'est maintenant toi qui nous organises des sorties dans les clubs ! Quand envisages-tu d'étudier, au juste ?

— Tu me l'as répété assez souvent, Évelina : la vie est trop courte pour la passer dans une bibliothèque. Et puis, une fois n'est pas coutume, n'est-ce pas ? Qu'est-ce que tu en penses, Flavie ?

— Tu as eu une excellente idée. En plus, on a travaillé fort ces derniers jours. C'est juste que j'ai bien peur de passer la soirée seule pendant que vous serez en excellente compagnie toutes les deux. Léo n'est vraiment pas sûr de pouvoir se libérer. Il quittera probablement très tard le journal, car il doit écrire un article dressant le bilan de ce qui s'est passé en Europe depuis l'avènement d'Hitler.

— Wahou ! Passionnant ! ironisa Évelina.

— Ces temps-ci, Léo est très pris par son travail…

— Ça me rappelle un certain chirurgien, ça !

— Ça fait mon affaire, en fait. Ça me laisse plus de temps pour réfléchir à sa proposition.

— Sa proposition ?

— Il voudrait que l'on se marie après mes études.

— Hein ? Et tu nous annonces cette nouvelle maintenant ? Dans un taxi ?

— Il n'y a rien d'officiel encore. On en a juste parlé un peu…

— C'est quand même une belle entrée en matière, je trouve ! déclara Évelina. Et puis ? Que lui as-tu répondu ?

— Je lui ai dit que l'obtention de mon diplôme était la seule chose qui me préoccupait pour le moment.

Le taxi s'arrêta. Simone paya la course pendant que Flavie et Évelina attendaient sur le trottoir. Après avoir laissé leurs manteaux au vestiaire, Évelina se mit à chercher du regard Wlodek et Paul dans la foule. Ils étaient attablés au fond de la salle et discutaient avec quelqu'un. En s'approchant, les trois amies reconnurent rapidement le troisième interlocuteur. Clément se retourna à l'arrivée de Flavie et la salua timidement. Il expliqua rapidement sa présence aux jeunes femmes.

— Je n'étais pas de garde ce soir. Paul et Wlodek ont eu pitié de moi qui n'avais rien de prévu en cette veille du jour de l'An.

Évelina s'avança vers lui, puisque Flavie restait à l'écart. Elle lui serra la main.

— Tu as bien fait d'accepter l'invitation. Flavie manque de compagnie ce soir !

Cette dernière jeta un regard assassin à son amie, mais celle-ci l'ignora. Évelina s'installa près de Wlodek afin que Flavie puisse s'asseoir près de Clément. Wlodek embrassa Évelina sur la joue. Il s'informa ensuite de ce qu'elle voulait boire avant de faire signe à un serveur. Simone semblait passer un agréable moment avec Paul. Ils riaient beaucoup tous les deux et s'embrassaient de temps en temps. Mal à l'aise, Flavie discutait avec Clément. Mais au fur et à mesure que les minutes passaient, elle prenait plaisir à redécouvrir celui qu'elle avait fréquenté lors de sa première année d'études. «Ils sont faits l'un pour l'autre», songea Évelina avant de reporter son regard sur Wlodek qui battait la mesure de l'orchestre, la main sur la cuisse.

Évelina lui prit la main et se pencha vers lui.

— Simone et Flavie semblent passablement occupées. Si on allait danser tous les deux?

Wlodek l'entraîna aussitôt sur la piste de danse. L'orchestre entama une pièce un peu plus lente, obligeant les couples à se rapprocher. Évelina se blottit contre Wlodek; celui-ci recula légèrement.

— Il n'est pas nécessaire de se précipiter, Évelina. Nous avons tout notre temps.

— Wlodek, c'est important que je sache de quelle façon tu entrevois notre relation.

Elle s'était permis de le tutoyer, ce qu'elle n'avait encore jamais fait. Wlodek ne releva pas ce nouveau pas vers une certaine intimité. Évelina poursuivit:

— Nous pourrions aller ailleurs, là où nous pourrions nous rapprocher davantage sans crainte de paraître trop pressés!

— Je ne pense pas être encore prêt pour ce genre de choses, Évelina. J'aurais trop l'impression de te manquer de respect. Je suis de la vieille école, tu sais, celle où les hommes fréquentent les femmes un certain temps avant le mariage. Et puis, je veux faire les choses de façon conventionnelle. Par exemple, demander ta main à ta mère après que nous nous serons fréquentés quelques mois.

« Mettras-tu des gants blancs pour faire la grande demande ? » se retint de lui demander Évelina, déçue par la réserve de Wlodek. Puis, comprenant subitement que celui-ci venait de parler de mariage, elle s'écria :

— Tu veux qu'on se marie, Wlodek ?

— Oui. Il me semblait que c'était évident !

— Euh… non, pas vraiment. Tu me regardes à peine quand tu me croises dans les couloirs de l'hôpital.

— Eh bien ! Je croyais que j'avais été clair !

Wlodek l'embrassa avant de lui dire :

— Je veux t'épouser Évelina, en doutais-tu réellement ? Je ne t'aurais pas enlevée des griffes de Celio si je ne t'avais pas choisie comme femme. J'attendais juste que tu obtiennes ton diplôme pour t'en parler.

— Donc, c'est vraiment une demande en mariage en bonne et due forme que tu me fais là ?

Wlodek acquiesça. Évelina l'embrassa fougueusement. Elle rêvait de ce moment depuis si longtemps. Ce mariage représenterait une source de motivation supplémentaire pour terminer son cours. Le diplôme en main, elle deviendrait madame

Litwinski! Mais ce que Wlodek lui dit par la suite la ramena rapidement sur terre.

— Après ton cours, nous pourrons partir ensemble. Tu m'assisteras dans le cabinet de pédiatrie que j'ouvrirai.

— Partir? Pour aller où?

— J'ai l'intention de m'établir au Manitoba. Plusieurs de mes compatriotes sont déjà installés là-bas. Le manque de médecins est criant dans cette province.

Le Manitoba! Évelina n'en revenait pas! Wlodek voulait l'emmener au bout du monde, elle qui avait craint d'aller s'installer à La Prairie avec Antoine. Elle avait enfin reçu une demande en mariage d'un médecin comme elle le souhaitait tant, mais elle avait obtenu du même coup un laissez-passer direct pour le Far West!

10

Quelques jours s'étaient écoulés depuis la demande en mariage – plutôt surprenante – de Wlodek. Depuis, Évelina retournait la question dans sa tête. Plus elle réfléchissait, moins elle était certaine que cette demande en mariage l'enchantait. La jeune femme n'avait nulle envie de s'établir au Manitoba, et ce, qu'elle devienne ou non une « madame docteur » comme elle en rêvait depuis son arrivée à l'hôpital Notre-Dame.

Les cours avaient repris peu de temps après le jour de l'An. Pour les étudiantes de troisième année, ce début d'année signifiait qu'elles devraient redoubler d'ardeur tant au travail que dans leurs études. En plus des deux nouveaux cours qui s'étaient ajoutés – celui sur les maladies vénériennes et l'autre portant sur la neuropsychiatrie, qui en terrifiait plus d'une –, les étudiantes devaient encore s'acquitter de leurs tâches dans l'hôpital en plus d'étudier de longues heures en vue de se préparer pour les examens de fin d'année. Évelina n'avait pas la tête à ses cours, le cœur trop bouleversé par la proposition de Wlodek.

Entourée de Flavie et de Simone, Évelina attendait le début du cours sur les maladies vénériennes. Le docteur Corriveau brillait par son absence. La classe entière en profitait donc pour discuter en attendant l'arrivée du médecin. Simone aurait bien aimé pouvoir réviser ses notes de cours et se plonger dans la lecture du manuel scolaire, mais Évelina avait besoin – encore une fois – de se confier à ses amies.

— Le Manitoba! C'est à l'autre bout du monde!

— Tu exagères un peu! C'est au Canada, quand même, Évelina!

— Me voyez-vous vraiment habiter dans l'Ouest canadien? Je ne sais même pas s'il y a des villes avec des magasins là-bas!

Simone pouffa. La préoccupation première d'Évelina n'était pas de se demander si elle serait heureuse loin des siens ou encore si cela lui plairait d'assister Wlodek dans son cabinet. Non. Son principal souci était de savoir si elle pourrait continuer de suivre la dernière mode au Manitoba!

— Si l'on met de côté le fait que tu doives t'exiler, l'aimes-tu assez pour l'épouser? la questionna Flavie.

Évelina resta silencieuse quelques secondes. Cette question la taraudait depuis la demande en mariage de Wlodek.

— En fait, je ne sais plus où j'en suis… Je n'étais pas prête à «m'exiler» – comme tu dis, Flavie – à La Prairie. Alors, tout quitter pour aller vivre dans les Prairies, ça n'a aucun sens! J'ai l'impression que Wlodek a tout organisé à mon insu, et je n'aime pas ça du tout.

— Je ne crois pas qu'il ait manigancé dans ton dos, Évelina. Il t'a simplement parlé de ses projets…

— Il était convaincu que j'accepterais de m'établir là-bas. Le Manitoba! Franchement!

Cette question d'exil remettait en question les sentiments qu'elle éprouvait pour Wlodek. Ce questionnement la rendait folle, puisque Évelina se doutait de la réponse à ses interrogations. Certes, elle aimait Wlodek, mais peut-être pas suffisamment pour le suivre au bout du monde. Même si Simone lui avait rappelé de nombreuses fois que le Manitoba était situé au Canada, pour Évelina, cette province paraissait aussi éloignée de Montréal que la Pologne et même la Chine ! Il était hors de question qu'elle aille s'établir dans ce coin perdu, encore moins si elle n'était pas certaine de ses sentiments envers Wlodek.

Évelina n'avait pas encore eu l'occasion d'en reparler avec le pédiatre. Après qu'il lui avait annoncé ses intentions, la veille du jour de l'An, la jeune femme avait été incapable de s'exprimer sur le sujet. Dès que l'horloge avait sonné les douze coups de minuit et que tout le monde s'était souhaité une bonne année 1939, Évelina n'avait pas tardé à rentrer, prétextant qu'elle travaillait tôt le lendemain. Wlodek avait voulu la raccompagner à l'hôpital, mais elle avait refusé. Le médecin avait insisté pour lui payer un taxi. Trop heureuse de se retrouver seule, Évelina avait accepté. Elle avait quitté le club en laissant ses amis célébrer sans elle l'arrivée de la nouvelle année.

Évelina ne dormait pas quand ses amies étaient rentrées, près d'une heure plus tard. Toutes les trois, elles avaient discuté malgré l'heure tardive, tout en sachant que la « levée du corps » serait pénible le lendemain matin. Simone était enchantée des moments passés auprès de Paul. De son côté, Flavie semblait encore déstabilisée par la présence de Clément à cette soirée. Évelina, pour sa part, avait raconté que Wlodek lui avait fait sa proposition, mais elle avait omis de dire à ses amies que le médecin souhaitait s'établir au Manitoba. Elle avait gardé cette nouvelle pour elle jusqu'au lendemain, lorsque Simone avait fait remarquer qu'elle ne semblait pas enchantée par la proposition de Wlodek. Évelina avait alors confié les intentions de ce dernier et sa propre réticence à aller vivre au Manitoba. Simone et Flavie avaient essayé – sans grand succès jusquelà, d'ailleurs – de convaincre leur amie de s'expliquer avec Wlodek.

Dans la salle de classe, les étudiantes attendaient toujours l'arrivée du docteur Corriveau. Avec un brin d'impatience, Simone, pour la énième fois, exprima à Évelina son impuissance à régler son problème :

— Qu'est-ce que tu veux qu'on fasse à la fin, Flavie et moi, pour t'aider, Évelina ? Tu rêvais d'une demande en mariage d'un médecin. Maintenant que tu l'as, tu hésites. Il faudrait que tu te décides une fois pour toutes !

— Tu partirais avec Paul à l'autre bout du monde, sans hésiter, toi ?

— Je pense que oui. Je suis bien avec Paul et je crois de plus en plus que nous sommes faits l'un pour l'autre.

Se cherchant une alliée, Évelina se tourna vers Flavie. Elle lui posa la même question, mais avec Léo comme sujet principal, même si elle savait que Flavie était désorientée depuis la soirée passée avec Clément. Cette dernière hésita avant de répondre. Évelina se réjouit, non pas de la confusion de son amie, mais bien parce qu'elle n'était pas la seule à se questionner.

— Simone, il n'y a que toi qui sois certaine de tes sentiments, et c'est tout à ton honneur, déclara Évelina.

Flavie commenta :

— Pour le moment, Évelina, tout ce que je veux, c'est obtenir mon diplôme d'infirmière. Le reste devra attendre.

— Je pensais que tu étais amoureuse de Léo.

— Je l'aime bien, mais le fait de revoir Clément, ça a remué quelque chose en moi que je croyais éteint. Je ne lui ai pas laissé grand chance de se racheter. Il n'était pas responsable de la mort de Robin, je le sais maintenant. Et puis, ce n'est pas évident de commencer une carrière en tant que chirurgien dans un hôpital aussi prestigieux que Notre-Dame.

— C'est ce qu'on t'a répété de nombreuses fois, Flavie, mais tu ne voulais rien entendre ! crut bon de lui rappeler Simone.

— Je sais…

— Tu es donc la seule qui sache ce qu'elle fera après l'obtention du diplôme, Simone. Mais ça me surprend que tu désires te marier si vite. Je pensais que tu souhaitais travailler un peu en tant qu'infirmière avant le mariage.

— Paul ne m'a pas demandé de renoncer à travailler.

— Oui mais, comme le dit souvent sœur Désuète, c'est mal vu pour une femme mariée de travailler !

— Je n'avais pas pensé à ça…

Évelina avait seulement voulu taquiner Simone. Mais voilà que celle-ci se retrouvait aussi troublée que Flavie et elle désormais. À cet instant, le docteur Corriveau, qui avait une bonne quinzaine de minutes de retard, franchit la porte de la salle de cours. Il se présenta brièvement et demanda ensuite aux étudiantes de sortir leurs manuels, afin que le cours sur les maladies vénériennes puisse enfin commencer.

* * *

Le cœur au bord des lèvres, Évelina fixait le contenu de son assiette. Pendant le cours sur les maladies vénériennes, qui venait de se terminer, le docteur Corriveau avait présenté des photos de différents cas. Ces photos circulaient habituellement durant les cours dispensés aux internes dans les facultés de médecine, mais le docteur Corriveau avait cru bon de montrer les «vraies affaires» aux étudiantes. Évelina et ses consœurs avaient vu des organes génitaux couverts de plaies et d'éruptions de toutes sortes, ainsi que des visages ravagés par des stades avancés de syphilis. Flavie repoussait ses morceaux de viande du bout de la fourchette, visiblement encore dégoûtée elle aussi par toutes ces images. Seule Simone dévorait son repas sans se soucier de ce qu'elle venait de voir.

Évelina observa un moment son amie engouffrer sa nourriture comme si de rien n'était.

— Tu réussis à manger malgré toutes les photos répugnantes que le docteur Corriveau vient de nous montrer ? Tu as le cœur solide, toi !

— Bah ! Ce ne sont que des photos, Évelina. Et puis, il faut que nous soyons prêtes à toute éventualité dans notre belle profession !

— Ah ! Je ferai sûrement des cauchemars après tout ce qu'on a vu ! Je ne comprends pas pourquoi le docteur Corriveau nous a montré ces photos-là.

— Ça fait partie de notre formation. L'autre jour, quand je travaillais au dispensaire, j'ai vu un cas de chancre mou. Ce n'était pas très beau à voir, mais c'est comme ça. Habituellement, les gens en bonne santé ne fréquentent pas notre établissement !

— Beurk ! s'exclama Flavie en délaissant son assiette. Ça m'écœure complètement de penser que j'aurai affaire à des cas semblables.

— Le docteur Corriveau a bien fait de nous montrer ces images, indiqua Simone. Comme ça, nous serons prêtes à tout !

— N'empêche! s'écria Évelina. Je pense qu'il y aura beaucoup de restes dans les assiettes, ce midi. Tu es bien la seule dont l'appétit n'ait pas été affecté, Simone, conclut-elle en jetant un regard sur ses voisines qui avaient, elles aussi, assisté au cours du docteur Corriveau.

Transportant son plateau à déjeuner, Charlotte cherchait un endroit où s'asseoir. Lorsqu'elle aperçut les trois amies, elle décida de venir s'installer avec elles. Flavie l'accueillit chaleureusement.

— Bon midi, Charlotte! Ça fait un petit moment qu'on ne t'a pas vue. Où étais-tu passée?

— J'ai beaucoup travaillé au dispensaire durant mes moments libres. Plusieurs patients y viennent sans besoins réels. Trop de pauvres gens se réfugient dans les hôpitaux pour obtenir un peu de réconfort. La crise économique se fait toujours sentir, même après toutes ces années. Il y a presque dix ans que les marchés se sont effondrés, et il y a encore autant de chômeurs et beaucoup de gens qui travaillent à des salaires de crève-faim. Il y a tant de misère dans le monde.

— Tu étais sans doute bien mieux au dispensaire que dans le cours du docteur Corriveau, crois-moi, déclara Évelina. Si tu avais vu les photos que le professeur nous a présentées ce matin, tu te passerais de repas ce midi, c'est certain.

— Oh! Mais j'ai déjà assisté à son cours dans un autre groupe. Je dois dire en effet que les photos sont assez explicites. Mais peu importe, car notre devoir est de soigner les gens sans nous poser de questions et sans les juger.

— Je n'arrive pas à croire qu'il montre de telles photos à des novices! Je pensais que vous, les bonnes sœurs, étiez exemptées de vous occuper de telles atrocités.

— Une personne qui souffre a besoin de soins, Évelina, quels que soient ses origines ou le mal qui l'afflige. Mais j'avoue qu'il faut avoir le cœur solide pour soigner de tels maux.

— Bon, tu vois, Simone! Même Charlotte a été troublée par ces photos. Tu es bien la seule qui puisse oublier aussi rapidement de telles images. Tu as toute mon admiration! Même Georgina est dans tous ses états!

Cette dernière venait de s'installer à une table plus loin, le nez rouge et les yeux bouffis. Les trois amies se doutaient bien que ni les photos du matin ni le rhume qui sévissait dans la résidence des infirmières depuis quelque temps n'étaient responsables de l'état lamentable de la jeune femme.

Charlotte se signa.

— La pauvre vient sans doute d'apprendre une terrible nouvelle. Il y a peut-être un malade dans sa famille, ou même une mortalité!

— Penses-tu? souffla Flavie qui ne pouvait détacher ses yeux de la malheureuse.

— Georgina s'est aperçue qu'elle est idiote et que personne ne l'aime! pouffa Évelina qui se calma rapidement en voyant la mine sévère de ses amies lui reprochant son manque de compassion.

— On devrait peut-être aller la voir, proposa Flavie.

Évelina croisa les bras et pinça les lèvres.

— Après tout ce que Georgina nous a fait subir, qu'elle s'arrange donc toute seule! C'est bien beau la compassion, mais il ne faudrait quand même pas exagérer!

— À mon avis, seul Bastien Couture peut mettre une fille dans cet état, évoqua Simone.

Évelina approuva de la tête. La peine de son amie avait été immense quand Bastien avait subitement décidé de rompre.

— Je pense que nous connaîtrons assez vite la raison de son affliction. Les rumeurs circulent à une vitesse folle dans l'hôpital.

Toutes acquiescèrent, même Charlotte.

* * *

Quelques heures avaient suffi pour connaître la raison du chagrin de Georgina Meunier. En se rendant au cours de neuropsychiatrie, Simone et Évelina avaient croisé Alma, la confidente – plus ou moins fiable – et amie de Georgina. La jeune femme s'était empressée de leur fournir l'explication de l'état de Georgina. Bastien avait rompu, prétextant être surchargé de travail, car il ambitionnait de remplacer le docteur Talbot; il n'avait donc plus de temps à consacrer à la jeune femme. La rumeur qui avait circulé un peu plus tôt dans l'hôpital disait cependant que Bastien en avait assez d'être en couple et qu'il souhaitait passer à autre chose. «Il veut probablement faire tomber une élève de première année dans ses filets», avait exprimé Simone en apprenant la nouvelle de la rupture. Les fréquentations entre Georgina et Bastien avaient probablement assez duré – d'après ce dernier – et la promesse de mariage avait fait fuir le séducteur.

Mais peu importe la raison de la rupture, Georgina errait comme une âme en peine et travaillait avec un manque d'entrain évident. Évelina avait presque pitié d'elle en la voyant ainsi. Certes, Georgina leur avait empoisonné l'existence, à ses amies et elle, depuis le début de leurs études ; la jeune femme épiait leurs moindres faits et gestes et rapportait le tout à sœur Désuète. L'année précédente, Georgina s'était même réjouie de la rupture de Bastien et Simone. Rapidement, elle avait remplacé cette dernière.

Évelina avait eu envie de jeter la pierre à Georgina pour toutes les fois où elle s'était moquée de Simone, délaissée par Bastien. Mais cette dernière avait prié son amie de s'abstenir.

— Ça ne sert à rien, Évelina, de s'acharner sur quelqu'un qui est déjà à terre. J'en suis revenue de cette histoire. Et puis, sans tout ça, je ne serais pas avec Paul aujourd'hui ; je suis très heureuse avec lui.

— Je sais bien, mais c'est très tentant de lui rendre la monnaie de sa pièce.

— Georgina souffre beaucoup, d'après Alma. Espérons qu'elle en tirera une leçon.

— Je n'en suis pas si sûre. Georgina n'est pas le genre de personnes qui apprend par les erreurs et les souffrances. Mais rassure-toi. Je ne tenterai rien contre elle, même si ce n'est pas l'envie qui manque.

— En tout cas, Bastien n'a pas perdu de temps...

Simone avait pointé du menton Bastien. Celui-ci discutait au bout du couloir avec Ludivine. Évelina avait levé un sourcil. Ludivine l'exaspérait depuis le jumelage, mais elle ne méritait certainement pas de tomber dans les filets de Bastien.

Évelina s'était promis de lui en parler à la première occasion. En entrant dans le cours de neuropsychiatrie, elle avait jeté un dernier coup d'œil à Ludivine qui écoutait attentivement les propos de Bastien. Oui, il fallait absolument mettre en garde la jeune femme contre celui-ci.

* * *

Évelina déposa son cahier de notes et étira ses bras au-dessus de sa tête en bâillant. Simone et Flavie, le nez plongé dans un manuel scolaire, continuèrent de relire leurs notes. Les trois amies se trouvaient dans la bibliothèque – à la demande de Simone – et révisaient leurs notes afin de se préparer pour le prochain cours du docteur Fillion. Le psychiatre avait conseillé à ses élèves d'agir ainsi. Simone avait pris la suggestion au sérieux, et elle avait insisté pour que ses deux amies se joignent à elle. Le cours de neuropsychiatrie serait ardu parce que le docteur Fillion semblait très exigeant quant à la matière à apprendre par cœur. Simone et Flavie étaient sorties enchantées du cours, tandis qu'Évelina était mitigée. La matière était intéressante, soit, mais le domaine des maladies mentales était rempli de mystères et la terrifiait un peu. Selon le médecin, les arcanes des différents troubles mentaux seraient mis à jour et, à la fin de leur formation, les étudiantes pourraient se vanter de connaître toutes les facettes du cerveau humain.

Évelina poussa un soupir.

— Je ne sais pas comment vous faites pour vous retrouver dans toutes ces maladies.

— Ce n'est pas si compliqué, Évelina. Il suffit de se souvenir des différents troubles et de les répertorier : troubles de l'humeur, troubles psychotiques, troubles du sommeil…

Évelina coupa la parole à Flavie.

— J'ai compris! Ce qui me dépasse, c'est qu'on doive apprendre tout ça par cœur pour l'examen. On ne travaille pas dans un asile, à ce que je sache!

— Il y a une aile de soins psychiatriques ici, bien que les cas les plus lourds soient envoyés à l'hôpital Saint-Jean-de-Dieu. Notre formation générale sera plus complète avec le cours de neuropsychiatrie. Et puis, nous sommes appelées à travailler dans ce secteur si nous restons à Notre-Dame après nos études.

— C'est effroyable d'être affecté à un service pareil! Avez-vous vu la nouvelle de l'incendie dans les journaux?

— Tu t'intéresses à l'actualité maintenant? se moqua Simone car elle savait qu'Évelina ne lisait que des revues de mode.

Cette dernière expliqua d'où elle tenait ses informations.

— Le journal traînait sur une table dans la salle de repos, alors j'y ai jeté un coup d'œil. L'hôpital Saint-Michel-Archange à Québec a été complètement détruit par un incendie il y a quelques jours. C'est un fou qui aurait mis le feu. C'est vraiment rassurant de s'occuper de ce monde-là! C'est certain que vous ne me verrez pas postuler en psychiatrie!

Toujours penchée sur ses notes, Simone se contenta de répondre:

— Non, c'est sûr! De toute façon, tu t'installeras au Manitoba après l'obtention de ton diplôme…

Évelina secoua la tête en signe d'impatience.

— Pff ! Rien n'est encore décidé, tu sauras ! Et puis, peu importe, je ne travaillerai pas avec les fous !

— Il faut dire «les malades mentaux», Évelina, la reprit Simone.

Évelina saisit son cahier avec l'intention de continuer à relire ses notes. Mais devant l'ampleur de la tâche, le découragement l'emporta. Après avoir déposé son cahier, elle poussa un soupir à fendre l'âme. Immédiatement, un «chut» collectif s'éleva, poussé par ses consœurs qui occupaient les tables voisines.

— Plus je regarde toute la matière qu'il y aura à réviser pour les examens de fin d'année, et plus je me dis que j'aurais dû devenir secrétaire. Je n'y arriverai jamais !

— On t'aidera, Simone et moi, comme les autres années, la rassura Flavie. Et puis, tu t'es bien débrouillée jusqu'à maintenant.

Évelina posa son menton dans sa paume et observa Flavie et Simone penchées sur leurs notes de cours. Regardant vers la sortie de la bibliothèque, elle aperçut Ludivine qui sortait de la pièce. Rassemblant ses cahiers et ses manuels à la hâte, elle s'excusa auprès de ses amies. Elle entendit Simone murmurer : «Ce n'est pas en te sauvant comme ça que tu réussiras tes examens, Évelina !» La jeune femme ne prêta aucune attention à sa compagne. Elle était pressée de rattraper Ludivine.

Cette dernière s'était arrêtée devant l'ascenseur, attendant patiemment que celui-ci arrive à l'étage. Évelina la rejoignit.

— Ludivine ! Il faut que je te parle.

— Bon ! Qu'est-ce qu'il y a encore ?

— Rassure-toi, ce n'est rien de grave.

Ludivine tenait ses livres serrés contre elle. Quand l'ascenseur arriva, elle s'engouffra dans la cabine, Évelina sur les talons.

— Alors ? Qu'est-ce que tu me veux, Évelina ?

— Eh bien, je ne sais pas trop par où commencer…

— Prends ton temps. De toute façon, l'ascenseur n'est pas très rapide dans cet hôpital.

Évelina sourit. Effectivement, avec cet ascenseur, il ne fallait pas être pressé. Plusieurs étudiantes préféraient d'ailleurs utiliser les escaliers.

— En fait, je voulais savoir comment ça allait entre Clovis et toi.

— Bah ! J'imagine que c'est un peu grâce à toi si nous nous sommes fréquentés.

— Tu parles au passé. Est-ce que ça signifie que votre relation est terminée ?

— Les choses stagnent, si on peut dire. Clovis est bien gentil et prévenant, mais il n'arrive pas à la cheville du docteur Couture.

— Justement, je vous ai vus ensemble l'autre jour, tous les deux. Vous sembliez bien vous entendre.

— Il est tellement charmant !

Ludivine, les yeux perdus dans le vague, sortit de l'ascenseur. Évelina la suivit.

— Oui, tu as raison, Bastien est très charmant. Mais il faut t'en méfier.

Ludivine posa les yeux sur Évelina.

— Pourquoi me dis-tu ça ? Tu as des vues sur lui depuis qu'il n'est plus avec Georgina ?

— Jamais de la vie ! Je l'ai fréquenté – un peu – quand j'étais en première année. Disons qu'il s'est amusé aux dépens de Simone et qu'il vient de planter là Georgina de façon cavalière.

— Justement ! Il est libre comme l'air, maintenant !

— Il est peut-être libre, mais il prendra plaisir à te séduire pour mieux te laisser tomber par la suite. Il est comme ça, Bastien.

— C'est tout ?

Ludivine paraissait impatiente et fâchée par les propos d'Évelina. Cette dernière tenta d'arranger les choses.

— Je voulais seulement te prévenir, Ludivine. Contrairement à ce que tu peux penser, je ne te déteste pas. Certes, on a eu quelques différends, mais je t'aime bien. Je voulais seulement te mettre en garde, c'est tout.

— Je vais te dire le fond de ma pensée, Évelina. Tu souhaiterais qu'il s'intéresse à toi et tu n'acceptes pas de le voir me tourner autour.

— Pense ce que tu veux, Ludivine !

Évelina quitta aussitôt la jeune femme, la laissant en plan au beau milieu du couloir. Franchement ! Pour qui la prenait-elle ? Elle préférerait fréquenter le diable en personne plutôt que Bastien Couture !

* * *

Depuis la mise en garde contre Bastien, Ludivine boudait Évelina. La jeune femme accomplissait ses tâches sans jamais adresser la parole à Évelina autrement que pour des questions professionnelles. «Ma parole, Ludivine croit vraiment que je suis jalouse que Bastien s'intéresse à elle!» Évelina avait décidé de ne plus s'en mêler. Toutefois, quand Bastien quitterait Ludivine, Évelina se promettait de rappeler à cette dernière qu'elle l'avait avertie. «Mais j'ai bien assez de mes propres soucis à gérer», songea-t-elle quand Wlodek l'invita à prendre un café alors qu'elle venait de quitter la salle des patients dont elle avait la charge.

Évelina disposait d'une heure avant son cours suivant. Devant l'insistance de Wlodek, elle n'avait pas eu le choix d'accepter de le suivre. Tous deux se dirigèrent en silence au petit restaurant situé dans la rue Ontario. Wlodek commanda les boissons chaudes. Il prit ensuite la main d'Évelina dans la sienne et déclara:

— Il y a longtemps qu'on ne s'est pas parlé, Évelina. Ça fait presque un mois!

Souhaitant gagner du temps, la jeune femme feignit l'étonnement.

— Hein? Déjà un mois? Je suis tellement prise par mes études et mon travail, Wlodek…

— Je comprends tout à fait. Ce n'était pas un reproche, Évelina. Mon travail me tient moi-même très occupé. Avec le froid qui règne actuellement à l'extérieur, nous sommes débordés dans le service de pédiatrie. Il y a de nombreux cas de pneumonies et de croup. J'ai dû faire des heures supplémentaires pour examiner tout ce petit monde.

— Nous avons commencé nos cours de neuropsychiatrie avec le docteur Fillion. C'est beaucoup de matière à assimiler en même temps.

— Le docteur Fillion est une sommité de la psychiatrie. Tes consœurs et toi, vous êtes choyées de l'avoir comme professeur. Il a travaillé longtemps à l'hôpital Saint-Jean-de-Dieu.

Évelina était heureuse de la tournure de la conversation. Wlodek et elle discutaient de choses banales alors qu'il aurait dû lui demander si elle avait réfléchi à sa proposition. Comme si celui-ci avait lu dans ses pensées, il lança :

— Nous n'avons pas eu la chance de reparler de la proposition que je t'ai faite au jour de l'An. Qu'en penses-tu, Évelina ?

— Euh… à propos du mariage ?

— À propos du mariage, oui, et aussi de notre installation au Manitoba.

— Est-ce que c'est vraiment nécessaire de partir aussi loin ? Il me semble que Montréal est quand même une belle ville pour y vivre.

— Si je reste ici, j'aurai toujours l'impression d'être un immigrant. Et je ne peux pas retourner en Pologne, c'est hors de question…

« Et la Pologne, c'est encore plus loin que le Manitoba », pensa Évelina. Wlodek continua :

— Le chancelier Hitler est devenu chef des armées italiennes et allemandes. Ça n'augure rien de bon pour l'Europe.

— Mais tout ça se passe si loin, Wlodek. Nous ne serons nullement touchés par les manigances d'Hitler.

Wlodek lâcha sa main et recula sur sa chaise.

— Oublies-tu d'où je viens, Évelina ? Ce sont mes compatriotes qui subissent toute cette montée de violence en Europe.

Évelina se rebiffa. Elle avait seulement voulu le rassurer et, à présent, il semblait furieux contre elle.

— Je sais bien, Wlodek. Mais tu es venu t'installer ici pour te refaire une vie.

Le pédiatre hocha la tête.

— C'est vrai, mais je ne peux pas oublier mes origines… C'est d'ailleurs une des raisons pour lesquelles je songe à déménager au Manitoba. Presque tous les Polonais qui immigrent au Canada s'établissent dans cette province. La communauté polonaise est importante là-bas, et j'ai besoin d'un sentiment d'appartenance dans le pays où j'ai décidé de refaire ma vie. Malheureusement, je n'éprouve pas ce sentiment à Montréal. Tu ne peux pas comprendre. Tu as grandi dans un environnement luxueux et tu n'as jamais manqué de rien.

Piquée à vif, Évelina saisit son manteau. Puis, avant de sortir du restaurant, elle rétorqua :

— Tu as raison, je ne peux pas comprendre, car j'ai été élevée dans la ouate ! Ma mère était toujours là pour veiller sur moi. Tu veux que je te dise ? Le Manitoba ne me tente absolument pas et jamais je n'irai vivre dans ce trou perdu !

* * *

Encore furieuse de sa rencontre avec Wlodek, Évelina poussa avec vigueur la porte d'entrée de l'hôpital. Elle tomba nez à nez avec Clovis Lacasse. « Toujours là, celui-là, quand ce n'est pas le temps ! » Le visage de Clovis s'illumina en la voyant.

— Je peux te parler, Évelina?

— Pourvu que ce ne soit pas trop long, Clovis. J'ai eu une rude journée et j'ai un cours dans quelques minutes.

— Je serai donc bref. Je tenais à m'excuser de ma conduite. J'ai jeté mon dévolu sur Ludivine sans me rendre compte de la perle que tu es.

«Et maintenant que ta Ludivine t'a laissé tomber, tu te souviens de moi?» eut-elle envie de lui répondre. Clovis continua:

— Je me suis vraiment mal comporté avec toi, Évelina.

Cette fois, la jeune femme ne réussit pas à se contenir.

— Et tu continues, Clovis!

— Pardon?

— Maintenant que Ludivine a porté son intérêt sur quelqu'un d'autre, tu reviens vers moi.

— Tu te méprends, Évelina. Ça n'a rien à voir. En fait, je voulais vraiment m'excuser, et aussi te demander si tu pourrais faire entendre raison à Ludivine. Tu la vois tous les jours, alors tu es en mesure de lui dire à quel point je l'aime et combien je souhaite qu'elle revienne sur sa décision de nous laisser du temps. Ça me brise le cœur de la voir flirter avec le docteur Couture.

Évelina sentit le rouge lui monter aux joues. Elle avait cru que Clovis jetait son dévolu sur elle à présent que Ludivine s'était tournée vers Bastien. Mais Clovis était encore éperdument amoureux de la jeune femme. «Et moi qui croyais bien connaître les hommes! Décidément, j'ai l'esprit quelque peu embrouillé!» Clovis semblait triste de sa rupture avec Ludivine. Voulant sauver la face à cause de sa méprise, elle lui promit d'essayer de convaincre la jeune femme de reconsidérer les choses. Quand elle le quitta pour se rendre à son cours de christianisme, elle laissa un Clovis rêveur dans le hall d'entrée de l'hôpital. Elle venait de faire preuve de charité chrétienne. Sœur Désuète serait fière d'elle!

11

É velina venait de terminer de repasser et d'empeser les cols et les poignets de ses deux robes tout en réfléchissant à une stratégie pour aider Clovis à reconquérir Ludivine. Elle s'étonnait de tenir encore le coup et de s'occuper de sa lessive plutôt que d'avoir succombé à la tentation de supplier sa mère de lui envoyer de l'argent de poche pour couvrir ses dépenses. Elle ressentit un élan de fierté d'avoir fait bon usage des conseils de Simone en déposant ses deux robes fraîchement repassées dans son armoire. «Je suis bonne à marier!» pensa-t-elle avec ironie en s'asseyant sur le bord de son lit pour réfléchir au problème de Clovis. Évelina ne savait pas encore de quelle façon elle procéderait, car Ludivine ne lui adressait la parole que pour des questions strictement professionnelles. Elle songea à l'absurdité de la situation. «Je n'en reviens pas! Elle croit vraiment que j'ai des vues sur Bastien et que je suis jalouse de la voir flirter avec lui!»

Évelina avait décidé de s'occuper du dossier Clovis/Ludivine plutôt que de se pencher sur sa relation avec Wlodek. Elle n'avait pas reparlé à ce dernier depuis leur récente querelle. Et en vérité, elle n'était pas certaine de vouloir régler ce différend avec lui. Plus les choses allaient, plus elle se rendait compte qu'ils étaient diamétralement opposés et que le seul point commun qui les liait était leur amour de la musique. Il était hors de question qu'elle le suive au Manitoba.

Regardant l'heure, elle s'empressa de prendre son manteau pour se rendre à son rendez-vous avec Clovis. Ils avaient convenu de se rencontrer dans le petit café près de l'hôpital pour discuter de la reconquête de Ludivine. En fait, pour la jeune femme, il s'agissait d'un bon prétexte pour quitter l'enceinte de l'hôpital; elle craignait toujours de tomber sur Wlodek. Simone et Flavie travaillaient toutes les deux ce soir-là. Évelina n'avait pas du tout envie de se réfugier dans la salle de repos ni de commencer à réviser en prévision des examens. De toute façon, elle aurait le temps de s'y mettre dans les semaines à venir.

Les quelques rues qu'elle sillonna pour se rendre au café étaient recouvertes d'une neige épaisse et collante; celle-ci laissait planer l'espoir de la fin d'un hiver particulièrement rigoureux. Quand Évelina arriva au restaurant, elle constata que ses pieds étaient trempés malgré les bottes qu'elle portait. Elle pesta intérieurement en songeant à l'inconfort qu'elle ressentirait pendant le reste de la soirée, à cause de ses pieds humides et glacés. Furieuse, la jeune femme poussa la porte en se disant qu'elle avait vraiment besoin de bottes neuves et qu'il fallait qu'elle économise pour s'en acheter une paire. En voyant Clovis lui faire signe, elle se radoucit. Il se leva pour lui avancer une chaise afin qu'elle puisse s'asseoir.

— Je t'ai commandé un café. Si je me souviens bien, je t'en dois un !

Évelina sourit en se rappelant qu'il lui avait laissé l'addition lors de leur première sortie.

— C'est gentil ! Je suis trempée.

Le serveur déposa deux cafés sur la table et repartit. Évelina s'empressa de préparer le sien à son goût. Puis, elle se délecta de la chaleur de la boisson en avalant la première gorgée. Clovis entra dans le vif du sujet.

— J'ai réfléchi à ce que je pourrais faire au sujet de Ludivine. J'ai eu l'idée de lui offrir des roses rouges. Qu'en penses-tu ?

Évelina avala de travers, se souvenant des innombrables bouquets que Celio lui avait envoyés. Elle déposa sa tasse et regarda Clovis droit dans les yeux.

— Je ne pense vraiment pas que des douzaines et des douzaines de roses la feront tomber follement amoureuse de toi !

Dépité, Clovis prit une gorgée de café, les yeux perdus dans le vague.

— Dans ce cas, j'avoue que je ne sais pas quoi faire, Évelina. J'étais certain que les roses auraient un certain impact !

« Pour empester et encombrer la chambre de Ludivine, sûrement ! » Évelina se mit à réfléchir. Elle avait compris avec les années que ce qui plaisait le plus à une femme de la part d'un homme était probablement la simplicité et la franchise. Certes, une femme aimait recevoir des fleurs et des chocolats – sans exagération, toutefois ! Mais ce qui plaisait davantage était sans contredit un homme qui savait charmer tout en demeurant honnête. Pendant quelques secondes, Évelina pensa à Antoine qui s'était montré plutôt honnête avec elle. Elle regrettait d'avoir mal réagi à ce qu'il lui avait dit ce soir-là dans la voiture. Antoine lui manquait en ce moment, tandis que Wlodek était très loin dans ses pensées.

Revenant à Clovis, qui attendait toujours une réponse, Évelina déclara :

— Le meilleur conseil que je puisse te donner, Clovis, c'est de rester toi-même avec elle. Tu devrais lui dire franchement ce que tu ressens.

— C'est justement parce que je suis moi-même qu'elle est attirée par Bastien !

— Elle se lassera vite de lui. Ludivine est une fille intelligente ; elle comprendra rapidement que Bastien n'est qu'un séducteur.

— Je perds tous mes moyens quand je suis près d'elle. L'autre jour, dans la salle à manger, j'ai voulu aller lui parler pendant qu'elle déjeunait. Mais j'ai trébuché et répandu le contenu de mon plateau à ses pieds. C'est très séduisant et attirant un gaffeur comme moi !

— Tu dois essayer de rester calme lorsque tu es près d'elle. C'est primordial ! Tu es tranquille et serein quand tu soignes des patients, alors sois-le également avec Ludivine. Une bonne respiration et hop, tout ira bien.

Clovis resta songeur face aux propos d'Évelina. Après avoir terminé son café, la jeune femme jeta un coup d'œil à sa montre.

— Je ferais mieux de rentrer, dit-elle. J'ai un couvre-feu à respecter, et puis, je travaille tôt demain matin. Les patients comptent sur moi pour avoir leur petit-déjeuner. Je ne suis pas médecin, après tout ! ajouta-t-elle pour taquiner son interlocuteur.

— J'aimerais que ce soit aussi facile de discuter avec Ludivine qu'avec toi, Évelina.

— Il n'en a pas toujours été ainsi, Clovis. Tu te souviens de notre première rencontre, qui s'est passée dans une salle avec des patients ? Tu m'as fait craindre le pire avec tes mains pleines de pouces !

— C'est vrai!

Clovis sourit en se remémorant l'événement. Il avait laissé une fameuse première impression à Évelina ce jour-là. Le voyant perdu dans ses pensées, cette dernière lui dit, avant de retourner affronter les derniers soubresauts de l'hiver :

— Ça a été une rencontre inoubliable, Clovis! Malgré ta maladresse, je t'ai trouvé charmant!

Fier du compliment, Clovis se leva aussi et mit son manteau. Il embrassa Évelina sur la joue, lui souffla un merci sincère et sortit du restaurant. La jeune femme hocha la tête en voyant l'addition restée sur la table. «Le docteur Lacasse s'est encore fait payer le café!» Elle régla l'addition en pensant que le meilleur conseil qu'elle pourrait donner à Clovis était de toujours payer avant de quitter le restaurant!

* * *

Rentrant du café, Évelina venait d'appeler l'ascenseur pour se rendre à sa chambre quand Clément l'apostropha.

— Est-ce que je peux te déranger quelques minutes? J'aurais envie de discuter un peu de Flavie, si ça ne te fait rien. Peut-être pourrions-nous aller prendre un café à la salle à manger? Comme je suis de garde ce soir, je ne peux pas m'absenter de l'hôpital.

Évelina consulta sa montre; il restait un peu plus d'une heure avant le couvre-feu. Simone et Flavie travaillaient sans doute encore, et il n'y avait rien de bon à écouter à la radio ce soir-là.

— Pourquoi pas? J'ai un peu de temps.

Elle retira son manteau et suivit Clément à la salle à manger. Ses pieds étaient encore trempés, mais elle n'avait pas le courage

– et surtout, elle était beaucoup trop curieuse d'apprendre ce que voulait lui dire Clément – de remonter à sa chambre afin de retirer ses bottes mouillées. Elle trouva une table en retrait. Clément revint avec deux cafés. Évelina en but une gorgée en pensant à cette drôle de soirée ; deux cafés avec deux médecins différents au lieu de se morfondre toute seule dans sa chambre. C'était tout de même divertissant. Clément posa les mains sur sa tasse de café, probablement plus pour puiser un certain réconfort à son contact que pour se réchauffer. Il fixa le liquide chaud pendant quelques instants avant de plonger.

— Je voudrais que tu m'aides à reconquérir Flavie.

Évelina déposa sa tasse en souriant. Décidément, elle était prête à tenir un courrier du cœur ! Visiblement embarrassé, Clément poursuivit :

— Je sais que j'ai l'air un peu idiot de te demander ça. Alors, j'aimerais beaucoup que notre conversation demeure confidentielle.

Évelina se fit rassurante :

— Motus et bouche cousue ! Comment pourrais-je t'être utile ?

— Tu connais bien Flavie. Crois-tu que j'aie encore une chance avec elle ? Je me rends compte à quel point j'ai été imbécile de faire passer mon travail avant elle. J'aurais dû être plus présent. Je ne sais pas comment faire pour que Flavie revienne vers moi.

« Ce ne sera peut-être pas aussi compliqué que tu le crois, Clément », pensa Évelina en prenant une gorgée de café.

— Qu'attends-tu exactement de moi, Clément ?

— J'aimerais que tu me dises si elle voit encore ce journaliste. Et puis, est-ce qu'elle t'a parlé de la soirée du Nouvel An que nous avons passée ensemble ?

Évelina faillit tout dévoiler à Clément : que Flavie pensait encore à lui et qu'elle regrettait d'avoir manqué de patience à son égard. Mais elle se retint. Il ne s'agissait pas ici du secret professionnel que les médecins doivent respecter à l'égard de leurs patients, mais d'un code d'éthique tout aussi important : celui de l'amitié. Flavie s'était confiée à elle et Évelina ne voulait pas trahir la confiance de son amie.

Elle déclara :

— Tout ce que je peux te dire, Clément, c'est que Flavie a eu beaucoup de peine lorsque vous avez rompu. Elle s'était attachée à toi.

— J'imagine qu'elle est passée à autre chose, depuis…

— Je n'irais pas jusque-là.

— Qu'est-ce que je devrais faire ?

— Je te conseille de lui parler et de te montrer franc avec elle. Explique-lui ce que tu souhaites pour vous deux. Flavie est compréhensive et elle sait que ton métier est exigeant, mais tu dois quand même la convaincre que tu peux lui offrir une vie à deux intéressante.

— Si tu crois que j'ai encore une chance, je vais tout faire pour lui montrer à quel point j'ai besoin d'elle. J'ai traversé un dur moment l'an dernier avec la mort de Robin Arsenault. Je me suis reproché de ne pas avoir réussi à le sauver. C'est très difficile de perdre un patient ; je pensais que j'étais fait assez fort pour traverser cette épreuve, mais je me suis trompé. À cause de Flavie qui m'accusait de ne pas avoir fait le maximum pour sauver Robin, j'ai pris l'entière responsabilité de sa mort sur mes épaules. Depuis, j'ai appris qu'un médecin n'est pas infaillible…

Évelina termina son café. Puis, elle fixa Clément et déclara :

— Ne perds pas de temps, Clément. Dévoile tes sentiments à Flavie et, surtout, raconte-lui ce que tu viens de me confier. Je suis certaine que Flavie ne sera pas insensible à ce que tu viens de me dire.

Clément avala le reste de son café et remercia Évelina. Puis, il la raccompagna jusqu'à l'ascenseur. Juste avant que la porte de la cabine ne se referme, elle vit une étincelle d'espoir briller dans les yeux du médecin.

* * *

En arrivant à sa chambre, Évelina trouva Alma Côté, l'amie de Georgina, assise par terre sur le pas de sa porte, les genoux repliés sur la poitrine. Alma se leva et lui sourit timidement.

— Il faudrait que je te parle, Évelina.

« Bon, une autre qui a quelque chose à me demander ! »

— Je ne sais pas trop, Alma. J'ai eu une dure journée.

— Ça ne prendra que quelques minutes.

— Dans ce cas, tu peux entrer.

Évelina lui fit signe de la suivre. Simone et Flavie n'étaient toujours pas de retour. Évelina désigna une chaise et invita Alma à s'asseoir. Elle s'empressa de retirer ses bottes et ses bas mouillés. Elle s'installa ensuite sur son lit et se frotta les pieds pour les réchauffer. Alma l'observait en silence.

Évelina prit les devants.

— Tu n'es certainement pas venue ici pour voir de quelle façon je me réchauffe, n'est-ce pas ? Qu'est-ce que je peux faire pour toi ?

— En fait… euh… je suis un peu confuse…

— Vas-y, Alma, nous sommes seules.

— C'est Georgina. Elle ne va pas bien du tout.

«Quelle surprise !» Évelina croisa les bras, attendant qu'Alma poursuive.

— Depuis que Bastien l'a laissée, elle n'est plus que l'ombre d'elle-même. Je ne sais pas si j'ai bien fait de venir te voir, Évelina, mais je ne sais vraiment plus vers qui me tourner. Promets-moi que ce que je vais te raconter restera entre nous…

Évelina hocha la tête en signe d'assentiment. Alma se tordit les mains et, à voix basse, elle reprit :

— Georgina vient de se rendre compte qu'elle est enceinte. Elle était persuadée que Bastien lui reviendrait en apprenant cette nouvelle et qu'il la demanderait en mariage. Mais non, il l'a tout simplement laissée tomber. Georgina est dans un tel état que j'ai peur de ce qui pourrait arriver.

— Qu'est-ce que tu veux que je fasse ? demanda Évelina en se levant.

— Eh bien, j'ai pensé que… vu que ta mère… Tu sais sûrement ce que je veux dire…

— Non, justement !

Évelina avait envie de mettre Alma à la porte, mais elle se ravisa. La jeune femme avait vraiment dû envisager toutes les solutions possibles avant de venir la voir.

— Je suis désolée, Évelina. Je ne voulais pas t'insulter, mais crois-moi, je ne sais vraiment plus quoi faire. Georgina m'inquiète vraiment.

— Et pourquoi est-ce que je l'aiderais ? Elle nous mène la vie dure, à mes amies et moi, depuis nos débuts à Notre-Dame.

— Je sais bien qu'elle ne mérite pas que tu l'aides, mais elle est vraiment désespérée ! Ses parents la renieront s'ils apprennent qu'elle est tombée enceinte en dehors des liens du mariage.

— Je vais voir ce que je peux faire, Alma.

Un sourire s'afficha sur le visage d'Alma. Évelina crut bon de l'avertir.

— Je ne te promets rien. Il est peut-être trop tard pour une intervention…

Le sourire d'Alma disparut sur-le-champ. Évelina se fit rassurante.

— Je vais quand même voir ce que je peux faire…

— Merci de considérer ma requête, Évelina.

Alma quitta la chambre. Georgina avait toujours été odieuse avec ses amies et elle, mais Évelina ne pouvait pas la laisser dans une telle situation. « Maudit Bastien ! grogna-t-elle en passant sa chemise de nuit. À cause de lui, je vais devoir encore une fois contacter ma mère pour qu'elle vienne à la rescousse ! » Évelina se mit au lit afin de se réchauffer sous les couvertures. Le corps parcouru de frissons, elle essaya de trouver le sommeil avant que Flavie et Simone ne reviennent de leur quart de travail.

«Je devrais peut-être proposer mon aide pour répondre au courrier du cœur dans le journal *La Patrie*!» s'exclama-t-elle ironiquement à haute voix en repensant à sa soirée passée à conseiller et à secourir tout le monde. Clovis, Clément et puis Georgina, à présent! «Vite que je trouve le sommeil avant que quelqu'un d'autre ne frappe à ma porte!»

Évelina repensa aux conseils qu'elle avait prodigués à Clovis et à Clément. La jeune femme se dit que si ces deux jeunes hommes réussissaient à reconquérir leur dulcinée, elle serait fière de savoir qu'elle avait contribué au dénouement heureux de ces histoires. Puis, elle songea à Georgina; celle-ci devait s'inquiéter terriblement pour son avenir. Elle irait la voir dès le lendemain pour l'aider à régler sa situation.

Évelina se tourna et se retourna dans son lit cette nuit-là. La consommation excessive de café était en grande partie responsable de sa difficulté à trouver le sommeil. Le reste était sûrement attribuable à sa relation incertaine avec Wlodek, ainsi qu'à Antoine…

* * *

Évelina observait à la dérobée Georgina assise en face d'elle dans un petit fauteuil. La jeune femme paraissait nerveuse et effrayée. Les deux consœurs attendaient l'arrivée de madame Dubuc. Une fois de plus, Évelina avait dû ravaler son orgueil et demander l'aide de sa mère. Ursule avait bien des défauts, mais elle était toujours prête à aider une jeune femme dans le besoin. Évelina n'avait jamais porté Georgina dans son cœur, mais l'appel à l'aide d'Alma l'avait touchée. Le lendemain, après la corvée du matin, elle avait pris Georgina à part et lui avait dit qu'Alma avait réclamé son aide. La première réaction de Georgina avait été de s'emporter contre son amie pour avoir raconté son «problème». Mais elle n'avait eu d'autre choix que d'accepter l'aide d'Évelina. Cette dernière était restée discrète et n'avait rien dit à Flavie ni à Simone.

Évelina voyait bien que Georgina, habituellement si sûre d'elle, était terrifiée. Elle brisa le silence devenu lourd dans l'attente de l'arrivée de l'avorteuse.

— Tu n'as pas vraiment le choix, Georgina, de recourir aux services de madame Dubuc. Tu verras, tout se passera bien.

— J'étais certaine qu'il me demanderait en mariage… murmura Georgina, la gorge nouée.

— Il ne faut pas s'attendre à grand-chose en ce qui concerne Bastien Couture. Je suis sincèrement désolée de ce qui t'arrive, Georgina.

— Tu penses que je te crois, Évelina Richer? Au contraire, tu dois te réjouir de ma peine et, aussi, d'être devenue ma planche de salut. J'imagine que tu prendras plaisir à raconter à tout le monde que je me suis fait avorter!

— On n'est certes pas les meilleures amies du monde, Georgina, mais je ne souhaite pas le malheur qui t'afflige à la pire de mes ennemies, si tu veux tout savoir! J'aimerais beaucoup que tu arrêtes de me prêter de mauvaises intentions. Ton amie Alma m'a demandé de te venir en aide. Alors, peu importe ce que tu penses, sache que je tiens réellement à te rendre service.

Georgina baissa la tête et murmura: «Je suis désolée.» À ce moment-là, Ursule vint annoncer que madame Dubuc venait d'arriver. Georgina leva un regard implorant vers Ursule et la supplia de ne rien dire à sa mère.

— Mes parents me renieraient s'ils apprenaient que je me suis fait avorter.

Ursule connaissait bien Marie-Rose Meunier. Elle savait parfaitement que celle-ci n'accepterait pas que sa famille soit déshonorée par une grossesse indésirable.

— Rassure-toi, Georgina : ce qui se passe ici reste ici. Suis-moi. Tout se passera bien, tu verras.

Georgina sourit tristement avant de suivre Ursule Richer au deuxième étage. Évelina resta seule au salon quelques instants. À son retour, Ursule se versa un verre de scotch. Elle en offrit un à Évelina, qui déclina l'offre en secouant la tête.

— Tu as bien fait de l'emmener ici. Madame Dubuc sait y faire. Ton amie est en bonnes mains.

Évelina rectifia aussitôt :

— Georgina n'est pas mon amie. J'ai seulement eu pitié d'elle, c'est tout.

— C'est quand même généreux de ta part.

Ursule brandit de nouveau le flacon de scotch.

— Tu es certaine que tu ne veux rien boire, Évelina ?

— Non. Il est un peu trop tôt pour ça.

— Bah ! Un petit remontant n'a jamais fait de mal à personne.

Ursule, qui avait bu d'un trait son verre, le remplit de nouveau avant de s'installer dans le fauteuil précédemment occupé par Georgina.

— Pendant que tu es ici, nous pourrions parler des préparatifs…

— Quels préparatifs ?

— De ceux qui concernent ton mariage avec Wlodek. Ça m'attriste encore un peu que tu n'aies pas voulu de Celio comme mari, mais j'accepte ton choix. J'ai croisé Wlodek l'autre jour à l'hôpital en me rendant à une réunion des dames patronnesses. Il m'a appris la bonne nouvelle.

Évelina se leva d'un bond. En aucun cas, elle ne laisserait sa mère s'immiscer dans l'organisation de son mariage, qu'elle épouse Wlodek ou n'importe qui d'autre.

— Il n'y a rien à dire ni à faire pour l'instant. Et je tiens absolument à que tu restes en dehors de tout ceci, m'as-tu bien comprise ?

— Ne te fâche pas ! J'étais certaine que tu serais contente que je veuille t'organiser un mariage digne de ce nom. Pour moi, c'était une façon de te prouver que j'accepte ton Polonais comme futur gendre ! Je t'aurais préparé quelque chose de grandiose !

Évelina serra les dents.

— Ne te mêle pas de ma vie !

— Ta réaction m'inquiète, ma chérie. Tu devrais être heureuse de ma proposition. Au lieu de cela, tu réagis promptement à mes propos. En fait, ta réaction me rappelle celle que tu as eue en apprenant que Celio voulait t'épouser. On dirait que ton mariage avec Wlodek ne fait pas vraiment ton affaire…

Évelina tourna le dos à sa mère. Ursule venait de lui ramener en plein visage qu'elle n'était plus certaine du tout de vouloir épouser Wlodek Litwinski.

* * *

Georgina sanglotait en silence, assise dans la voiture qui la ramenait à l'hôpital Notre-Dame en compagnie d'Évelina. Tout s'était déroulé comme pour Simone. Madame Dubuc avait utilisé toutes ses compétences pour régler le «problème» de Georgina. Évelina tendit un mouchoir à la jeune femme, qui s'essuya les yeux et se moucha bruyamment.

— Merci Évelina.

Cette dernière ne s'attendait pas à quoi que ce soit de la part de Georgina, mais accepta ses remerciements qui paraissaient sincères. Elle posa la main sur la sienne quelques secondes en signe de réconfort.

— Qui aurait pensé que nous pourrions rester assises toutes les deux dans la même voiture sans nous crêper le chignon? déclara Évelina pour détendre l'atmosphère.

Sa compagne lui sourit tristement. Évelina ne savait pas quoi dire pour la réconforter. Soudain, Georgina brisa le silence qui s'était installé.

— Quand Simone s'est absentée l'an dernier pendant quelques jours, c'était pour les mêmes raisons que moi?

Évelina ne souhaitait pas parler de Simone avec Georgina. Mais, étant donné les circonstances, elle crut bon de lui confier qu'en effet, son amie s'était retrouvée dans la même situation qu'elle l'année précédente, et à cause de la lâcheté du même homme.

— Et Bastien n'a rien fait pour elle non plus ?

— Non. Il lui a simplement dit que ce n'était pas son problème et l'a laissée s'arranger toute seule. Il a même mis en doute sa responsabilité.

— Un vrai salaud ! s'écria Georgina. Je l'ai cru quand il disait m'aimer ! Et malheureusement, d'autres filles tomberont probablement dans le panneau…

Évelina songea alors à Ludivine, qu'elle voyait de plus en plus souvent en compagnie de Bastien. Peut-être Georgina pourrait-elle convaincre la jeune femme que Bastien n'était pas un homme pour elle ? Évelina était forcée d'admettre qu'elle aimait bien l'étudiante de première année. En aucun cas, elle ne voulait que Ludivine se retrouve dans la même situation que Simone et Georgina. Comme si cette dernière avait lu dans ses pensées, elle déclara :

— Bastien semble avoir jeté son dévolu sur une étudiante de première année. D'ailleurs, c'est celle dont tu as la responsabilité, il me semble ?

— C'est curieux que tu m'en parles, car je pensais justement à Ludivine.

— Je n'ai pas envie d'étaler ma vie privée sur la place publique, mais je pense qu'un avertissement s'impose. Je vais lui parler.

Ludivine prendrait peut-être en considération les propos de Georgina. Évelina l'appuierait avec toute la persuasion dont elle était capable. Bastien ne pouvait pas continuer à séduire et à profiter des jeunes femmes pour mieux les abandonner par la suite.

* * *

Évelina terminait son déjeuner en compagnie de Simone. Elle buvait son café en tentant de prolonger ce moment de détente avant d'entreprendre une longue journée de soins aux patients, entrecoupée de cours de neuropsychiatrie et de christianisme. Ludivine se dirigeait d'un pas rapide dans sa direction. Elle semblait furieuse.

— Tu n'es pas gênée, Évelina Richer, d'avoir demandé à Georgina d'inventer une histoire pareille pour que je rompe avec Bastien! Penses-tu vraiment que je vais croire ça?

— Calme-toi, Ludivine, la pria Simone d'une voix douce.

— Que je me calme? Non mais! Tu as eu ta chance avec Bastien, Évelina. Il est peut-être temps que tu arrêtes d'essayer de le récupérer!

— C'est vraiment ce que tu crois, Ludivine? Tu te trompes tellement, ma pauvre fille!

Simone ne comprenait rien à cette scène. Elle invita Ludivine à s'asseoir pour discuter. Cette dernière s'installa sur une chaise tout en jetant un regard assassin à Évelina. Fort heureusement, les tables voisines étaient désertes.

— J'aimerais beaucoup que tu nous laisses tranquilles tous les deux, Évelina. On n'a vraiment pas besoin d'une enquiquineuse comme toi!

— Mon Dieu, Ludivine! s'exclama Simone. Qu'est-ce qu'Évelina a bien pu faire pour te mettre dans cet état?

— Tu veux vraiment le savoir, Simone? Tiens-toi bien: elle a demandé à Georgina Meunier de me confier la raison pour laquelle Bastien l'avait plantée là! Il paraît qu'elle était enceinte!

Simone pâlit et avala péniblement sa salive. Ainsi, Georgina avait eu à subir la même humiliation qu'elle. Loin de s'en réjouir, Simone sentit la colère monter en elle.

— Je n'ai pas envoyé Georgina te raconter n'importe quoi, Ludivine! protesta Évelina. Elle t'a dit la vérité. Bastien l'a laissée tomber et a décidé de jeter son dévolu sur toi jusqu'à ce qu'il se lasse et que tu subisses le même sort.

— Et il faudrait que je croie ça, moi?

S'étant ressaisie, Simone regarda Ludivine droit dans les yeux.

— Tu as tout intérêt à croire Évelina. Tu as beaucoup de chance qu'elle éprouve de l'affection pour toi et qu'elle te mette en garde contre un homme comme Bastien.

— C'est un complot ou quoi?

— Non, répondit Simone. C'est la triste vérité. Tu sais quoi, Ludivine? Moi aussi, j'ai vécu cette mauvaise expérience. Bastien m'a plantée là quand il en a eu assez de moi, et il m'a laissée me débrouiller avec «mon problème».

Ludivine s'adossa à sa chaise et ouvrit la bouche. Elle balbutia:

— Toi aussi?

— Oui, moi aussi!

— Je voulais seulement te protéger, Ludivine… plaida Évelina en posant sa main sur la sienne. Je t'aime bien, tu sais.

Ludivine recula afin qu'Évelina retire sa main.

— J'ai tellement honte! s'écria-t-elle. Je pensais vraiment que tu avais des vues sur Bastien. Quelle idiote j'ai été de me faire embarquer comme ça!

— Ce n'est pas ta faute. Bastien Couture est un séducteur professionnel! Rassure-toi, Ludivine, tu ne seras certainement pas la dernière à te faire prendre. Heureusement qu'il ne t'est rien arrivé de fâcheux!

— Je ne pourrai plus jamais faire confiance à un homme! se désespéra Ludivine.

Les yeux pleins de larmes, elle pencha la tête. Évelina se retint de lui dire des phrases convenues telles que: «Chaque torchon trouve sa guenille», ou encore «Il y a d'autres poissons dans le lac!» En lui faisant un clin d'œil, elle murmura:

— J'en connais un en qui tu peux avoir confiance...

* * *

Georgina s'était remise rapidement de son avortement et elle avait assisté aux cours dès le lendemain de l'intervention. Elle n'avait pas reparlé à Évelina, se contentant de la saluer de la tête quand elle la rencontrait. Celle-ci, qui ne s'attendait pas à autre chose de sa part, lui retournait ses salutations. Évelina consulta sa montre. Simone et Flavie l'attendaient à la bibliothèque pour commencer à réviser leurs notes de cours. Comme elle n'avait rien à faire cette soirée-là, elle n'avait eu d'autre choix que de promettre d'aller les rejoindre. Dès qu'elles l'aperçurent, ses amies lui firent signe de leur emplacement habituel, au fond de la pièce.

Simone lui chuchota d'un ton de reproche:

— Tu en as mis du temps ! J'étais prête à parier qu'on ne te verrait pas.

— Moi, je savais que tu viendrais. Je l'ai dit de nombreuses fois à Simone.

— Il me semble que vous commencez trop rapidement à étudier. Je ne suis pas certaine que je me souviendrai de tout ça au moment des examens.

— On organise nos notes de cours, tout simplement. Ce sera plus facile quand viendra le temps d'étudier.

— C'est incroyable ! s'écria Évelina d'un ton moqueur. On ne réussira jamais à sortir la maîtresse d'école de l'infirmière. La bonne méthodologie est toujours à l'honneur !

Évelina ouvrit son cahier, qu'elle feuilleta sans grand intérêt. Puis, se rappelant soudainement qu'elle n'avait pas raconté sa visite à sa mère à ses deux amies, elle entreprit de leur en faire le récit. Elle parla tout bas pour ne pas déranger les tables voisines où se trouvaient quelques consœurs aussi zélées que Simone et Flavie.

— Quand je suis allée chez ma mère avec Georgina…

Simone et Évelina avaient mis Flavie dans le secret après que Georgina était allée trouver Ludivine pour lui parler de sa mésaventure. À la fin de son histoire, Évelina s'exclama :

— Mais vous ne devinerez jamais la meilleure !

Elle leur annonça que sa mère s'était mise en tête d'organiser son mariage avec Wlodek.

— Alors, c'est décidé ? s'enquit Simone. Tu vas épouser Wlodek et partir pour le Manitoba ?

— Rien n'est décidé encore, et j'ai dit à ma mère de se mêler de ses affaires.

— Tiens, tiens, en parlant du loup…

Évelina leva la tête dans la direction que Simone pointait. Wlodek semblait la chercher. Quand il la vit, son visage s'éclaira et il se dirigea vers la table de travail. Évelina résolut d'aller rejoindre le médecin, car il semblait vouloir lui parler. La jeune femme préférait que la discussion ait lieu ailleurs que dans la bibliothèque, et sans témoins.

Elle suivit Wlodek jusque dans le couloir et referma la porte derrière elle. Il l'embrassa rapidement sur la joue comme il avait l'habitude de le faire quand ils étaient à l'hôpital.

— On ne s'est pas reparlé depuis notre léger malentendu de l'autre jour. Je tiens à m'excuser de m'être emporté. La politique étrangère n'a pas l'air de t'intéresser vraiment, alors je me suis un peu emballé.

— Ce n'est rien, Wlodek. Tu as raison quand tu dis que je ne peux pas comprendre parce que j'ai été élevée loin de tout ça.

— J'ai été brusque et j'en suis vraiment désolé. Tu as quitté le restaurant très en colère en me lançant que jamais tu n'irais t'installer au Manitoba. J'ose espérer que tu as dit cela sous le coup de la colère…

Évelina se sentait prise au piège. Elle ne voulait pas dire à Wlodek que jamais elle n'irait vivre dans cet endroit. Elle répondit à la question sans trop se compromettre :

— J'y pense, j'y pense… Nous pourrions tout de même songer à nous établir ici. Après tout, Montréal est ma ville natale et tu as une bonne situation à l'hôpital.

— L'autre jour, je t'ai expliqué que je n'ai aucun sentiment d'appartenance envers cette ville. Au Manitoba, il y a une communauté polonaise importante ; et puis, mes compatriotes ont besoin de moi. Dans mon pays, une femme doit toujours accepter les décisions de son mari. Après le mariage, nous irons nous établir à Saint-Boniface. Tout est déjà arrangé. Nous aurons notre maison, dans laquelle se trouvera mon cabinet.

« Dans mon pays, les femmes ont leur mot à dire ! Et les hommes prennent parfois le temps de les écouter ! » Évelina bouillait de rage. Elle était fatiguée et n'avait nullement envie d'entreprendre un plaidoyer sur les avantages et les inconvénients de l'exil au beau milieu de nulle part. Wlodek l'attira vers lui et l'embrassa avec fougue. Évelina resta interdite. Croyait-il qu'elle oublierait tout avec un simple baiser ?

Elle se défit doucement de l'étreinte du médecin.

— Je pense, Wlodek, qu'on doit tout de même continuer à faire attention ! Les règlements sont stricts dans l'hôpital ; je pourrais être renvoyée si quelqu'un nous surprenait. N'oublie pas que je n'obtiendrai mon diplôme que dans quelques mois.

Wlodek posa un dernier baiser sur les lèvres d'Évelina avant de partir. La jeune femme le suivit des yeux. Quelque chose venait de se briser entre Wlodek et elle. Elle doutait que les choses puissent s'arranger, surtout qu'elle n'était pas certaine d'avoir envie de recoller les pots cassés…

12

Le mois de mars touchait à sa fin. Le soleil un peu plus chaud annonçait l'arrivée imminente du printemps. La fin de l'année scolaire approchait à grands pas ; avec elle venait la nervosité engendrée par les examens et l'obtention du diplôme pour les troisièmes années. Évelina reprochait constamment à Simone d'être trop prise avec l'écriture de ses articles dans *L'Antenne de Notre-Dame*, ses études, son bénévolat dans la pouponnière et, surtout, avec tous ses soupers de famille chez Paul les dimanches soir où elle était libre.

Évelina en fit la remarque à Flavie.

— C'est bien simple, on ne voit plus du tout Simone !

— Elle a un emploi du temps très chargé. Elle me manque à moi aussi, mais je suis tellement heureuse de la voir s'impliquer dans tout ce qu'elle aime et qu'elle se soit rapprochée de Paul. Ils vont vraiment bien ensemble tous les deux.

Évelina ne pouvait qu'être d'accord avec Flavie. Simone mordait dans la vie et c'était tant mieux qu'il en soit ainsi. Mais il manquait quelqu'un à leur trio. Évelina décida de confier à Flavie ce qui la tracassait depuis un moment.

— J'ai peur qu'après nos études, nous nous perdions de vue. Je vous l'ai dit de nombreuses fois, à Simone et toi : vous êtes ma seule famille.

— C'est certain que si tu t'installes au Manitoba, on se verra moins souvent.

— Ça ne risque pas d'arriver, Flavie, rassure-toi. Plus je réfléchis, et plus je prends conscience que je n'aime pas suffisamment Wlodek pour partir au beau milieu de nulle part avec lui.

— Tu ne te marieras pas avec lui ?

— Non.

— Est-ce que tu l'as prévenu ?

Sur ces entrefaites, Simone arriva. Elle déposa une pile de documents à côté de sa machine à écrire. Ensuite, elle s'assit sur le bord de son lit et se joignit à la conversation.

— Qui a dit quoi à qui ? s'informa-t-elle.

— Je n'ai pas encore informé Wlodek que je ne l'épouserai pas.

— Ta décision est prise ?

— Oui. Je ne veux pas quitter Montréal, et jamais je ne laisserai un homme décider de mon avenir. Il y a bien assez de ma mère qui cherche toujours à tout contrôler.

— Pourtant, tu semblais réellement amoureuse, déclara Flavie.

— Je pense que j'aimais l'idée d'être amoureuse d'un médecin…

Simone et Flavie demeurèrent silencieuses quelques instants, essayant de déchiffrer ce qu'Évelina venait d'exprimer.

— Vous me suivez ? leur demanda cette dernière devant le regard hébété de ses amies.

— Avoue que c'est un peu compliqué, Évelina. Mais tant mieux si tu sais ce que tu veux !

— Oui, je suis compliquée ! D'ailleurs, on me l'a déjà dit…

Évelina n'avait pu s'empêcher de penser à Antoine.

— Il ne me reste plus qu'à annoncer la nouvelle au principal intéressé. Et j'avoue que je remets ce moment à plus tard depuis quelques jours.

— On remet toujours ces moments-là à plus tard… murmura Flavie, songeuse.

Simone et Évelina se tournèrent en même temps vers la jeune femme, attendant la suite.

— Léo m'a annoncé qu'il avait reçu une proposition pour devenir correspondant étranger et couvrir ce qui se passe en Europe. Il paraît que ça va de mal en pis là-bas depuis qu'Hitler est devenu chancelier. Nous pourrions connaître une autre grande guerre. *La Patrie* veut l'envoyer là-bas comme reporter. Léo ne veut pas y aller car il devrait me laisser ici, mais je sais très bien qu'il rêve d'un poste comme celui-là depuis toujours. Je pense qu'il m'aime plus que moi je ne l'aime. Il est hors de question que je le laisse sacrifier sa carrière pour rester avec moi alors que je ne suis pas certaine de mes sentiments pour lui.

Simone poussa un soupir.

— Toi aussi, tu es compliquée, Flavie !

— Simone, il n'y a que toi qui saches ce que tu veux, commenta Évelina. Mais il n'en a pas toujours été ainsi ! ajouta-t-elle, l'air taquin.

— Je le sais bien ! Et je suis heureuse d'avoir enfin trouvé ma voie !

— D'autant plus que Paul t'a aidée à la trouver! Je te le dis, Flavie, on va finir vieilles filles toutes les deux. Et le seul mariage auquel on assistera est celui de notre raisonnable et réservée «maîtresse d'école!»

* * *

En se rendant au poste de surveillance du troisième étage où elle était assignée pour la soirée, Évelina croisa Clovis, un carnet de notes sous le bras et son sarrau flottant derrière lui. À sa démarche désinvolte, Évelina comprit qu'il avait parlé à Ludivine. Il lui sourit à pleines dents.

— Ça a marché, Évelina! J'ai dit à Ludivine ce que je pensais vraiment et elle paraissait émue.

«Disons que Simone, Georgina, moi et surtout ce maudit Bastien, nous y sommes sans doute pour quelque chose...»

— Nous avons rendez-vous vendredi. Je l'emmène souper dans un restaurant du centre-ville. Je tenais à te remercier.

— En réalité, je n'ai rien fait, Clovis. Ludivine s'est seulement rendu compte que tu étais un honnête homme et qu'elle pouvait avoir confiance en toi.

— Et je vais tout faire pour qu'elle continue de le penser. Merci encore une fois, Évelina!

Clovis lui toucha l'épaule avant de reprendre son chemin. «Une deuxième affaire de réglée!» Évelina pensa avec fierté que, si sa vie amoureuse n'était pas des plus extraordinaires ces temps-ci, elle avait au moins pu réunir Clovis et Ludivine et porter assistance à Georgina. «Il ne me reste plus que Flavie et Clément à remettre ensemble. Mon petit doigt me dit que cela arrivera bientôt, si seulement Clément réussit à trouver du temps pour parler à Flavie ! »

Après que l'infirmière de garde lui eut transmis les informations concernant les patients dont elle devrait s'occuper pour la soirée, Évelina s'installa sur la chaise du poste de surveillance. Le tableau couvert d'ampoules, indiquant lorsqu'un patient réclamait une infirmière, se trouvait en face d'elle. La jeune femme saisit une des revues qui traînaient sur le bureau, probablement laissées là par une de ses consœurs de travail. Une des ampoules sur le tableau s'alluma. Évelina se dirigea aussitôt vers la chambre 312. Un seul des quatre lits était occupé, et ce, par une femme. Se postant près du lit, Évelina inséra la clé dans l'interrupteur pour éteindre la lumière. Ensuite, elle feuilleta rapidement le dossier de la patiente ; celle-ci avait subi une opération pour les cataractes un peu plus tôt dans la journée.

— Qu'est-ce que je peux faire pour vous, madame Plouffe ?

— J'ai mal à la tête, mademoiselle.

Évelina observa pendant quelques instants la patiente. Quelque chose clochait, mais elle n'aurait su dire quoi. Puis, elle se souvint du cours d'ophtalmologie. La patiente aurait dû être assise dans son lit plutôt qu'étendue. Évelina activa la manivelle pour redresser un peu le lit et replaça les oreillers pour que la femme soit à l'aise.

— Je vais téléphoner au médecin de garde pour savoir si je peux vous donner un médicament pour votre céphalée.

— Je n'ai pas de céphalée. J'ai mal à la tête, tout simplement…

Évelina sourit, puis elle appela le médecin. Celui-ci lui conseilla de ne rien administrer à la patiente, car il préférait d'abord venir l'examiner. Évelina retourna auprès de celle-ci et attendit l'arrivée du médecin.

— C'est un peu moins douloureux depuis que vous avez replacé mes oreillers, garde.

— Le docteur Lapointe devrait arriver sous peu pour vous examiner.

— Le médecin qui m'a opérée m'a dit que je retrouverais ma vue de jeune fille avec cette opération-là. Je suis couturière moi, mademoiselle, depuis que j'ai seize ans. J'avais peu d'instruction, alors il ne me restait que la manufacture pour gagner ma vie.

Évelina écouta patiemment la femme raconter sa vie tout en jetant un coup d'oeil dans le couloir. Elle s'assura qu'aucun voyant lumineux n'était allumé au-dessus des portes des chambres voisines pour lui indiquer qu'un autre patient requérait ses soins. Madame Plouffe avait eu trois enfants et s'était retrouvée sans mari, alors elle avait dû travailler pour nourrir sa famille. Si entendre les anecdotes de tout un chacun l'avait agacée au début de sa formation, Évelina appréciait désormais de plus en plus le contact humain entre le patient et l'infirmière. La malade lui faisait suffisamment confiance pour lui confier un pan de sa vie.

Le docteur Lapointe arriva. Il salua Évelina d'un hochement de tête avant de s'emparer du dossier de la patiente.

— Madame Plouffe me dit que depuis que j'ai remonté la tête de son lit et replacé ses oreillers, elle se sent beaucoup mieux.

Le médecin ne tint pas compte de l'intervention d'Évelina. Il poursuivit la lecture du dossier.

— Donnez-lui un analgésique, garde Richer. Vous devriez être soulagée d'ici une demi-heure, madame Plouffe.

Évelina suivit le médecin jusqu'à la pharmacie auxiliaire adjacente au poste de surveillance. Le docteur Lapointe prit un flacon et le lui tendit.

— Deux cachets pour madame Plouffe et elle devrait se sentir mieux. Je voulais vous dire, garde Richer, que vous avez bien réagi en remontant la tête du lit de la patiente. Mais je ne comprends pas que vous ayez eu à le faire. Cette recommandation postopératoire ne semble pas avoir été suivie. Madame Plouffe doit rester sous surveillance, mais je pense qu'elle se tirera d'affaire grâce à vous. Elle aurait pu perdre un œil à cause de la pression exercée sur celui-ci. Soyez certaine que je parlerai de votre rapidité d'esprit à votre supérieure. Je pense qu'il est important de souligner les actes positifs dans l'hôpital. Rappelez-moi s'il y a quelque chose.

Après le départ du docteur Lapointe, Évelina retourna au chevet de madame Plouffe pour lui donner ses cachets. Elle était fière de son initiative d'avoir réinstallé la patiente dans son lit et, surtout, d'avoir été attentive durant le cours d'ophtalmologie !

* * *

— Tu vois que ça vaut la peine d'écouter en classe et de mettre ton nez dans les livres parfois ! affirma Simone après qu'Évelina lui eut raconté sa soirée auprès de madame Plouffe.

— Je deviens une infirmière exemplaire comme toi ! plaisanta Évelina.

— Je ne sais pas si tu deviens exemplaire, mais c'est réconfortant de voir que de t'inciter à étudier, ça porte ses fruits !

En passant, j'ai croisé Wlodek tout à l'heure ; il te cherchait. Il m'a dit de te transmettre le message suivant : il passe toute la matinée en pédiatrie et il aimerait beaucoup que tu ailles le voir.

— Je verrai si j'ai le temps, répondit Évelina même si elle savait qu'elle disposerait de tout son temps avant le dîner.

Apparemment, Simone connaissait son emploi du temps car elle haussa les sourcils avant de déclarer :

— Tu as le temps d'aller le voir avant le dîner, Évelina. Je pense que tu devrais tirer la situation au clair avec lui. Actuellement, tu te sens prise au piège. Une bonne conversation avec Wlodek ne pourra que t'être bénéfique, crois-moi !

— C'est la sage Simone qui me donne ce conseil ?

— C'est seulement ton amie qui te suggère de te libérer d'un poids. Je te connais, Évelina. Je sais pertinemment que tu n'es pas à l'aise avec cette situation. Quand tu es tourmentée, tu parles dans ton sommeil ; ces dernières nuits, j'ai entendu souvent ton monologue ! Bon, j'ai du travail, moi ! J'ai fait le message. C'est à toi de décider de la suite des choses.

Simone posa la main sur l'épaule d'Évelina avant de partir. Cette dernière avait mille choses plus importantes à faire que d'aller voir Wlodek : quelques vêtements attendaient d'être repassés, ses ongles avaient besoin d'une nouvelle couche de vernis. Elle voulait aussi faire un peu de ménage dans ses notes de cours. Bref, toutes ces activités ordinairement ennuyeuses lui semblaient cent fois plus intéressantes que de rencontrer Wlodek. « Simone n'a pas tort ; c'est vrai que cette situation m'accable. Je dois régler ça le plus rapidement possible. » À contrecœur, elle se rendit dans le service de pédiatrie.

L'infirmière au poste de surveillance la dirigea vers la pouponnière, là où le médecin se trouvait. Wlodek était penché sur un berceau et discutait avec l'infirmière de garde. Quand il leva la tête, il aperçut Évelina. Aussitôt, il confia le dossier qu'il tenait à l'infirmière à côté de lui. Après avoir poussé la porte vitrée, il s'adressa à Évelina :

— Je termine à l'instant. J'ai une vingtaine de minutes pour manger. Ça te dirait de m'accompagner ?

— Pourquoi pas ? Mon prochain cours est cet après-midi et je ne suis pas de corvée aujourd'hui.

En silence, Évelina suivit Wlodek jusqu'à la salle à manger. Elle ne savait pas comment aborder le sujet qui la tracassait. Ils prirent chacun un plateau et allèrent ensuite s'installer à une table libre. Wlodek prit quelques bouchées avant de parler. Il semblait mal à l'aise, lui aussi, et ne savait visiblement pas par où commencer.

— J'ai croisé ta mère, il y a quelques jours, et je lui ai parlé de ma demande en mariage. Elle a eu l'air ravie.

— Je suis au courant.

— En fait, Évelina, et pardonne-moi d'être aussi brusque, j'ai l'impression que ta mère est beaucoup plus enchantée par notre mariage que tu ne l'es. Est-ce que je me trompe ?

Évelina aurait très bien pu mentir à Wlodek afin de gagner du temps, mais elle en avait assez.

— Je ne sais plus où j'en suis, Wlodek…

Se tordant les mains, elle essayait de trouver la meilleure façon de lui annoncer qu'elle ne quitterait pas Montréal. Avec le peu de courage qui lui restait, elle se lança :

— En fait, je le sais parfaitement. Ça ne me dit rien du tout d'aller m'installer au Manitoba.

Wlodek déposa sa fourchette et fixa la jeune femme.

— J'ai beaucoup réfléchi, Évelina. J'en suis venu à la conclusion que ton refus de me suivre au Manitoba n'est qu'une excuse. De toute évidence, tu ne veux plus m'épouser.

Évelina repoussa son plateau. Wlodek continua :

— Tu sembles malheureuse, et je n'ai vraiment pas envie d'être responsable de ton malheur. Peut-être vaudrait-il mieux que nos chemins se séparent ?

« C'est aussi simple que ça ! » songea Évelina en prenant conscience que Wlodek restait stoïque. La jeune femme s'attendait à tout, mais certainement pas à cela ! Le pédiatre lui rendait sa liberté sans que cela paraisse trop douloureux. Il semblait même presque soulagé.

D'un ton calme, le médecin reprit :

— Je vois bien que tu fuis toute rencontre avec moi. Quand je te parle de mon inquiétude en ce qui concerne mon pays, tu ne sembles pas comprendre. D'ailleurs, la grande majorité des gens ici sont dans la même situation. Ce qui tracasse mes confrères ces derniers temps est la façon dont les horaires seront établis, car ils veulent profiter au maximum de leurs vacances cet été. C'est effectivement très préoccupant comme sujet…

Évelina ressentait toute l'ironie contenue dans les paroles de Wlodek. Elle pouvait admettre son attachement pour son pays d'origine, mais n'avait-il pas tout quitté pour recommencer une nouvelle vie ?

— Je me sens seul ici avec mes tourments, reprit le pédiatre ; c'est pourquoi je suis convaincu que de me retrouver avec d'autres Polonais sera bénéfique pour moi. Nous sommes beaucoup trop différents, Évelina, pour espérer construire quelque chose de solide ensemble.

Cette dernière était totalement d'accord avec les propos de Wlodek. Elle acquiesça en hochant simplement la tête.

— Je ne veux pas t'obliger à venir t'installer avec moi au Manitoba. Je te rends donc ta liberté.

Malgré son air résolu, Wlodek semblait plus triste qu'elle ne l'était. Évelina s'efforça de cacher son soulagement. Elle posa sa main sur celle du médecin et dit d'un ton réconfortant :

— Je te souhaite de tout cœur de trouver l'âme sœur au Manitoba, Wlodek.

Après une courte pause, elle ajouta :

— Les enfants dont tu t'occuperas là-bas auront beaucoup de chance d'être sous tes bons soins.

* * *

Évelina n'aurait jamais cru qu'elle éprouverait tant de soulagement après avoir réglé la situation avec Wlodek. Elle se sentait plus légère et se surprit même à fredonner en se rendant à son cours sur les maladies vénériennes, cet après-midi-là. Simone et Flavie se trouvaient déjà dans la salle de classe.

En voyant Évelina, Simone déclara :

— Si je me fie à ta bonne humeur, j'en déduis que tu as parlé à Wlodek.

— Eh oui ! Je suis joyeuse parce qu'on vient de rompre nos fiançailles. Mais je devrais plutôt pleurer comme une Madeleine et même me ronger les ongles jusqu'au sang en pensant que je finirai sûrement vieille fille !

— Tu es vraiment difficile à suivre ! s'exclama Simone. Tu as reçu une demande de mariage d'un médecin, comme tu l'espérais tant, et tu l'as repoussée du revers de la main. Et pourtant, c'était tout ce dont tu rêvais depuis ton arrivée à l'hôpital ! Et là, tu es d'humeur à sortir et à faire de nouvelles rencontres. Saprée Évelina ! On ne te changera pas.

Celle-ci resta songeuse quelques secondes. Puis, secouant la tête comme pour chasser les commentaires de Simone, elle s'exclama :

— Ça m'attriste quand même un peu, tu sauras !

— C'est certain que ça doit t'attrister, Évelina, commenta Flavie.

Puis, se tournant vers Simone, elle ajouta :

— Ils étaient tout de même fiancés, Wlodek et elle…

Le docteur Corriveau, qui donnait le cours sur les maladies vénériennes, entra en coup de vent dans la classe. La porte claqua, ce qui fit sursauter tout le monde. Le professeur distribua de la documentation, puis il s'empressa de commencer le cours.

— Bon après-midi, mesdemoiselles ! Entrons dès maintenant dans le vif du sujet… Selon vous, qui est responsable de la propagation des maladies vénériennes ?

Les étudiantes se dévisageaient, essayant de trouver la meilleure réponse. Quelques étudiantes rejetèrent la faute sur les prostituées. Évelina songea avec tristesse aux «filles» de sa mère qui devaient certainement être affligées de telles maladies. Il était facile de mettre en cause ces pauvres filles. Mais se prostituer, c'était souvent la seule façon qu'elles avaient trouvée pour sortir de la misère. Le docteur Corriveau exigea le silence dans la classe. La situation était en train de dégénérer, car plusieurs consœurs d'Évelina étaient scandalisées par le fait que, sur la «Main», le commerce du sexe avait pignon sur rue. Le médecin dut hausser le ton pour attirer l'attention du groupe.

— Il est très facile de blâmer le milieu de la prostitution en ce qui concerne la propagation des maladies. Mais sachez que la cause principale de ce fléau est sans contredit l'ignorance de la population.

Évelina jeta un œil sur ses consœurs qui avaient accusé les prostituées d'être les seules responsables. Certaines étudiantes faisaient la moue en écoutant les explications du docteur Corriveau; d'autres s'indignaient de l'ouverture d'esprit du médecin. Habituellement, Georgina faisait partie du groupe des saintes-nitouches, mais sa grande épreuve l'avait rendue un peu plus tolérante. Elle se contenta d'écouter calmement.

— Plusieurs traitements existent pour ralentir la progression des maladies. Grâce aux progrès de la médecine, je ne serais pas surpris que d'ici quelques années, certaines maladies se guérissent complètement. Notre rôle, mesdemoiselles, est de soigner les personnes affligées, mais aussi de faire de la prévention en parlant ouvertement aux patients des diverses maladies et de leurs conséquences. Il faut démontrer une certaine ouverture relativement à ce sujet qui est resté tabou beaucoup trop longtemps.

Évelina aimait l'approche du docteur Corriveau, car celui-ci ne jugeait pas les patients. C'était des médecins de ce genre qui modernisaient les soins hospitaliers. Ils n'avaient pas peur de contrevenir à ce qui avait été établi par les religieuses. La médecine relevait de la science et non pas de la religion. Évelina approuvait cette façon de penser.

* * *

— Victor a insisté pour t'inviter, Simone. Paul comprendra que tu manques le dîner de Pâques de ses parents. Vous devriez survivre l'un sans l'autre pendant quelques heures. Ça ferait tellement plaisir à Flavie que nous y allions toutes les trois.

Un peu plus tôt, Simone avait accepté l'invitation de Paul d'aller chez les Choquette ; elle avait donc dû décliner l'offre de Flavie. Cela avait semblé attrister cette dernière, mais comme à son habitude, elle s'était montrée compréhensive. Depuis quelques jours, Flavie paraissait triste et Évelina avait décidé de tout faire pour lui ramener sa bonne humeur. Cette dernière tentait donc de convaincre Simone de venir chez Victor.

— Flavie serait tellement heureuse que nous soyons près d'elle toutes les deux.

— Tu ne fêtes pas Pâques en famille, Évelina ? Je suis certaine que ta mère serait contente de te voir !

Voyant là une tactique pour la déstabiliser, Évelina ne releva pas.

— Ma mère m'a invitée, mais je n'ai pas du tout l'intention d'aller chez elle. Tu sais, moi, les fêtes en famille…

Après une pause de quelques secondes, Évelina reprit :

— Je considère la famille de Flavie comme ma véritable famille.

— La présence d'Antoine doit y être pour quelque chose…

Simone n'avait pas tout à fait tort, mais Évelina s'était toujours sentie la bienvenue à La Prairie. Elle décida d'utiliser sa dernière arme, sachant que Simone adorait la grand-mère de Flavie.

— Même Delvina sera chez Victor. Tu ne peux pas manquer ça, Simone !

— Je vais voir ce que je peux faire. Laisse-moi d'abord en parler à Paul.

Évelina afficha un sourire vainqueur. Simone leva la main.

— Je n'ai pas encore dit oui !

Devinant qu'elle avait presque réussi à convaincre Simone, Évelina en profita :

— Et puis, je suis certaine que Victor serait très heureux que Paul t'accompagne !

Simone hocha la tête et reporta ensuite son attention dans son livre. Évelina, pour sa part, ne voulait en aucun cas manquer cette occasion de se rendre chez Victor. La famille de Flavie y serait au grand complet et elle était impatiente de revoir Antoine. Elle était libre à présent et avait hâte d'annoncer au jeune homme que le « ménage » dans sa vie allait bon train. Elle avait beaucoup pensé à lui ces derniers jours. Sa rupture avec Wlodek ne l'avait pas affectée outre mesure. Seule l'idée de finir ses jours célibataire la tourmentait un peu, mais elle était encore jeune et avait toute la vie devant elle.

Parcourant la bibliothèque des yeux, Évelina se rendit compte que seule Simone et elle occupaient ce lieu de savoir. Simone tenait à commencer à réviser pour être certaine d'être prête pour les examens. Évelina avait beau lui répéter qu'elle obtiendrait très certainement la meilleure note de la classe, Simone ne relâchait pas ses efforts. Évelina se leva et se pencha vers son amie.

— Je vais te laisser étudier seule. Sais-tu où est Flavie?

— Elle devait venir nous rejoindre après son travail au dispensaire. Elle n'a probablement pas encore terminé.

— Dans ce cas, je vais aller la rejoindre. Ça ne me sert à rien d'étudier tout de suite cette matière-là. Je préfère attendre un peu; sinon, je suis certaine que, d'ici les examens, j'aurai tout oublié.

— Dans ce cas-là, laisse-moi étudier en paix!

Évelina ne se fit pas prier pour quitter les lieux. Elle avait toujours détesté cette pièce. La jeune femme savait que c'était le meilleur endroit pour éviter d'être dérangée lorsqu'elle étudiait, mais elle aurait bien le temps de s'y mettre plus tard.

En se dirigeant vers le dispensaire, elle croisa Bastien sur sa route. Elle tenta de passer son chemin sans qu'il la voie, mais ce fut peine perdue. Il l'intercepta.

— Tu me fais une belle réputation, Évelina Richer!

— Je n'ai rien à voir là-dedans, Bastien. Tu t'es forgé toi-même cette réputation.

— C'est toi qui as raconté à Ludivine mes «erreurs de parcours»?

— Non. Tes « erreurs de parcours » s'en sont chargées elles-mêmes… Simone et Georgina n'ont fait que mettre en garde Ludivine contre tes talents de séducteur !

Évelina tenta de poursuivre sa route, mais Bastien la retint par le bras.

— Tu veux que je te dise, Évelina ? Je n'ai jamais compris pour quelle raison tu m'avais laissé tomber. Nous sommes pareils tous les deux.

— Qu'est-ce que ça signifie, Bastien ?

— Nous aimons tous les deux profiter des gens et, surtout, nous réussissons tout ce que nous entreprenons. Nous sommes des vainqueurs-nés. Tu ne trouveras jamais quelqu'un qui te comprend mieux que moi.

Évelina recula afin de se défaire de l'emprise de Bastien.

— C'est ce que tu crois. Mais moi, contrairement à toi, je n'ai profité de personne.

— Le charmant docteur Litwinski s'est vite rendu compte que tu n'en valais pas la peine. À ce qu'il paraît, vous n'êtes plus ensemble tous les deux ?

Évelina n'avait pas du tout envie de discuter de sa vie sentimentale avec Bastien. Ce dernier reprit la parole :

— Quand je serai chirurgien en chef, tu me supplieras de te reprendre.

Évelina ne put s'empêcher d'éclater de rire. Franchement ! Pour qui la prenait-il ?

— Tu peux toujours rêver, Bastien Couture ! Et puis, tu n'as pas encore obtenu le poste, à ce que je sache.

— Ce n'est qu'une question de formalité. Le conseil annoncera bientôt qui succédera à ce bon vieux docteur Talbot.

— Clément est le favori. Je ne pense pas que tu réussisses à le supplanter.

— À ce que je vois, tu n'es pas au courant ?

Bastien venait de piquer la curiosité d'Évelina. En constatant qu'il avait toute l'attention de son interlocutrice, le jeune homme poursuivit :

— À ce qu'il paraît, Clément ne serait plus dans la course. Il se serait désisté pour la succession du docteur Talbot. C'était trop de responsabilités pour lui, je suppose.

* * *

— Tu es certaine de ce que tu avances, Évelina ?

— En tout cas, Bastien avait l'air sûr de lui en affirmant qu'il serait le prochain chirurgien en chef de l'hôpital Notre-Dame.

— Clément aurait donc renoncé à ce poste ?

— Bastien prétend que c'est parce que les responsabilités lui font peur, mais je doute que ce soit le cas.

— Moi aussi, déclara Flavie. Clément est ambitieux et c'est un bourreau de travail, ajouta-t-elle sur un ton assuré.

Flavie demeura songeuse pendant qu'Évelina regardait défiler le paysage urbain. En ce dimanche de Pâques, Arthur était passé les prendre peu après la corvée du matin. Elles reviendraient en fin d'après-midi, afin de distribuer les plateaux du souper aux patients. Les deux jeunes femmes se réjouissaient de bénéficier d'un congé pour le dîner de Pâques. Flavie avait confié à Évelina, à plusieurs reprises, à quel point sa famille lui manquait. Flavie avait rendu sa liberté à Léo et elle semblait affectée par le départ imminent du journaliste pour l'Europe. En aucun cas, elle n'aurait voulu que Léo sacrifie sa carrière pour rester à Montréal. Mais désormais, Flavie craindrait pour la sécurité de celui qu'elle considérait désormais comme un ami. Si la guerre se déclarait, Léo serait appelé à se rendre près des champs de bataille pour rapporter les faits aux lecteurs de son journal.

Lorsque Évelina avait raconté sa rencontre avec Bastien et la nouvelle qu'elle avait apprise à cette occasion, elle avait vu une lueur d'espoir dans les yeux de Flavie. Si les propos de Bastien étaient véridiques, on pouvait supposer que Clément s'était désisté pour se rapprocher de Flavie. Cette dernière l'espérait de tout cœur. Elle-même n'était pas parvenue à trouver l'âme sœur, mais ses amies méritaient d'être heureuses toutes les deux.

Arthur immobilisa la voiture devant la maison de Victor. Il descendit à la hâte pour ouvrir la portière à ses passagères. Flavie sourit à Évelina et gravit le perron. Cette dernière la suivait de près. Pour la première fois, Flavie entra sans frapper. Elle cria : « Je suis là ! » pour annoncer son arrivée à son père.

Victor se précipita dans le vestibule pour accueillir sa fille. Il enlaça et embrassa chaleureusement Flavie avant de déposer un baiser sur la joue d'Évelina.

— Je suis heureux de vous voir toutes les deux. Simone n'est pas venue, finalement ?

— Elle avait reçu une invitation pour aller dîner chez les parents de Paul, répondit Flavie.

— Simone ne voulait surtout pas déplaire à ses futurs beaux-parents, commenta Évelina avec une pointe d'amertume dans la voix.

— Elle aurait beaucoup aimé se joindre à nous, Évelina. Elle ne pouvait tout de même pas se séparer en deux !

— Non, évidemment…

Victor invita Flavie et Évelina à le suivre jusqu'au petit salon. Delvina et Bernadette s'y trouvaient ; elles buvaient du champagne. Évelina chercha des yeux Antoine. Rapidement, elle se rendit à l'évidence : le frère de Flavie n'était pas là. Delvina se leva pour embrasser sa petite-fille et l'amie de celle-ci.

— Antoine a dû rester à La Prairie. Une de ses vaches doit vêler d'une journée à l'autre, et il préférait rester sur place. Mais rassurez-vous, il ne se privera pas d'un bon dîner de Pâques. Les parents de Jeanne Guillemette l'ont invité à se joindre à eux.

Évelina blêmit, ce qui n'échappa pas à Bernadette. Celle-ci se leva à son tour pour enlacer sa fille et saluer Évelina.

— Antoine a toujours été comme ça. Ses animaux sont sa priorité.

— C'est qu'il ne peut pas se permettre de perdre une bête, maman, dit Flavie pour défendre son frère et rassurer Évelina. Antoine est très fier de son troupeau et il a besoin de toutes ses vaches pour assurer sa production de lait.

Bernadette retourna s'asseoir et porta sa coupe de champagne à ses lèvres. Elle but tout en détaillant Évelina de la tête aux pieds. Cette dernière ne se laissa pas intimider par la mère de son amie. Elle prit la coupe que Victor lui offrait et alla s'asseoir dans le fauteuil voisin de Delvina. Cette dernière s'enquit de Simone.

— Est-ce que notre belle Simone travaillait aujourd'hui ?

— Non. Elle est allée dîner chez les parents de son fiancé.

— Oh ! Comme je suis contente pour elle ! Elle a enfin trouvé l'âme sœur. Et toi, ma belle fille, as-tu un prétendant aussi ?

Évelina s'efforça de sourire, malgré ses sombres pensées. Celui qu'elle aurait bien aimé comme prétendant brillait par son absence et devait s'amuser ferme en compagnie de cette Jeanne.

— Non, pas pour le moment, madame Lemire. Je préfère me consacrer à mes études.

— Une belle fille comme toi sans prétendant ? On aura tout vu ! Et ton beau médecin polonais ?

— Nous avons rompu. Je suis à nouveau célibataire.

Évelina avait prononcé sa dernière phrase assez fort pour que Bernadette l'entende.

— Tu lui trouveras rapidement un remplaçant, commenta Delvina. Un de perdu, dix de retrouvés, comme on dit !

Évelina acquiesça d'un signe de la tête pour clore la discussion. Elle fut soulagée qu'une des domestiques de Victor vienne annoncer que le dîner était servi. Tous s'attablèrent. En chef de famille, Victor entreprit de trancher l'immense jambon qui trônait au centre de la table. Le dîner se déroula de façon conviviale ; même Bernadette, qui paraissait détendue, émit quelques plaisanteries. Évelina suivait distraitement les différentes conversations. Il ne se passait rien de vraiment intéressant à La Prairie : la planification du potager de Bernadette, le temps des sucres qui s'annonçait tardif cette année-là, la nouvelle courtepointe piquée par Delvina cet hiver-là… Tous ces sujets l'ennuyaient profondément. Pour sa part, Flavie se laissait imprégner par un monde qu'elle connaissait. Sa tristesse des jours précédents semblait avoir disparu.

Évelina termina son assiette en silence. Elle ne pouvait s'empêcher de se demander ce que faisait Antoine à ce moment-là. Il était probablement attablé, occupé à manger du jambon et des pommes de terre en purée chez cette Jeanne. Évelina détestait penser qu'Antoine s'amusait probablement loin d'elle et, surtout, que les pensées du jeune homme étaient tournées vers quelqu'un d'autre. Si ce n'avait été de sa promesse à Flavie d'assister à ce dîner, elle serait retournée sur-le-champ à l'hôpital. Finalement, peut-être aurait-il mieux valu qu'elle reste là-bas. Évelina prenait conscience qu'elle avait accompagné Flavie chez Victor dans l'unique espoir de voir Antoine et de discuter avec lui. Mais comme il était absent, pourquoi ne rentrerait-elle pas immédiatement après le dîner ?

Le repas terminé, Victor invita ses convives à le suivre au salon pour y prendre le digestif. Évelina était sur le point de s'esquiver quand Delvina la retint par le bras.

— Je trouve que Flavie a l'air plutôt songeur. Sais-tu pourquoi ?

Évelina s'assura que son amie ne pourrait entendre ce qu'elle s'apprêtait à révéler. Flavie discutait avec son père et sa mère plus loin dans la pièce. Puisque Delvina était la grand-mère de Flavie, Évelina pouvait bien lui faire quelques confidences.

— Flavie a rompu avec Léo Gazaille récemment. Je pense qu'elle considérait Léo comme un ami plutôt que comme un amoureux.

— Le beau docteur Langlois y serait-il pour quelque chose?

— Peut-être bien… On ne peut rien vous cacher, Delvina !

— J'ai toujours pensé qu'ils finiraient ensemble tous les deux. Je suis certaine que Flavie serait heureuse avec quelqu'un comme lui.

— Vous êtes une vraie sorcière !

Delvina fit un clin d'œil à Évelina avant de déclarer :

— Veux-tu que je te dise ce que je pense à ton sujet, ma chère ?

Évelina se demandait bien quelles révélations la grand-mère de Flavie s'apprêtait à lui faire. Elle se prêta au jeu.

— Je suis tout ouïe, Delvina…

— Je pense que sous tes airs de jeune femme qui aime s'amuser et profiter pleinement de la vie se cache une personne sensible qui aspire au bonheur. Tu sembles plus sereine que la dernière fois que je t'ai vue ; on dirait que tu as trouvé ce que tu cherchais depuis longtemps.

Évelina était ébahie. Elle pensait que les gens la percevaient comme une écervelée dépourvue de sentiments, mais la grand-mère de Flavie avait cerné sa véritable personnalité. Cette femme l'impressionnait tant ! La jeune femme comprenait à présent toute l'affection que Simone lui portait. Si Évelina avait songé à retourner à l'hôpital quelques minutes auparavant, désormais il n'en était plus question. Elle avait un peu de temps avant la corvée du soir, et Simone n'était probablement pas encore rentrée de son dîner avec Paul. S'approchant de Flavie, Bernadette et Victor, Évelina entendit leur conversation.

— C'est ce qui me fait dire qu'avant la fin de l'année nous aurons peut-être droit à des fiançailles ! annonça Bernadette avec fierté.

— Es-tu certaine de ce que tu dis là, maman ? Il me semble qu'Antoine a toujours considéré Jeanne comme une amie, tout simplement.

— Ils passent beaucoup de temps ensemble tous les deux. Ça ne me surprendrait pas qu'il lui fasse la grande demande bientôt. Que demander de plus ? Ma fille qui reçoit son diplôme d'infirmière et mon fils qui se marie ! Je suis une mère comblée.

Pour la seconde fois depuis son arrivée, Évelina blêmit. Elle n'était plus du tout certaine à présent de vouloir rester chez Victor. Attendant le moment propice, elle s'approcha du groupe et annonça qu'elle devait rentrer.

— Je vous remercie, Victor, pour votre hospitalité. Je préfère vous laisser passer un peu de temps en famille. Je vais en profiter pour aller me reposer un peu avant la corvée du soir. Merci encore pour ce délicieux dîner.

— Arthur va vous raccompagner, Évelina.

— Ne vous dérangez pas. Je vais appeler un taxi.

Flavie se doutait bien de la raison pour laquelle son amie voulait partir ; Évelina avait probablement saisi les paroles de Bernadette. Elle proposa de rentrer avec Évelina, mais celle-ci déclina son offre.

— Non, Flavie, je vais rentrer seule. Il te reste encore deux bonnes heures à passer en compagnie de tes parents et de ta grand-mère. Profites-en !

— Tu es certaine ?

Évelina acquiesça. Victor s'adressa à cette dernière :

— Je préfère qu'Arthur vous raccompagne plutôt que vous preniez un taxi. Reposez-vous bien.

— Merci encore une fois pour votre hospitalité, Victor.

Évelina salua Bernadette et Delvina et embrassa Flavie sur une joue en lui soufflant : « À tout à l'heure ! » Dans le vestibule, elle prit son manteau et mit ses bottes en attendant qu'Arthur vienne la prévenir que la voiture était avancée. Au moment où elle allait sortir pour prendre l'air, elle vit Bernadette qui venait à sa rencontre.

— Je connais la véritable raison de votre départ, Évelina. Vous n'acceptez pas que mon fils se soit détourné de vous. C'est une bonne chose qu'Antoine ait finalement porté son choix sur Jeanne. Il sera plus heureux ainsi.

Évelina recula, prête à ouvrir la porte pour prendre la fuite. Bernadette continua :

— J'ai eu peur qu'il s'entiche de vous, Évelina. Vous êtes beaucoup trop différents tous les deux pour que ça fonctionne entre vous.

— Qu'est-ce que vous en savez, madame Prévost ?

— Je sais quel genre de fille vous êtes, Évelina. Une fois mon fils pris dans vos filets, vous vous seriez rapidement lassée de lui.

Évelina sentit sa gorge se nouer. Peut-être Bernadette avait-elle raison ? Pourtant, Évelina avait l'impression d'avoir changé. Même Delvina avait remarqué qu'elle était plus sereine. La jeune femme s'était moquée de beaucoup d'hommes dans sa vie, mais jamais d'Antoine. Bernadette se montrait injuste avec elle. Elle avait droit à une chance.

Évelina regarda Bernadette droit dans les yeux.

— C'est ce que vous pensez ? Je suis prête à vous prouver le contraire !

— Comment allez-vous faire, Évelina ? Antoine est presque fiancé à Jeanne ! Vous feriez mieux de renoncer à mon fils ; jamais vous ne pourrez le rendre heureux.

— Vous me jugez sans véritablement me connaître, Bernadette.

— Antoine s'est morfondu durant tout l'automne, attendant de vos nouvelles. Mais fort heureusement, il a compris que vous n'étiez pas pour lui. Lâchez prise, Évelina, et laissez-le vivre sa vie !

La jeune femme avait envie de dire à Bernadette que Victor se morfondait depuis plusieurs années, espérant un signe de sa part. Mais elle se retint, refusant d'envenimer davantage la situation. Elle sortit à l'extérieur.

Lorsque Évelina s'assit dans la voiture, les dernières paroles de Bernadette résonnaient encore à ses oreilles :

— Ne vous avisez pas de briser le cœur d'Antoine, Évelina. Vous me trouveriez sur votre chemin !

13

Simone replaça dans son écrin la petite bague en or que Paul lui avait offerte lors du dîner de Pâques. Avec la complicité de ses parents, il avait demandé officiellement la jeune femme en mariage. Évelina ne put s'empêcher de demander à Simone de lui montrer la bague encore une fois. Celle-ci s'était faite discrète au cours des jours précédents en ce qui concernait ses fiançailles. Elle n'était plus certaine à présent d'avoir pris la bonne décision en se confiant à Évelina à ce sujet. L'enthousiasme de son amie s'avérait assez difficile à contenir.

— Enfin ! Le chat sort du sac ! Tu semblais si songeuse depuis le dîner de Pâques. Je n'arrive pas à croire que ma « maîtresse d'école » préférée soit fiancée depuis la semaine dernière ! Flavie n'en reviendra pas quand elle reviendra de son quart de travail. Je ne comprends pas pourquoi tu ne t'es pas empressée de nous annoncer la bonne nouvelle. Nous faire attendre si longtemps, c'est presque inhumain !

Évelina referma l'écrin et le redonna à Simone, qui le plaça dans le tiroir du haut de sa commode. Évelina s'étonna :

— Tu la laisses là ? Il me semble que tu devrais porter fièrement la bague du docteur Choquette !

— Tu le sais comme moi qu'il nous est interdit de porter des bijoux. Et puis, Paul et moi, nous ne voulons pas que tout le monde sache que nous sommes fiancés. Je préfère attendre d'avoir obtenu mon diplôme, et Paul est d'accord avec ma décision.

— Mais de là à cacher ta bague, franchement! Je serais si contente d'avoir une bague de fiançailles. Je ne la cacherais certainement pas dans un fond de tiroir!

— Je suis la discrétion personnifiée! Depuis le temps, tu devrais le savoir!

— Tu es surtout la modestie incarnée, Simone. Tu fréquentes un des nouveaux médecins les plus en vue de Notre-Dame et tu veux garder secrets vos projets! Je n'en reviens pas! C'est pour quand le grand jour? En avez-vous discuté?

— Pas encore. Je tiens à terminer mes études avant toute chose.

— Si tu veux travailler à l'hôpital après l'obtention du diplôme, tu vas devoir attendre un peu avant de te marier.

Simone grimaça.

— Je sais que l'hôpital n'emploie pas de femmes mariées, Évelina. Ce n'est pas nécessaire de me le rappeler!

— Qui aurait dit que ce serait toi, la «madame docteur» élevant paisiblement ses enfants à la maison!

— Je ne suis pas encore une «madame docteur», tu sauras! Et puis, on réfléchit à une solution, Paul et moi.

— Et vous voulez faire quoi? Vous expatrier au Manitoba avec Wlodek? se moqua Évelina.

— On verra ça plus tard!

Simone referma le tiroir de sa commode avec rage. Évelina sursauta. Constatant qu'elle s'était peut-être un peu trop moquée de son amie, elle s'excusa.

— Je ne voulais pas te blesser en disant que les femmes mariées ne peuvent pas travailler à l'hôpital. Tu pourrais peut-être te faire engager dans le privé ?

— Probablement… Je suis sûre, Évelina, que tu ne souhaitais pas me blesser. Mais ça m'enrage que les infirmières diplômées mariées ne puissent pas être embauchées dans les hôpitaux. Ce n'est pas parce qu'une femme est mariée qu'elle est moins compétente ! C'est tellement rétrograde, ça me décourage !

Simone s'étendit sur son lit en poussant un soupir. Trop préoccupée par ses récentes fiançailles, elle ne s'était pas rendu compte qu'Évelina semblait soucieuse depuis le dîner de Pâques chez Victor, et ce, au grand bonheur de la principale intéressée. Évelina essayait d'oublier l'avertissement de Bernadette. C'était mal la connaître que de croire qu'elle renoncerait aussi facilement à Antoine. Le doute l'assaillait pourtant. Évelina essayait de se convaincre que Jeanne ne valait pas mieux qu'elle. Mais en son for intérieur, elle craignait que Bernadette n'ait raison : il était peut-être préférable pour Antoine d'épouser une fille comme Jeanne.

Simone se releva sur ses coudes et se tourna vers Évelina.

— Pourquoi tu ne me réponds pas ? Je t'ai posé une question, il me semble !

Perdue dans ses pensées, Évelina sursauta. Elle fit signe à Simone de continuer.

— Tu ne m'as pas raconté comment s'était déroulé ton dîner de l'autre jour chez Victor. As-tu eu le temps de discuter avec Antoine, au moins ?

— Le jambon était délicieux, si c'est ce que tu veux savoir !

Dépitée, Simone hocha la tête. Elle détestait quand Évelina lui répondait de cette façon. Voyant que son amie s'impatientait, Évelina répondit simplement :

— Il n'était pas là, car une de ses vaches était sur le point de vêler.

Simone dévisagea Évelina quelques instants. Comprenant que son amie était sérieuse, elle éclata de rire.

— Ah ben, par exemple ! Tu parles d'une affaire ! Un autre qui est préoccupé par la santé de ses patients !

Évelina ne put s'empêcher de pouffer à son tour.

— Je peux encore rêver de devenir une « madame docteur ». Après tout, Antoine a plusieurs « patientes » dans son étable !

* * *

L'arrivée du mois de mai avait toujours réjoui les étudiantes. Les rayons de soleil un peu plus chauds et la nature qui verdissait tranquillement chassaient la grisaille de l'hiver. Tout cela promettait des vacances bien méritées aux étudiantes qui pouvaient s'offrir le luxe de prendre un congé. Pour les autres qui se portaient volontaires pour travailler et remplacer les gardes diplômées durant la saison estivale, cette période s'avérait un peu moins chargée que le reste de l'année. Il n'y avait pas de cours, alors les étudiantes en profitaient pour approfondir la matière acquise durant les mois précédents.

Cette année particulièrement, l'euphorie régnait dans la résidence des infirmières. La nervosité et l'excitation entourant les examens de fin d'année qui auraient lieu quelques semaines plus tard y étaient certes pour quelque chose, mais un événement de grande envergure se préparait dans la métropole. Le couple royal – formé du roi George VI et de la reine Élisabeth – viendrait au Canada à la mi-mai. Pour la première fois dans l'histoire, un monarque régnant visiterait le pays. Devant l'imminence d'une guerre avec l'Allemagne, cette visite servirait sans contredit à renforcer les liens entre le pays et l'Empire britannique.

Les raisons fort probablement politiques de cette visite passaient bien après l'euphorie engendrée par la présence du souverain et de son épouse au pays. Les journaux décrivaient, depuis plusieurs semaines déjà, comment se déroulerait cette visite historique. Les vitrines de magasins affichaient leurs vœux de bienvenue au roi et à la reine. Même les deux compagnies ferroviaires principales, le Canadien National et le Canadien Pacifique, avaient mis un train au service de Sa Majesté pour parcourir le pays d'un océan à l'autre. Cette visite jetait un baume sur les inquiétudes engendrées par un conflit probable avec l'Allemagne.

Habituellement peu intéressée par les actualités, Évelina se précipitait sur les journaux pour lire toutes les nouvelles concernant cet événement.

— Il faut absolument que je sois en congé cette journée-là ! Je ne voudrais pas manquer ça pour tout l'or du monde.

— La plupart des gens espèrent ne pas travailler, commenta Simone. Je n'ai jamais rien vu de tel ; tout le monde ne parle que de cette visite. Le roi passera une seule petite journée à Montréal et on l'attend comme s'il avait décidé de s'installer ici pour de bon. Il y a tellement de choses plus importantes dans la vie que la visite d'un roi, franchement !

— Tu ne sais pas ce que tu dis, Simone ! C'est l'événement mondain de l'année !

— Tout ce que tu vas voir ce jour-là, Évelina, c'est la voiture du roi et de la reine passer dans la rue. Le couple saluera probablement la foule de la main et c'est tout.

Évelina se pencha de nouveau sur son journal. Elle en déchira l'une des pages, qu'elle brandit ensuite en direction de Simone.

— Devine qui suivra le cortège de Leurs Majestés et rapportera tous les faits de cette journée mémorable ?

— Qui ? s'informa Flavie qui venait d'entrer dans la salle commune.

— Qui d'autre que Léo Gazaille ? précisa Évelina en tendant la page de *La Patrie* à son amie.

— Je le savais, car il me l'a dit l'autre jour. C'est d'ailleurs le dernier événement qu'il couvrira avant son départ pour l'Europe.

— Et c'est maintenant que tu nous l'apprends !

— Il partira quelques jours après l'arrivée du roi à Montréal.

— Je ne parle pas du départ de Léo, mais de sa couverture de l'événement !

— Franchement, Évelina ! C'est comme si tout tournait autour de cette visite ! Visiblement, Flavie est affectée par le départ de Léo et c'est tout ce que tu trouves à lui dire ? Tu ne penses qu'à toi, comme d'habitude !

Évelina chiffonna la feuille de journal avant de croiser les bras. Abruptement, Simone venait de lui faire prendre conscience – encore une fois – qu'elle s'était laissée emporter par son enthousiasme sans prêter attention aux sentiments de son amie. Évelina pinça les lèvres sans toutefois reconnaître que Simone avait raison.

Flavie tempéra les propos de Simone.

— C'est sûr que cela m'affecte, mais j'assume entièrement mon choix de laisser partir Léo. Il rêve depuis si longtemps d'obtenir un poste comme celui qui lui a été proposé. Ne te tracasse pas avec ça, Évelina. La visite du roi George VI sera grandiose, en effet, et tu fais bien de t'en réjouir. Ça fait du bien de parler d'autre chose que de cette maudite guerre qui plane et des examens de fin d'année.

Simone, qui s'était fâchée contre Évelina, se radoucit.

— Tu as entièrement raison, Flavie. Toutes les trois, nous sommes plutôt tendues ces temps-ci ; un peu de divertissement ne pourra nous être que bénéfique. Je pense que les examens de fin d'année me rendent nerveuse.

— Pourtant, comme d'habitude, tu n'as aucune raison de l'être, Simone, affirma Évelina. Tu es la plus douée de nous trois. Tu réussiras les examens haut la main encore une fois !

Flavie acquiesça pour confirmer les paroles d'Évelina. Voulant détendre l'atmosphère, cette dernière fit un clin d'œil à Flavie avant de dire à Simone :

— Et puis, si tu ne réussis pas tes examens, tu pourras te marier plus rapidement avec Paul !

Pendant quelques secondes, Simone resta interdite. Puis, elle éclata de rire en voyant qu'Évelina et Flavie avaient de la difficulté à garder leur sérieux.

— C'est bien vrai ! De toute façon, je ne pourrai pas être infirmière longtemps dans ce monde rétrograde !

* * *

— Sais-tu où je pourrais trouver Flavie ? Il faudrait que je lui parle.

Clément venait d'intercepter Évelina dans le couloir qui menait au dispensaire.

— Je pense que Flavie travaille au deuxième étage aujourd'hui. Est-ce que c'est trop indiscret de te demander pour quelle raison tu veux la voir ?

Clément hésita quelques instants avant de répondre.

— Bah ! Je peux bien te le dire. De toute façon, tu le sauras assez vite. Les nouvelles circulent à une vitesse folle dans cet hôpital…

Évelina fit mine de réfléchir, puis elle déclara :

— Laisse-moi deviner… Le docteur Talbot va annoncer que Bastien Couture prend sa place comme chirurgien en chef de l'hôpital.

— Tu le savais ?

— Tu connais Bastien ! Il s'en est vanté avant même d'être certain de la décision du docteur Talbot.

Clément hocha la tête. En effet, il connaissait mieux que personne celui qui avait été son meilleur ami pendant l'internat. Mais depuis, leur amitié avait été mise à rude épreuve ; celle-ci s'était transformée en féroce compétition à cause de l'ambition démesurée de Bastien.

— J'imagine qu'il doit même t'avoir dit que je me désistais à cause de ma peur des responsabilités !

— C'est à peu près ça…

Clément sourit et se passa la main sur le visage.

— On ne le changera pas! Le docteur Talbot m'avait demandé de prendre sa place sans même consulter Bastien. J'ai refusé pour une seule et unique raison, et ce n'est certainement pas la peur des responsabilités.

— Je pense savoir pourquoi…

Clément fixa Évelina droit dans les yeux.

— Tu devrais te dépêcher d'aller retrouver Flavie, s'empressa-t-elle d'ajouter en gratifiant son interlocuteur d'un clin d'œil complice.

— Tu penses qu'elle veut encore de moi dans sa vie? Il y a ce journaliste qui rôde dans les parages…

Évelina lui confia que Flavie avait rompu avec ce dernier.

— Elle n'était pas certaine de partager les sentiments de Léo. Et puis, sache que celui-ci part pour l'Europe dans quelques jours.

— Dans ce cas, j'ai peut-être une chance! Merci Évelina!

— Il n'y a pas de quoi, Clément!

Clément s'éloigna d'un pas rapide. Évelina l'observa jusqu'à ce qu'il disparaisse au bout du couloir. «Un autre couple réuni par mes bons soins!» se félicita-t-elle.

* * *

La journée avait mal débuté. Évelina s'était levée en retard même si Simone l'avait secouée à plusieurs reprises pour la sortir du sommeil. Elle avait déjeuné à la hâte avant de se rendre au cours de christianisme, où sœur Désuète l'avait accueillie d'un cinglant : « Toujours aussi ponctuelle, mademoiselle Richer ! »

Évelina avait espéré jusqu'à la dernière minute qu'elle obtiendrait un congé pour pouvoir assister à l'arrivée du couple royal. Quand elle avait vu son nom sur la liste des étudiantes affectées aux différentes tâches de l'hôpital, elle avait éprouvé beaucoup de déception. Elle avait dû se conformer à l'emploi du temps qui lui avait été assigné. D'humeur maussade, elle s'était rendue à la salle des plâtres pour y passer la journée. Évelina détestait cette tâche salissante et monotone. Il fallait s'assurer que le membre du patient était bien immobilisé et vérifier constamment que la circulation sanguine se faisait normalement. Le plâtre était visqueux et froid. Et même si les aspirantes infirmières prenaient la précaution de mettre un tablier, elles devaient s'attendre à devoir laver leur robe à la fin de la journée.

Une vive agitation régnait dans l'hôpital. Le couple royal était attendu en début d'après-midi dans la métropole. Les plus chanceuses avaient obtenu un congé cette journée-là. Un groupe d'étudiantes s'était même formé pour aller accueillir les souverains directement à la gare Jean-Talon. De là-bas, le cortège royal se mettrait en branle, suivant l'itinéraire déjà établi à travers les rues de la ville. Évelina aurait rêvé de se joindre à ses consœurs, mais elle était une des « malchanceuses » qui manqueraient l'événement historique.

Durant l'heure du dîner, la jeune femme retrouva Flavie et Simone dans la salle à manger. Elle se laissa choir lourdement sur une chaise en soupirant.

— Ah ! Comme la journée me paraît longue ! Je ne sais pas ce qui se passe dans la belle ville de Montréal, mais on dirait que tout le monde s'est donné le mot pour se casser un membre.

Un aussi grand nombre de patients qui attendent pour se faire faire un plâtre, je n'ai jamais vu ça !

— C'est curieux, indiqua Flavie. Habituellement, les gens se fracturent plus souvent des membres en hiver à cause de la glace sur les trottoirs.

— Les gens sont excités de voir George VI, alors ils se cognent partout ! plaisanta Simone.

Évelina lui jeta un regard mi-amusé, mi-agacé.

— En tout cas, j'aurais aimé avoir congé aujourd'hui plutôt que d'être obligée de faire de la « sculpture ». C'est salissant sans bon sens, ce travail-là. Je pense qu'après le « torchonnage » de patients, c'est la pire affaire !

— Tu veux mon avis, Évelina ? N'importe quoi serait épouvantable pour toi aujourd'hui puisque tu ne peux aller saluer le roi et la reine.

— Avoue que ce n'est pas drôle de se retrouver confinée ici. Même Charlotte a plus de liberté que nous, j'en suis certaine.

— Tu exagères un peu, je pense !

Évelina réprima un sourire. Elle imaginait mal la novice postée au bord de la rue, en train de saluer George et son épouse. Elle se tourna vers Flavie qui terminait son assiette en silence. D'humeur joyeuse, cette dernière but d'un trait son verre d'eau. Clément avait certainement parlé à Flavie, ce qui expliquait pourquoi celle-ci était aussi guillerette. Simone avala en vitesse le reste de son repas. Elle salua ses deux amies et retourna travailler à la pharmacie où elle était assignée pour la journée.

Évelina profita des quelques minutes qui lui restaient pour interroger Flavie.

— Tu flottes littéralement, Flavie. Qu'est-ce qui se passe?

— Tu dois t'en douter un peu, Évelina. Clément m'a dit qu'il t'avait rencontrée avant de m'annoncer sa nouvelle.

— Je suis contente pour vous deux.

— Tu te rends compte: il a renoncé à un poste aussi important pour me prouver qu'il tient à moi!

— Mais Simone et moi, on a toujours su qu'il tenait à toi…

— Oui, vous m'avez souvent dit toutes les deux que nous étions faits pour aller ensemble, Clément et moi. Mais il m'a fallu du temps pour le réaliser. J'ai même eu le temps de blesser Léo au passage…

Évelina décela une lueur de tristesse dans les yeux de son amie. Posant sa main sur celle de Flavie, la jeune femme dit doucement:

— Tu lui as offert sa liberté, Flavie. Léo ne pourra jamais t'en vouloir pour ça.

— Ça m'inquiète qu'il s'en aille outre-mer. S'il lui arrivait quelque chose, je ne pourrais jamais me pardonner de l'avoir laissé partir. Mes sentiments sont mitigés, Évelina: je suis très heureuse que Clément revienne dans ma vie, mais tellement triste que Léo en soit sorti.

— Je comprends… murmura Évelina.

Elle-même avait un peu expérimenté ce type de sentiment quand elle avait quitté Wlodek. Elle était triste d'avoir rompu avec lui pour la vie de femme mariée qu'elle n'aurait pas, mais heureuse de l'avoir fait car, finalement, ils étaient beaucoup trop différents. Flavie consulta l'horloge fixée sur le mur au fond de la pièce.

— On ferait mieux d'y retourner si on veut pouvoir prendre une pause tout à l'heure et avoir la chance de voir passer le bon roi George sur la rue Sherbrooke.

— Je savais que je n'étais pas la seule à ne pas vouloir manquer cet événement ! Simone n'arrête pas de se moquer de moi ; elle dit que mon désir de voir passer le cortège est futile et dépourvu d'intérêt !

— C'est Simone qui m'a appris que le couple royal passera devant l'hôpital. Il faut croire qu'elle non plus, elle n'échappe pas à toute cette frénésie !

* * *

Il y eut enfin une accalmie en fin d'après-midi dans la salle des plâtres. Quand Évelina constata qu'elle avait le temps de se rendre devant l'hôpital pour voir défiler le cortège, elle se rua vers sa chambre pour se changer. Il était hors de question qu'elle sorte avec sa robe «emplâtrée». Flavie et Simone avaient pu se libérer, elles aussi ; elles l'attendaient impatiemment dans le hall d'entrée.

En constatant qu'Évelina portait sa plus belle robe, Simone s'esclaffa :

— On dirait presque que tu t'en vas à l'hôtel Windsor pour assister au banquet, Évelina !

— J'étais couverte de plâtre. Il n'était pas question que je sorte ainsi.

— Bien sûr que non !

LES INFIRMIÈRES DE NOTRE-DAME

Simone détailla son amie de la tête aux pieds. Évelina s'était recoiffée, et elle s'était même mis un peu de fard à paupières et une touche de rouge à lèvres.

Évelina croisa les bras avant de s'écrier :

— Ça va ? L'inspection en règle est terminée ?

— Mais oui ! Allons-y pour ne rien manquer du « spectacle » !

— Tu sembles bien pressée pour quelqu'un qui trouvait ridicule l'idée même d'aller regarder défiler le cortège.

— Je veux écrire un article sur le passage du roi dans le prochain numéro de *L'Antenne,* bafouilla Simone.

Évelina fit un clin d'œil à Flavie avant de pousser la porte d'entrée. Puis, le trio essaya de se frayer un chemin jusqu'au trottoir. Plusieurs consœurs étudiantes et infirmières, des médecins et quelques religieuses s'étaient massés devant l'hôpital. Les trois amies parvinrent à se faufiler parmi la foule qui attendait patiemment le passage du cortège royal. De l'autre côté de la rue Sherbrooke, fermée pour l'occasion, de nombreux enfants et une délégation de femmes de la Société des ouvrières catholiques – en chemises blanches et cravates rouges – faisaient le pied de grue. La frénésie qui régnait dans la rue était palpable. Les enfants brandissaient des petits drapeaux Union Jack et chantaient un *God Save the King* bien senti.

Évelina passa en revue sa tenue. Elle avait pris la première robe qui lui était tombée sous la main quand elle était montée à la course pour se changer. Mais elle n'était plus certaine que sa robe rouge coquelicot convenait. Il lui semblait qu'elle détonnait dans cette nuée d'infirmières portant un uniforme blanc immaculé et une coiffe. Une clameur s'élevant dans la foule lui fit comprendre qu'elle n'avait pas le temps d'aller se changer : le cortège arrivait au bout de la rue.

Flavie se haussa sur la pointe des pieds pour essayer de voir quelque chose. Simone bouscula un peu Évelina afin d'apercevoir la première l'arrivée de la voiture. Un sourire aux lèvres, Évelina se promit de se moquer gentiment de l'empressement de son amie devant cette « affaire futile ». Un régiment de dragons à cheval escortait la voiture du couple royal et celle du premier ministre Mackenzie King. Et puis, Évelina vit en chair et en os le fameux roi George VI. Ce dernier, installé à l'arrière de la voiture, portait une grande tenue d'amiral de la flotte. Tout sourire, il salua la foule en compagnie de la reine – vêtue d'une toilette bleue à la dernière mode. Trop rapidement au goût d'Évelina, le cortège passa devant l'hôpital. L'événement plongea dans un pur ravissement toutes les personnes présentes. Le roi et la reine étaient des êtres tout à fait charmants !

* * *

Pendant plusieurs jours, Évelina prit plaisir à raconter à toutes ses consœurs absentes – et même à celles qui avaient assisté à la scène – comment le roi l'avait saluée en portant la main à son couvre-chef.

— C'est certainement ma robe rouge qui a attiré son attention parmi la foule. Il m'a regardée droit dans les yeux, et puis il m'a saluée ainsi.

Chaque fois, la jeune femme portait la main à son front et imitait le geste de George VI. Alors qu'elles prenaient leur petit-déjeuner, Simone lui fit part de son exaspération.

— Reviens-en, Évelina ! Ça fait trois jours que le roi est passé et tu n'arrêtes pas de nous rebattre les oreilles avec cette histoire. Je pense que je vais écrire un article sur ta folle journée avec George !

— Pardonne mon enthousiasme, Simone ! Mais tu semblais toi-même pas mal excitée au passage du bon roi George !

Simone se renfrogna. Elle se replongea dans la lecture du manuel scolaire qu'elle avait apporté. Flavie demanda d'une petite voix :

— Est-ce que l'une de vous m'accompagnerait à la gare en fin d'avant-midi ?

— Je ne peux pas, répondit Simone. Je suis de corvée ce matin, et je travaille au dispensaire tout l'après-midi, expliqua-t-elle avant de reprendre sa lecture.

— Léo prend le train aujourd'hui pour Halifax. Je voulais le saluer avant son départ, mais je n'ai pas le courage d'aller seule à la gare.

Évelina n'avait rien de prévu ce jour-là. Simone lui avait suggéré un peu plus tôt de mettre à profit ses périodes de congé pour entreprendre sa révision en vue des examens de fin d'année. Tant pis ! Flavie avait besoin d'elle et puis, elle aurait bien le temps d'étudier plus tard.

— Je vais t'accompagner, dit-elle. Je dois faire ma tournée de patients avant, mais il me fera plaisir de te rendre ce service.

Flavie la remercia avant de quitter la salle à manger. Simone leva la tête de son livre.

— Pauvre Flavie... Ses sentiments sont tellement partagés !

— Tu penses qu'elle aime encore Léo ?

— Non. Flavie m'a dit clairement qu'elle n'était plus amoureuse de lui. Elle le considère comme un ami précieux et souhaite que tout se passe bien pour lui outre-mer.

Une lueur d'inquiétude passa dans le regard d'Évelina.

— Tu penses qu'il y aura la guerre, Simone?

— Je l'ignore, mais ça s'annonce mal. Et puis, la venue du roi n'a rien d'une visite de courtoisie. Il est venu ici seulement pour s'assurer que le Canada fournira des soldats dans le cas où une guerre contre l'Allemagne serait déclarée.

— Il ne peut pas obliger nos hommes à aller se battre là-bas!

— Le gouvernement peut voter une loi sur le service militaire obligatoire, comme lors de la Première Guerre mondiale. Ce n'est pas pour rien que Mackenzie King suit le roi partout durant sa visite. Notre premier ministre ira même avec lui à la Maison-Blanche afin de rencontrer Roosevelt. Les alliances se nouent tranquillement…

— Tu penses qu'on pourrait vivre une crise de la conscription comme en 1917?

— Tu es préoccupée par les actualités, maintenant, Évelina? s'étonna Simone.

— Ça m'arrive, oui! déclara Évelina, un peu vexée.

— Excuse-moi. J'ai dit ça sans réfléchir. Tout le monde est inquiet par les temps qui courent. Je suis désolée, je suis d'humeur massacrante ces derniers temps. J'ai tellement hâte d'obtenir mon diplôme. Je ne pensais jamais que la troisième année serait aussi chargée. Sœur Désuète nous avait pourtant prévenues, mais je ne l'avais pas crue.

— Elle nous met en garde chaque année ! On n'a même plus le temps de sortir ; on travaille comme des folles, Flavie, toi et moi. C'est déprimant de ne plus avoir de vie sociale.

— Ça achève, Évelina. Il faut tenir bon.

— Ouais ! Bon, je dois y aller. Ludivine m'attend pour l'administration des médicaments. Ça nous donne un répit que les premières années dispensent maintenant seules les soins d'hygiène. Je ne suis pas fâchée du tout d'être débarrassée du « torchonnage » !

* * *

Flavie attendait son amie dans le hall d'entrée de l'hôpital. Elle semblait nerveuse et jetait constamment un œil sur sa montre. Évelina s'excusa de son retard.

— J'ai fait le plus vite que j'ai pu, mais tu sais comment ça se passe ! Au moment où j'allais partir, le médecin et ses internes sont passés pour faire des examens. Comme sœur Désuète le dit si bien, une bonne infirmière est toujours disponible pour aider les médecins à procéder à l'examen des patients.

— Je comprends, Évelina, lui dit Flavie sur un ton impatient. Dépêchons-nous, je ne veux surtout pas être en retard.

Flavie poussa la porte et marcha d'un pas pressé jusqu'au coin de la rue pour prendre le tramway, Évelina la suivant de près. Une fois assise dans le tramway, cette dernière essaya de calmer Flavie.

— J'ai vraiment fait mon possible, Flavie, pour être à l'heure.

— Je sais. J'ai bien failli changer d'idée en t'attendant. Je ne suis plus du tout certaine d'avoir assez de courage pour aller jusqu'au bout.

— Il est encore temps de rebrousser chemin…

Bouche bée, Flavie regarda son amie.

— Je plaisantais, Flavie! s'écria Évelina. Je sais que tu t'en voudrais de ne pas être là. Léo sera certainement heureux de te voir.

Le reste du trajet se déroula en silence. Flavie resta perdue dans ses pensées, tandis qu'Évelina observa les passagers montant et descendant du tramway. En arrivant à la gare, celle-ci saisit la main de Flavie pour lui insuffler du courage. Elle chercha des yeux Léo. Ce dernier attendait sur le quai, une valise à la main. Évelina entraîna son amie vers le journaliste. Monsieur et madame Zheng avaient tenu à venir saluer Léo avant son départ pour Halifax. Madame Zheng se mouchait bruyamment. Le visage de Léo s'éclaira en voyant Flavie venir vers lui.

— Bonjour, Évelina! déclara-t-il. Je suis content que tu sois là, Flavie! J'ai bien cru que tu ne viendrais pas. Il ne reste que quelques minutes avant mon embarquement.

Léo entraîna Flavie un peu plus loin, laissant Évelina avec monsieur et madame Zheng. Cette dernière tentait de retenir son chagrin en murmurant: «"Mistère Lio" ne doit pas partir comme ça!» Monsieur Zheng sourit timidement à Évelina. Cette dernière ne savait que dire au restaurateur qui tentait de consoler sa femme en lui tapotant l'épaule. Le vieil homme brisa le silence devenu un peu lourd, malgré l'activité régnant dans le secteur.

— J'aime monsieur Léo comme mon propre fils. Je suis triste de le voir partir de l'autre côté de l'océan, mais je comprends que c'est une grande occasion pour lui.

— Flavie aussi a beaucoup de chagrin de son départ. Mais Léo sera quand même en sécurité là-bas ; il travaillera à Londres. Cela n'a rien de bien menaçant pour le moment, monsieur Zheng.

— Peut-être que vous avez raison, mademoiselle.

Évelina sourit tristement, sachant que si une guerre éclatait, le journaliste serait envoyé en première ligne pour rapporter les faits. Léo enlaça Flavie et l'embrassa sur le front comme Antoine l'aurait fait. Évelina ne put s'empêcher de réprimer un frisson. Si Hitler continuait d'effrayer l'Europe avec ses intentions belliqueuses, un jour elle se retrouverait peut-être sur un quai de gare, en train de saluer Antoine avant qu'il ne parte pour l'Europe.

* * *

Sœur Larivière avait fait demander Évelina à son bureau. Celle-ci s'interrogeait sur ce que lui voulait l'hospitalière. Elle n'avait rien fait au cours des jours précédents qui puisse justifier une «visite au bureau», ce que craignaient la plupart des étudiantes. Après avoir frappé et entendu la voix étouffée de sœur Larivière, Évelina poussa la porte.

Sœur Désuète se trouvait dans la pièce. L'air solennel, celle-ci se leva et prit la main d'Évelina en lui soufflant un «mademoiselle Richer» rempli de compassion. La jeune femme s'étonna des agissements de la religieuse habituellement plus réservée. Sœur Larivière l'invita à s'asseoir. Évelina s'installa sur une chaise et sœur Désuète prit place tout près d'elle afin de continuer à lui tenir la main.

Évelina brisa le silence de glace qui pesait sur la pièce.

— Que se passe-t-il ? Quelqu'un est mort ?

— Votre mère a été hospitalisée, mademoiselle, lui dit tristement sœur Désuète.

Évelina s'adossa à sa chaise et retira sa main de celle de sœur Désuète.

Elle ne s'attendait pas à apprendre une mauvaise nouvelle concernant sa mère. Sœur Larivière décida de prendre les choses en main.

— Votre mère est entrée d'urgence à l'hôpital ce matin. Elle a eu un accident cérébrovasculaire. Son état est stable, mais nous craignons qu'elle ne demeure paralysée. C'est une personne de votre entourage qui l'a conduite ici après que votre mère s'est plainte de violents maux de tête. Elle n'a pas voulu nous dire qui elle était. Peut-être s'agit-il d'une de vos tantes ?

C'était, plus vraisemblablement, une des «filles» de sa mère, ou bien Fedora. Sœur Larivière continua :

— Cette dame a demandé que vous soyez prévenue de l'état de votre mère. Les médecins attendent que celle-ci se réveille pour poser un diagnostic.

Évelina, sidérée, resta muette. Sœur Désuète l'examinait d'un regard compatissant. Elle attendait une réaction de la part de son étudiante et se tenait prête à la consoler si jamais elle éclatait en sanglots.

Devant l'absence de réaction d'Évelina, sœur Larivière poursuivit :

— Y a-t-il quelqu'un d'autre que vous souhaiteriez prévenir, mademoiselle ?

Évelina hocha négativement la tête. La gorge et la bouche sèches, elle demanda :

— Où se trouve-t-elle ?

— Elle est encore aux soins intensifs ; elle y restera en observation pour la nuit. Étant donné que votre mère est fortunée, quand elle ira mieux, elle sera probablement transférée dans une chambre privée au cinquième étage.

Évelina fixait la bibliothèque qui se trouvait derrière sœur Larivière. Se sentant engourdie, la jeune femme ne savait que faire ni que dire. Un immense sentiment de solitude l'envahit soudain. Elle n'avait jamais été proche de sa mère, et parfois, elle aurait mieux aimé être orpheline plutôt que d'avoir une mère telle qu'Ursule Richer. À présent que celle-ci se trouvait dans un état grave et qu'elle risquait peut-être de mourir, Évelina mesurait combien elle avait besoin de ce lien maternel. Malgré sa relation houleuse avec sa mère, elle n'avait personne d'autre sur qui compter.

Sœur Larivière vint près d'elle et posa la main sur son épaule. Puis la religieuse s'adressa à sa subalterne :

— Faites prévenir mesdemoiselles Prévost et Lafond.

Sœur Désuète se leva à regret. Elle jeta un dernier regard en direction d'Évelina avant de quitter la pièce. Sœur Larivière s'installa sur la chaise occupée précédemment par sœur Désuète et prit la main de l'étudiante.

— Vos amies vous accompagneront au chevet de votre mère, Évelina.

Une bouffée de chaleur envahit la jeune femme. Elle n'affronterait pas seule cette épreuve ; heureusement, Flavie et Simone étaient là.

14

Simone poussa la porte de la chambre 504. Évelina s'y trouvait; elle veillait sur sa mère. Flavie et Simone avaient insisté pour prendre le relais, mais Évelina avait refusé. « Si ma mère se réveille, je veux être près d'elle », s'entêtait-elle à répondre malgré ses traits tirés et sa fatigue évidente. Quelques jours s'étaient écoulés depuis l'admission d'Ursule Richer à l'hôpital Notre-Dame. L'état de la patiente restait stable, bien qu'elle n'ait toujours pas repris connaissance. Simone trouva Évelina endormie dans un fauteuil près du lit. Elle saisit une couverture et couvrit son amie délicatement. La jeune femme approcha une chaise de l'autre côté du lit et s'y installa.

Sœur Désuète était venue la prévenir que mademoiselle Richer avait besoin d'elle immédiatement dans le bureau de sœur Larivière. Simone était allée retrouver Flavie à la pharmacie, puis toutes deux s'étaient dirigées, inquiètes, vers le bureau de l'hospitalière en chef. Sœur Larivière leur avait rapidement expliqué la situation. Simone n'avait jamais vu Évelina dans un tel état. Habituellement, cette dernière réagissait rapidement devant les imprévus, mais l'hospitalisation de sa mère l'avait laissée désorientée. Évelina fixait un point derrière le bureau de sœur Larivière et avait à peine levé les yeux sur ses amies quand celles-ci étaient entrées dans le bureau de l'hospitalière en chef. D'instinct, Flavie avait pris Évelina dans ses bras. Cette étreinte chaleureuse avait tiré la jeune femme de sa torpeur et elle avait éclaté en sanglots.

Flavie avait eu de la difficulté à la consoler, lui répétant que tout se passerait bien, que sa mère s'en tirerait. Sœur

Larivière avait proposé quelques jours de congé à Évelina, en lui rappelant cependant qu'elle devait malgré tout assister à ses cours. Après que les trois amies avaient quitté le bureau de la religieuse, Simone avait rapidement pris les choses en main. Elle avait prié Flavie de retourner travailler ; pour le moment, elle resterait auprès d'Évelina. Simone avait dû insister un peu pour conduire la jeune femme aux soins intensifs, afin qu'elle voie sa mère.

Puis, les jours étaient passés sans que l'état de madame Richer ne s'améliore. Évelina assistait à ses cours comme un automate, puis elle se précipitait au chevet de sa mère pour voir si celle-ci avait repris connaissance.

Simone observait son amie assoupie. La carapace qu'Évelina s'était forgée au fil des années face à sa mère se fissurait peu à peu. Ébranlée, la jeune femme avait confié à Simone à quel point elle se sentait coupable à cause de la mauvaise relation qu'elle avait entretenue avec sa mère.

— C'est ironique, quand même. J'ai toujours eu l'impression qu'elle n'avait jamais été là pour moi, et maintenant, c'est moi qui dois veiller sur elle.

— Il n'est peut-être pas trop tard pour que vous vous rapprochiez toutes les deux, Évelina.

— Je l'espère, Simone…

Évelina repoussa la couverture et ouvrit les yeux. Pendant quelques secondes, elle se demanda où elle se trouvait. En voyant sa mère étendue dans le lit devant elle, la réalité la frappa de plein fouet. « Ma mère a besoin de moi ! » Cette phrase tournait en boucle dans sa tête depuis qu'Ursule avait été conduite à l'hôpital. Après s'être frotté les yeux, elle distingua Simone de l'autre côté du lit.

— Il y a longtemps que tu es ici?

— Une demi-heure, tout au plus. Je t'ai laissée dormir. Je me suis dit que tu en avais grandement besoin après les derniers jours.

— Merci, c'est gentil. Je suis épuisée.

— Tu sais que nous pouvons parfois te remplacer, Flavie et moi. S'il se passe quoi que ce soit relativement à ta mère, nous te préviendrons immédiatement. Cela te ferait le plus grand bien, Évelina, d'aller prendre l'air.

— Tu as peut-être raison. Je vais aller manger une bouchée et je reviendrai dès que possible.

— Prends ton temps. Je ne suis pas de corvée ce matin.

Évelina se leva et s'étira. Elle jeta un dernier regard en direction de sa mère avant de sortir de la chambre. La jeune femme se rendit à la salle à manger. Elle se contenta d'un café, qu'elle alla boire à une table près d'une des fenêtres. Depuis quelques jours, elle avait l'impression que sa vie avait basculé. Sa nonchalance habituelle avait laissé la place à un sentiment de responsabilité. Sa mère, qu'elle avait longtemps détestée à cause de son cruel manque d'instinct maternel, gisait désormais totalement vulnérable sur un lit d'hôpital. Cette femme forte et fière avait besoin d'elle à présent. Évelina regardait son café qui refroidissait. Puis, au moment où elle s'apprêtait à retourner dans la chambre de sa mère, son café à peine entamé, Marcel Jobin s'assit en face d'elle et lui prit la main.

— J'ai su pour ta mère. Je suis désolé. Elle ne s'est toujours pas réveillée ?

— Non, pas encore. Je commence à désespérer un peu.

— Il ne faut pas. On a déjà vu des patients sortir du coma après plusieurs jours, et sans la moindre séquelle.

Évelina resta silencieuse. La présence de son ancien amant lui avait toujours apporté une grande paix intérieure. Se sentant observé par une religieuse assise quelques tables plus loin, le médecin retira sa main. Évelina regretta aussitôt la perte de cette chaleur apaisante. Elle demanda à Marcel comment il se portait.

— Ça va plutôt bien ces temps-ci. Il semblerait que j'aie réussi à trouver un équilibre entre le travail et ma vie personnelle. J'en suis heureux, et Joséphine aussi.

— Je suis vraiment contente que les choses se soient arrangées entre ta femme et toi.

— J'ai entendu dire que tu avais rompu avec le docteur Litwinski.

— Nous étions beaucoup trop différents, lui et moi.

— Que comptes-tu faire après l'obtention de ton diplôme ?

— J'aimerais rester ici – s'il y a une place pour moi, bien entendu. Mais avec ce qui est arrivé à ma mère, rien n'est certain, en fait.

— Il y a toujours de la place pour une bonne infirmière à Notre-Dame.

— Merci.

Évelina baissa les yeux sur sa tasse de café désormais vide. Le fait que Marcel la considère comme une bonne infirmière lui mettait du baume au cœur. Le médecin se leva, puis il se pencha vers elle.

— Si tu as besoin de quoi que ce soit, Évelina, fais-le-moi savoir. Je serai toujours là pour toi, tu sais…

Puis, il s'éloigna. Évelina songea que Marcel s'était toujours montré prévenant et attentionné avec elle ; c'est probablement ce qui l'avait charmée au début de leur idylle. La jeune femme comprit alors qu'elle avait changé depuis quelque temps ; elle avait puisé du réconfort dans le simple contact de la main de Marcel sagement posée sur la sienne. Elle n'avait nullement eu envie que son ancien amant l'étreigne et encore moins de se retrouver avec lui dans une chambre d'hôtel pour fuir son présent plutôt inquiétant. « Tu t'assagis, ma vieille », se dit-elle. Tout compte fait, cette idée ne lui déplaisait pas.

* * *

Ragaillardie par sa rencontre avec Marcel, Évelina retourna dans la chambre de sa mère. Elle avait un cours de neuropsychiatrie une vingtaine de minutes plus tard. S'attendant à voir Simone au chevet d'Ursule, elle resta interdite en découvrant que Fedora qui avait pris la place de son amie. Son ancienne gouvernante se leva.

— Ton amie est partie me chercher un verre d'eau, expliqua Fedora. Elle devrait revenir d'ici quelques minutes.

Elle ouvrit les bras. Évelina se blottit contre la vieille femme pendant quelques secondes.

— C'est vous qui avez conduit ma mère ici ?

— Je suis allée lui rendre visite ; elle était mal en point à mon arrivée. Elle était confuse et se plaignait de violents maux de tête. J'ai pensé que si je la conduisais ici, tu en prendrais soin.

— Vous avez bien fait.

Évelina s'approcha du lit. Elle détailla le visage de sa mère ; elle avait pris cette habitude, cherchant à capter une réaction. Fedora vint la rejoindre.

— C'est étrange de vous voir réunies toutes les deux. Ta mère a tellement souhaité être proche de toi, Évelina.

La jeune femme recula et elle croisa les bras. Le sentiment de rancœur qu'elle éprouvait face à sa mère – qu'elle avait mis en veilleuse durant les derniers jours – semblait vouloir ressurgir avec force.

— Elle le démontrait bien mal. Elle m'envoyait dans des pensionnats pour se débarrasser de moi.

— Ta mère n'a jamais voulu se débarrasser de toi, *bella* ! Elle voulait seulement t'éloigner de son milieu. Ta mère n'était pas fière de diriger des maisons closes pour gagner sa vie.

— Il y avait d'autres boulots que celui-là. La mère de Flavie s'est bien débrouillée, elle, à la mort de son mari. Elle avait deux jeunes enfants à sa charge, en plus.

— C'est tout à son honneur, mais je crois que cette femme a eu beaucoup de chance. Pour sa part, ta mère a décidé de créer sa propre chance. Ursule a eu recours à de drôles de moyens, j'en conviens, mais elle a fait tout en son pouvoir pour que tu ne manques de rien.

— Mais elle, elle m'a manqué…

Fedora posa une main sur l'épaule d'Évelina.

— Je sais qu'elle t'a manqué. Je t'ai trop souvent consolée de son absence. Ta mère tenait à ce que tu fréquentes les meilleures institutions, afin que tu puisses côtoyer les gens de la haute société. Elle a fait beaucoup de sacrifices pour cela, tu sais.

— Je ne lui ai jamais demandé de faire des sacrifices.

— Oh ! Je sais tout ça. Mais ta mère tenait vraiment à ce que tu grandisses dans un milieu favorable.

— À mon avis, un milieu favorable pour moi aurait été un endroit avec un père et une mère. Évidemment, Ursule Richer n'a jamais compris ça.

Fedora retira sa main de l'épaule d'Évelina.

— Qu'est-ce que tu penses, Évelina ? Que ta mère a fait fuir ton père ? En fait, dès qu'il a su qu'elle était enceinte, il lui a demandé de choisir entre l'enfant qu'elle portait et lui. Pour ta mère, le choix a été facile : elle a décidé de te garder. Ensuite, ton père s'est évanoui dans la nature pour ne pas prendre ses responsabilités. N'oublie jamais, *bella,* que ta mère t'a préférée à cet homme.

Surprise, Évelina regarda sa mère. Elle ignorait les dessous de l'affaire. Chaque fois qu'elle avait abordé la question, sa mère s'était contentée de lui dire que son père était parti – sans révéler les circonstances de son départ – et qu'il était mort, quelques années plus tard. C'est ainsi qu'Ursule expliquait la raison pour laquelle elles étaient seules, toutes les deux. Reportant son attention sur Fedora qui se tenait près du lit, Évelina interrogea cette dernière.

— Qu'est-il advenu de mon père ?

— Il est reparti comme il était venu, et ta mère ne l'a jamais revu. Ursule a su il y a quelques années qu'il était mort de la grippe espagnole. Je pense que ce qui est important de savoir au sujet de ton père, c'est qu'il a lancé un ultimatum à ta mère et qu'elle a préféré choisir le bébé qui grandissait dans son ventre plutôt que cet être égoïste.

Évelina prit la main de sa mère dans les siennes. Elle en avait tant voulu à Ursule d'avoir laissé partir son père. Elle ne connaissait évidemment pas le fond de l'histoire. Ursule Richer avait bien fait de ne pas le retenir, finalement; cet homme ne les méritait pas, toutes les deux. Évelina reporta de nouveau son regard sur le visage de sa mère. Il lui avait semblé voir une des paupières d'Ursule bouger. «Il s'agit sans doute d'un mouvement involontaire», songea-t-elle pour éviter de s'enthousiasmer. Comme si sa mère avait voulu lui prouver le contraire, celle-ci ouvrit les yeux. Évelina serra sa main et se rapprocha. Ursule fixa sa fille quelques instants et émit un faible son. Simone entra à ce moment-là. Aussitôt qu'elle vit la scène, la jeune femme ressortit précipitamment pour faire appeler un médecin.

* * *

Ébranlée par les propos du docteur Brosseau, Évelina se tenait toujours près du lit de sa mère, même si le médecin avait quitté la chambre depuis un certain temps. Ce dernier avait été formel. Même si Ursule avait repris connaissance, sa vie ne serait plus jamais la même; elle aurait probablement besoin d'assistance pendant le reste de son existence.

Évelina réfléchissait à l'avenir de sa mère et, par le fait même, au sien. Elle n'était pas prête à se charger de cette dernière, mais en aucun cas, elle ne la laisserait à son sort. La jeune femme avait beaucoup trop souffert d'abandon dans son enfance. Caressant la main de sa mère, elle essayait de trouver une solution lorsque Ursule ouvrit les yeux.

— Ma chérie… murmura-t-elle.

— Ne parle pas, maman. Cela va t'épuiser et tu as besoin de reprendre des forces.

Ursule parcourut du regard la chambre, puis son regard se fixa sur une carafe d'eau. Évelina comprit que sa mère avait la gorge sèche ; elle lui versa un verre et l'aida à boire avec une paille. Évelina tentait de paraître sûre d'elle, mais ses mains tremblaient. Elle se força à sourire à sa mère et dit :

— Tu nous as fait une belle frousse, à Fedora et à moi. Maintenant, tu es en bonnes mains. Il ne te reste plus qu'à te reposer pour récupérer.

— Ce ne sera plus jamais pareil…

— C'est ce que le médecin a dit. Mais nous allons tout faire pour que tu recouvres la santé. Tu es forte et tu réussiras.

— Pas si forte…

Évelina serra davantage la main de sa mère pour lui montrer qu'elle croyait en ses capacités.

— Je t'aiderai, tu verras.

— Jamais été là pour toi…

Évelina refusait de tenir rigueur à sa mère plus longtemps au sujet du passé ; le ressentiment l'avait trop minée et elle en avait assez à présent. À la lueur de ce que lui avait raconté Fedora, elle ne pouvait plus en vouloir à Ursule. D'un ton rassurant, Évelina déclara :

— On oublie tout maintenant. Je suis là et c'est tout ce qui compte.

Une larme roula sur la joue d'Ursule et un sourire illumina son visage.

* * *

Évelina suivait ses cours et avait repris la plupart de ses tâches. Elle passait ses moments libres auprès de sa mère, toujours hospitalisée. Elle faisait la lecture à Ursule, lui racontait le déroulement de ses journées. Elle s'était même permis de lui parler d'Antoine. Madame Richer, affaiblie, écoutait sa fille s'épancher sur celui qui faisait battre son cœur. Avec ses phrases incomplètes, elle questionnait Évelina sur le jeune homme. Cette dernière se faisait un point d'honneur de répondre avec sincérité. Discuter d'Antoine lui donnait envie de le revoir. Dans un ultime effort, sa mère lui avait suggéré de ne pas perdre de temps et d'aller le retrouver le plus vite possible. Aussitôt les examens terminés et son diplôme en main, Évelina se promettait d'aller faire un tour à La Prairie.

La vie avait repris son cours normal, et Évelina essayait de trouver du temps pour étudier. Flavie lui avait proposé de prendre sa place auprès de sa mère pendant que Simone l'aiderait à réviser avant les examens. Même si les cours étaient pour la plupart terminés, les professeurs restaient disponibles pour répondre aux questions des étudiantes. Évelina, une fois de plus perdue dans ses pensées, se fit remettre à l'ordre par Simone.

— Je suis là pour t'aider. Mais si tu préfères être ailleurs, Évelina, tu n'as qu'à le dire !

— Je suis désolée, Simone. Je suis très préoccupée ces temps-ci. Ma mère sortira bientôt de l'hôpital et je dois organiser les soins à domicile. Je m'occuperai d'elle, bien entendu, mais je ne pourrai pas tout faire. Je devrai engager une infirmière diplômée pour m'aider.

— Ce sera facile, à mon avis… Tu n'as qu'à me le demander, Évelina, et j'irai avec plaisir. Quand je serai mariée avec Paul, les soins à domicile pourraient me permettre de continuer à pratiquer ma profession.

— Tu ferais ça ? Oh ! Simone !

Évelina l'embrassa sur une joue, trop contente d'avoir peut-être trouvé une solution au problème qui l'empêchait de dormir. Elle s'enthousiasma :

— Fedora m'a aussi proposé de venir s'installer rue Dunlop. Comme ça, ma mère ne quitterait pas sa maison. Toutes les trois, on fera une merveilleuse équipe ! Peut-être que Flavie voudra se joindre à nous ? Vous serez rémunérées, bien entendu ; ma mère a amplement les moyens de payer…

Simone poussa un soupir exaspéré.

— Bon, tout est réglé ? On peut continuer à étudier, maintenant ?

— Certainement ! Tu m'enlèves un poids sur les épaules… si tu savais…

Évelina se replongea dans ses livres. Elle demanderait à Antoine de l'attendre encore un peu, le temps de s'organiser avec sa mère. Si elle pouvait réussir tous ces satanés examens ! Au cours de la dernière année, ses résultats scolaires avaient beaucoup compté pour elle. «Je deviens un vrai modèle en classe! Simone a de quoi être fière: elle a presque réussi à me rendre aussi studieuse qu'elle!» se réjouit Évelina, encore immergée dans ses pensées plutôt qu'occupée à étudier.

Une fois de plus, Simone dut ramener son amie à l'ordre, ce qui fit sursauter celle-ci:

— Évelina, je n'ai pas de temps à perdre. Si tu n'es pas plus attentive, je m'en vais!

* * *

Au beau milieu de la nuit, des coups à la porte de leur chambre tirèrent brusquement d'un sommeil réparateur Évelina, Flavie et Simone. Cette dernière alla ouvrir à l'importun qui avait osé venir les réveiller. En voyant Paul sur le seuil, Évelina comprit.

Madame Richer avait eu une autre attaque durant la nuit, qui s'était révélée fatale. En chemise de nuit, Évelina se précipita dans la chambre de sa mère. Quand la jeune femme, affolée, entra dans la pièce, l'infirmière en service préféra la laisser seule avec sa mère une dernière fois. Tremblant de tout son corps, Évelina retira le drap qui recouvrait le visage d'Ursule. Malgré ses traits figés par la mort, cette dernière affichait un air paisible. Évelina effleura du bout des doigts les joues de sa mère.

La jeune femme n'avait encore jamais côtoyé la mort. Et les différents cours dans lesquels il était question de celle-ci ne l'avaient pas préparée à cette épreuve. Fixant le corps inerte de sa mère, elle retenait ses larmes.

Lorsque Simone et Flavie vinrent la rejoindre, Évelina laissa libre cours à son chagrin. Un peu plus tard, cette dernière s'essuya les yeux du revers de la main, puis elle déclara d'une petite voix:

— Ma mère n'aurait jamais accepté de vivre diminuée. C'est probablement une bonne chose qu'elle soit morte. Mais je n'étais pas préparée à ça, par contre.

— Tu n'es pas obligée de te montrer forte, Évelina…

Cette dernière retint un sanglot. Quand Flavie l'enlaça, la jeune femme se remit à pleurer. Simone lui tendit un mouchoir.

Après s'être épongé les yeux, Évelina, qui fixait sa mère, raconta :

— Quand j'étais petite, j'ai souvent souhaité que ma mère meure. Mais je sais que la mort, ce n'était pas quelque chose de vraiment concret pour moi à cette époque. Lorsqu'on est jeune, on veut se débarrasser de ce qui nous ennuie. Et ma mère m'ennuyait énormément dans ce temps-là. Maintenant qu'elle n'est plus là, je mesure la portée de mes pensées. Je suis sincèrement heureuse que celles-ci ne se soient pas transformées en mauvais sort…

— C'est vraiment étrange, la vie… souffla Flavie qui n'avait jamais été à l'aise en présence d'un défunt.

— J'ai tellement espéré que mon oncle et ma tante rendent l'âme afin que je sois adoptée par une famille riche, confia Simone.

Évelina posa une dernière fois les lèvres sur le front refroidi et murmura : « Adieu… »

* * *

Plus tard dans la matinée, sœur Larivière convoqua Évelina à son bureau pour lui exprimer ses condoléances. Elle proposa à l'étudiante de prendre le temps nécessaire pour organiser les funérailles. Les examens de fin d'année commenceraient la semaine suivante, mais sœur Larivière rassura Évelina en lui expliquant que des examens de reprise étaient prévus dans de telles circonstances. Évelina répondit qu'elle n'en aurait nullement besoin, car elle comptait réussir tous ses examens du premier coup.

De retour dans la chambre, Évelina décida d'aller prendre l'air. Flavie proposa de l'accompagner, mais la jeune femme déclina l'offre, préférant un moment de solitude. Le temps s'adoucissait un peu plus chaque jour, préparant tranquillement l'arrivée de l'été, ce qui réjouissait tout le personnel de l'hôpital. Les chauds rayons de soleil apaisaient la peine d'Évelina ; elle aussi se permettait d'espérer un magnifique été, malgré la perte de sa mère. Elle se sentait sereine en dépit de tout. Les derniers jours passés auprès d'Ursule lui avaient permis de se réconcilier avec celle qu'elle avait longtemps cordialement détestée. Toutes les deux étaient parvenues à se comprendre un peu mieux. Évelina avait relaté à sa mère sa conversation avec Fedora. La jeune femme lui avait avoué qu'elle avait toujours cru qu'Ursule avait volontairement tenu son père loin d'elle.

Ses pas la menèrent près de l'étang. En chemin, Évelina croisa quelques consœurs. Celles-ci la saluèrent d'un signe de tête avant de poursuivre leur promenade. Le parc La Fontaine était plutôt achalandé par temps ensoleillé ; les étudiantes, les infirmières et même les médecins venaient souvent prendre les quelques minutes de repos dont ils disposaient dans cet environnement verdoyant. Évelina s'installa sur un banc pour réfléchir aux derniers jours qui s'étaient déroulés comme dans un rêve. Un peu plus tôt, elle avait téléphoné à Fedora pour lui apprendre la nouvelle. Cette dernière lui avait proposé son aide pour organiser les obsèques d'Ursule. Évelina avait accepté sa proposition, car elle ne savait pas trop par où commencer.

La jeune femme fixa pendant de longues minutes les eaux miroitantes de l'étang. Levant la tête, elle vit Georgina Meunier qui marchait dans sa direction. Elle convia cette dernière à s'asseoir sur le banc. Georgina semblait gênée, mais finalement, elle accepta l'invitation.

Cette dernière brisa le silence.

— J'ai dû beaucoup insister pour que Flavie me dise où tu te trouvais. Je suis désolée pour ta mère et je tenais à t'offrir mes plus sincères condoléances.

Étonnée de la gentillesse de Georgina, Évelina se contenta de la remercier. Visiblement mal à l'aise, la visiteuse déclara :

— On n'a jamais été amies toutes les deux, et c'est probablement ma faute. En fait, Évelina, je t'ai toujours enviée d'avoir tout ce que tu voulais et d'être aimée de tout le monde. J'aurais souhaité que tu deviennes mon amie, mais je m'y suis prise de la mauvaise manière avec mes sarcasmes.

— Je n'étais pas vraiment mieux, Georgina…

— Une chose est certaine : je vous dois beaucoup, à ta mère et à toi. Sans votre intervention, je me serais probablement fait mettre à la porte de chez moi. Mes parents n'auraient jamais accepté d'héberger sous leur toit leur fille enceinte.

— Je ne pouvais pas laisser une consœur dans un tel pétrin, Georgina. Et puis, je me suis promis de surveiller étroitement Bastien avec les nouvelles, l'an prochain, si je continue à travailler à l'hôpital.

Évelina lui fit un clin d'œil. Georgina sourit.

— Je fais la même promesse ! Il est hors de question que ce salaud profite d'autres étudiantes !

— Unissons nos forces! Bastien n'aura qu'à surveiller ses arrières! Il ne sait pas à qui il a réellement affaire, en ce qui nous concerne…

Évelina sourit à son tour. Curieusement, cet entretien avec Georgina lui faisait du bien. Qui aurait cru qu'un jour, elles discuteraient sur un banc de parc comme deux vieilles amies? Georgina se leva. Avant de partir, elle déclara simplement:

— Si je peux faire quoi que ce soit, Évelina, sache que c'est avec plaisir que je te rendrai service.

— Surveille Bastien de près, ce sera suffisant!

* * *

Évelina se tenait droite aux côtés de Flavie et Simone, qui étaient respectivement accompagnées de Clément et de Paul. L'église Sainte-Madeleine était remplie à pleine capacité. Évelina reconnaissait quelques visages parmi les gens venus rendre hommage à Ursule Richer, mais pour la plupart, ils lui étaient inconnus. La cérémonie avait quelque chose d'étrange: sœur Larivière et sœur Désuète côtoyaient quelques-unes des «filles» qui avaient travaillé pendant de nombreuses années pour sa mère. Même Charlotte avait tenu à assister à la cérémonie. Malgré leur divergence d'opinions concernant l'entrée en religion de la novice – Évelina avait fait part à Charlotte de son incompréhension à ce sujet à de multiples reprises –, la présence de cette dernière la touchait beaucoup. Un peu plus loin derrière, quelques dames patronnesses – dont Joséphine Jobin – se trouvaient dans l'assistance. Évelina aperçut également Victor et Arthur. Ludivine et Clovis occupaient un banc, ainsi que Georgina et sa mère. Fedora était assise près de Celio, son neveu, et d'une jeune femme habillée élégamment.

Il devait s'agir de la nouvelle flamme de l'Italien, dont Fedora lui avait parlé.

Évelina avait été particulièrement touchée par la proposition de Wlodek, qui avait suggéré de jouer quelques pièces de violon durant la cérémonie.

— J'appréciais beaucoup ta mère, Évelina. Elle me saluait toujours quand elle venait à l'hôpital pour ses réunions avec les dames patronnesses.

Évelina soupçonnait que sa mère avait éprouvé une passion passagère pour le beau Polonais, car elle s'était toujours montrée un peu trop avenante avec lui.

Wlodek jouait toujours du violon avec beaucoup d'intensité. Il en fut de même pendant les funérailles d'Ursule ; sa musique provoqua un grand émoi parmi l'assistance. Évelina se laissa porter par la musique tout en se remémorant les derniers moments vécus avec sa mère. Son seul regret était qu'elle avait beaucoup trop tardé à se réconcilier avec Ursule. Évelina s'épongea les yeux avec son mouchoir. Flavie, toujours aussi délicate, posa une main sur la sienne et lui adressa un sourire réconfortant. Simone se tenait prête à intervenir, elle aussi, si jamais Évelina s'effondrait. Celle-ci eut envie de pleurer en constatant que, malgré la perte de sa mère, elle n'était pas seule. Sa « véritable » famille se trouvait près d'elle pour la soutenir. Delvina et Bernadette lui avaient fait parvenir leurs condoléances et Antoine s'était excusé de ne pouvoir être présent ; il était beaucoup trop pris par les travaux de la ferme. Évelina comprenait cela, mais elle avait espéré jusqu'au début de la cérémonie qu'elle le verrait apparaître, remontant l'allée de l'église. « Je suis trop romantique, et probablement épuisée. De toute façon, Antoine a probablement mieux à faire avec sa Jeanne… » avait-elle songé amèrement.

Le service funéraire plutôt sobre contrastait avec la personnalité extravagante d'Ursule Richer. Évelina avait souhaité une cérémonie empreinte de douceur et de sérénité ; elle était presque certaine que sa mère aurait approuvé son choix. Le prêtre qui célébrait les funérailles fit abstraction de la vie tumultueuse de la défunte. « L'argent parvient à faire oublier beaucoup de choses », pensa avec amusement Évelina en écoutant l'hommage du prêtre à sa mère. Il vanta la grande générosité de celle-ci à l'égard de la paroisse et de ses paroissiens ; elle avait consenti de substantiels dons à l'église Sainte-Madeleine. Sa mère avait su se faire respecter, et ce, même par les religieuses et les hommes d'Église – ce qui n'était pas rien. Pour une fois, Évelina se sentit fière d'être la fille d'Ursule Richer.

* * *

Évelina ne pensait jamais qu'elle survivrait à tous ces examens ; elle attendait désormais avec anxiété les résultats. Les examens écrits nécessitaient une bonne préparation, mais avec de l'étude, la plupart des étudiantes se croyaient capables de les réussir. Toutefois, lors des examens pratiques, leur confiance était mise à rude épreuve ; des religieuses surveillaient et notaient leurs moindres faits et gestes. Comme toutes ses consœurs, Évelina avait craint le moment où elle serait évaluée. Nerveuse, elle avait tenté de contrôler les tremblements de ses mains lorsqu'elle avait fait une injection à un patient. Puis, elle avait failli faire tomber un plateau de déjeuner sur le lit d'un patient. Ces différents gestes qu'elle pratiquait tous avec une grande aisance s'étaient révélés laborieux en présence des religieuses qui l'évaluaient.

Souhaitant oublier ces derniers jours stressants et l'attente des résultats des examens, Simone, Flavie et Évelina étaient attablées au restaurant des Zheng. Elles terminaient un repas savoureux.

Simone avait insisté pour qu'elles sortent toutes les trois. Évelina s'était moquée de son amie quand elle avait proposé d'aller manger une bouchée avant de se rendre au cinéma de Paris pour assister à la représentation de *La Marseillaise* de Jean Renoir.

— J'ai trouvé ça presque louche que tu nous aies proposé cette sortie, toi qui, habituellement, trouves refuge dans tes bouquins !

— Vous étiez comme deux vrais paquets de nerf, Flavie et toi. Je me suis dit qu'un bon film français vous détendrait.

— Tu penses à tout, Simone ! s'émerveilla Flavie. C'est vrai que je suis un peu tendue ; ça me fait un bien fou de sortir avec vous deux. Il y avait si longtemps !

— Je n'ai jamais été aussi stressée de toute ma vie ! affirma Évelina en terminant sa tasse de thé.

— Pour une fille qui faisait son cours d'infirmière dans le but de se trouver un mari médecin, tu t'énerves beaucoup avec tes notes ! se moqua gentiment Simone.

— Justement ! Je suis toujours célibataire et je n'ai aucun candidat en vue.

Simone leva un sourcil. Elle regarda Flavie quelques secondes avant de lancer :

— Et Antoine ?

— Quoi, Antoine ? Ça fait des mois qu'on ne s'est pas vus, lui et moi !

— Peut-être que Flavie a des nouvelles, justement… Flavie ?

— Euh… eh bien, ça fait un petit bout de temps que je n'ai pas parlé à ma mère, mais il semblerait qu'Antoine passe encore beaucoup de temps avec Jeanne. Bernadette continue de penser qu'il va la demander en mariage…

Évelina déposa sa tasse, en se retenant de la fracasser sur la table. Fusillant Simone du regard, elle grommela entre ses dents :

— De quoi te mêles-tu, Simone Lafond ?

— Ne te fâche pas, Évelina ! Pardonne-moi d'avoir mentionné Antoine. Des internes et des médecins arriveront à la fin de l'été. Je te parie que l'an prochain à pareille date, tu auras la bague au doigt !

Les propos de Flavie avaient ébranlé Évelina. Flavie semblait désolée d'avoir parlé de Jeanne. Voulant alléger l'atmosphère, elle déclara :

— J'ai une grande nouvelle à vous annoncer ! Clément m'a fait la grande demande !

— Yé ! Je suis si contente pour toi ! s'écria Simone en se levant pour embrasser Flavie.

Évelina félicita son amie du bout des lèvres. Ni Flavie ni Simone ne remarquèrent son manque d'enthousiasme, beaucoup trop absorbées par leur « discussion nuptiale ». Elles poursuivirent leur conversation jusqu'au cinéma, parlant de leurs fiancés, de la chance qu'elles avaient que les deux hommes soient amis parce qu'ainsi, elles continueraient de se voir, même une fois mariées. Quand Simone avait suggéré d'organiser un mariage double, Évelina aurait aimé pouvoir se téléporter à des lieues du restaurant chinois. « Et c'est moi, la vieille fille qui vous servira de demoiselle d'honneur ! » Elle se sentit bien seule, cette soirée-là, avec ses doutes et ses regrets d'avoir peut-être perdu Antoine pour toujours.

15

Quelqu'un avait glissé sous la porte de la chambre les trois enveloppes contenant les résultats des examens de fin d'année. Simone avait déjà ouvert la sienne et semblait satisfaite de ses notes. Flavie et Évelina n'avaient pas encore osé décacheter les leurs.

— Si vous ne prenez pas votre courage à deux mains, les filles, vous ne saurez jamais si vous avez réussi ou pas, les encouragea Simone en brandissant sa propre feuille de résultats. Je suis certaine que vos résultats ressemblent aux miens… et vous avez devant vous une étudiante qui recevra son diplôme sous peu !

D'une main tremblante, Flavie ouvrit son enveloppe ; elle parcourut rapidement la feuille des yeux. Rien qu'à son sourire, Évelina devina que son amie avait réussi tous ses examens. Cette dernière savait qu'elle devait passer à l'action elle aussi, mais elle redoutait ce moment. Il lui semblait que la plupart de ses examens s'étaient bien déroulés, mais elle avait souvent souffert d'un manque de concentration durant cette période, ne cessant de penser à sa mère, à Antoine et à cette Jeanne, ainsi qu'à son avenir.

Elle n'aurait pas de soucis à se faire du côté de l'argent. Le notaire qui avait lu le testament d'Ursule l'avait rassurée sur ce point. Et Évelina avait été soulagée d'apprendre que sa mère ne possédait plus aucune maison close. Elle ne se serait pas vue diriger ce genre d'établissement.

Certes, grâce à la fortune que lui avait léguée Ursule, Évelina pouvait renoncer à devenir infirmière. Elle aurait amplement les moyens de subvenir à ses besoins sans travailler. Mais si, au début, elle avait voulu être infirmière dans le but de se trouver un mari médecin, ses intentions avaient changé au fil du temps. La pratique de la profession lui plaisait de plus en plus, et son bonheur d'être utile était désormais plus fort que son désir d'épouser un médecin.

Tenant fermement son enveloppe contre son cœur, elle n'avait pas encore trouvé le courage d'ouvrir celle-ci. Flavie, qui venait de recevoir les félicitations de Simone, s'approcha d'Évelina.

— Tu n'as toujours pas décacheté ton enveloppe, Évelina ?

Celle-ci secoua la tête puis tendit l'enveloppe à Flavie.

— Fais-le pour moi, veux-tu ?

Flavie attendit quelques secondes avant de saisir l'objet, afin de s'assurer qu'Évelina ne changerait pas d'avis. Ensuite, elle s'éloigna. Simone se pencha par-dessus son épaule pour prendre connaissance elle aussi des résultats d'Évelina. Celle-ci se tenait droite, parée à toute éventualité. Après tout, elle n'avait pas besoin de ce travail pour subsister. Elle avait un toit plus que confortable, car la maison rue Dunlop faisait partie de son héritage. Retenant son souffle, elle était déjà prête à renoncer à sa profession. Il n'était pas question qu'elle s'humilie et reprenne ses examens comme sœur Larivière le lui avait proposé. Si elle n'avait pas réussi, elle capitulerait – l'âme en peine –, point final !

Quand Flavie replia la feuille de papier, Simone s'écria :

— Il semblerait, Évelina, que tu vas continuer à «torchonner» tes patients. Avec un diplôme en main, cette fois-ci!

* * *

Simone avait tiré Évelina du lit beaucoup trop tôt, au goût de cette dernière. Encore endormie, la jeune femme s'était laissée convaincre de se joindre à Simone pour assister à la profession de foi de Charlotte. Les deux amies avaient bu un café en vitesse puis s'étaient dirigées vers le couvent des Sœurs grises, rue Guy. Assises dans la chapelle de l'Invention-de-la-Sainte-Croix, elles attendaient que la messe commence. La veille, Simone avait insisté pour qu'Évelina l'accompagne. Elle avait usé de ses meilleurs arguments: «Charlotte n'a pas eu de chance. Elle n'a pas de famille qui puisse la soutenir. Elle sera tellement heureuse de nous voir assister à sa prise de croix!» Évelina doutait qu'elles soient les bienvenues dans la chapelle habituellement réservée aux sœurs de la Charité, mais Simone avait trouvé une solution. «Il suffira de mettre nos uniformes. Personne ne refusera l'accès à deux infirmières en quête de prières!»

L'odeur de cire qui flottait dans le sanctuaire rappelait à Évelina ses années de pensionnat. La jeune femme détaillait d'un œil impressionné les vitraux de couleurs vives laissant entrer la lumière du matin. La tribune arrière logeait un orgue Casavant. Plusieurs religieuses assistaient à cette messe bien particulière qui marquerait l'introduction de nouvelles consœurs au sein de la communauté. Accompagné des deux prêtres en habits de chœur qui le seconderaient, l'officiant attendait l'arrivée des novices. Celles-ci ne tardèrent pas à faire leur apparition; elles tenaient chacune un cierge et étaient suivies des autres religieuses. Évelina distingua Charlotte parmi les novices lorsque celles-ci s'assirent aux places qui leur étaient assignées, devant la porte du sanctuaire. Les autres religieuses s'installèrent à leurs places respectives, selon leur rang. Pour sa part, la supérieure se plaça près des novices. Les religieuses, accompagnées par l'orgue, entamèrent un chant.

Évelina ne s'était jamais sentie à l'aise dans une église. Mais le son de l'orgue et des chants lui procuraient toujours un sentiment de plénitude. La jeune femme tentait de réprimer ses bâillements, se sentant perdue dans les prières en latin prononcées par l'officiant. Puis, ce dernier prit place dans un siège devant les novices. La supérieure et la maîtresse des novices invitèrent ces dernières à s'agenouiller devant lui au pied de l'autel. Le célébrant entreprit de leur poser les questions de la profession de foi, auxquelles les novices répondirent en chœur. Une fois quelques prières récitées, l'officiant, à l'aide de l'eau bénite, procéda à la purification des vêtements de tête avant de les remettre aux novices. Lorsqu'elles recevaient ces vêtements, ces dernières les embrassaient en signe de respect. Elles entraient ensuite dans la sacristie afin de revêtir leur nouveau voile.

Évelina suivait désormais avec curiosité la cérémonie. « Flavie manque vraiment quelque chose », se dit-elle en pensant à son amie qui travaillait à l'hôpital à cette heure-ci. Même si la cérémonie avait quelque chose de triste aux yeux d'Évelina – ces jeunes femmes tournaient volontairement le dos à la vie en devenant religieuses –, elle était fascinée par l'atmosphère qui régnait dans la chapelle. Avec les croix et les anneaux, le célébrant procéda de la même façon que pour les vêtements de tête ; il les bénit et les remit à chacune des novices agenouillées devant lui. Une fois cette étape terminée, l'officiant prononça plusieurs oraisons. Ensuite, les novices retournèrent en rang de deux s'asseoir à leur place sous les indications de la supérieure et de la maîtresse des novices. La cérémonie se clôtura par un

Te Deum entonné par les religieuses. Après l'action de grâce, les religieuses se retirèrent dans leur salle commune. En passant près de Simone et d'Évelina assises au fond de la chapelle, Charlotte leur adressa un sourire discret. Évelina suivit des yeux son amie qui portait désormais la robe grise à gros plis recouverte d'un court manteau sans manches et à capuchon noir. Une croix d'argent reposait sur la poitrine de la nouvelle religieuse. Évelina vit briller l'anneau à son doigt. Elle songea à l'ironie de la situation : même Charlotte portait une alliance !

* * *

Évelina était assise dans le couloir. Elle attendait patiemment son tour pour discuter de son avenir avec sœur Larivière. Toutes les nouvelles diplômées rencontraient de façon individuelle l'hospitalière en chef afin de décider quelle voie elles souhaitaient prendre avec leur diplôme d'infirmière.

Georgina, qui venait de sortir du bureau, indiqua à Évelina que la religieuse l'attendait. Cette dernière la remercia d'un signe de tête avant d'entrer dans la pièce. Sœur Larivière l'invita à s'asseoir, puis elle se mit à fouiller dans la pile de dossiers pour trouver celui d'Évelina.

— Comment allez-vous, mademoiselle Richer ?

— Bien, ma sœur. J'ai survécu aux examens !

Sœur Larivière lut les résultats obtenus par Évelina.

— Vous avez plutôt bien réussi, d'ailleurs ! Vous pouvez être fière, mademoiselle, d'autant plus que les dernières semaines ont été particulièrement difficiles pour vous. En fait, vous avez obtenu des résultats très satisfaisants. J'ai proposé à votre amie Flavie de poursuivre ses études dans le but de devenir hygiéniste. Savez-vous qu'une formation se donne à l'Université de Montréal ?

Flavie avait raconté à Évelina sa rencontre avec la religieuse. Flavie semblait séduite par l'idée d'assister les médecins spécialistes des maladies contagieuses et ceux des Gouttes de lait pour travailler avec la population, éduquer les mères et faire le tour des écoles pour l'inspection. Cependant, la seule pensée d'avoir à étudier encore pour obtenir une nouvelle certification décourageait Évelina.

La jeune femme se racla la gorge avant de répondre :

— Flavie est enthousiaste à cette idée, mais moi je ne suis pas certaine d'avoir envie de prolonger mes études. Même si j'ai réussi mes examens, je n'ai jamais beaucoup aimé étudier.

— Je comprends. Dans ce cas, que comptez-vous faire, mademoiselle ?

Évelina ne savait plus trop où elle en était. Même si elle avait obtenu son diplôme, elle n'avait pas de projet dans l'immédiat. Voyant que sœur Larivière attendait une réponse, la jeune femme se lança :

— Je pensais, pour le moment, travailler à l'hôpital. La succession de ma mère n'est pas encore réglée.

— Bien entendu ! Il y a toujours des postes à combler dans l'hôpital, et je suis certaine que les administrateurs seront heureux de vous compter parmi leurs nouvelles gardes diplômées. Prenez votre temps pour régler les affaires de votre mère. De toute façon, si, vous désirez devenir hygiéniste plus tard, ce sera encore possible.

Évelina hocha la tête avant de se diriger vers la porte. Juste avant qu'elle ne sorte du bureau, sœur Larivière lui souffla sur un ton de confidence :

— De toutes les étudiantes de votre groupe, vous êtes celle qui m'a le plus impressionnée. Plusieurs de mes consœurs doutaient des raisons pour lesquelles vous vouliez devenir infirmière, et certaines croyaient même que vous ne termineriez pas vos études. Pour ma part, j'ai toujours cru en vous. Je suis très heureuse que vous ayez obtenu votre diplôme, mademoiselle Richer.

Évelina remercia la religieuse avant de sortir. Elle flottait sur un nuage. Malgré ses nombreux doutes, elle était devenue une bonne infirmière !

* * *

Simone terminait son repas dans la salle à manger lorsque Évelina la rejoignit. Cette dernière s'installa en face de son amie avec son plateau.

— Flavie n'est pas avec toi ? demanda Évelina.

— Elle est sortie avec Clément, ce soir. Ils sont allés aux vues.

— Clément a réussi à se libérer ? Il tient ses résolutions, à ce que je vois !

— Il a promis à Flavie d'être plus présent. D'ailleurs, ça doit faire l'affaire de Bastien !

Évelina ricana avant de prendre une bouchée de ses carottes-bouillies-un-peu-trop-bouillies comme elle s'était toujours plu à appeler les légumes servis à l'hôpital. La jeune femme demanda à Simone si elle avait rencontré sœur Larivière.

— Nous y sommes toutes allées, je pense. Que vas-tu faire finalement ?

— Pour le moment, je lui ai dit que je préférais travailler ici. On verra plus tard. Et toi, Simone, que t'a-t-elle conseillé ?

— En fait, c'est plutôt moi qui lui ai fait une proposition. Paul a reçu une offre pour aller s'établir en Abitibi et je pense que je vais l'accompagner. Il travaillerait à l'hôpital de Rouyn. Peut-être que là-bas, les administrateurs engagent des infirmières mariées puisqu'ils manquent de personnel !

— Donc, vous allez vous marier prochainement ?

— On envisage de le faire avant de partir là-bas.

— Et c'est pour quand, cette grande expédition ?

Simone décida de ne pas relever le ton désobligeant d'Évelina.

— Cet automne, avant les grands froids. L'Abitibi a vraiment besoin d'un médecin.

— Et d'une infirmière aussi, par le fait même…

Évelina termina son assiette en silence. Simone avait deviné que quelque chose contrariait son amie. Elle allait lui demander ce qui la tracassait lorsque Charlotte arriva à leur table.

— Je voulais vous remercier toutes les deux d'être venues assister à ma profession de foi. Votre geste m'a beaucoup touchée.

— Ça nous a fait plaisir, n'est-ce pas, Évelina ? déclara Simone.

Évelina déposa sa fourchette et repoussa son plateau.

— Bien entendu, Simone! Mais je comprends encore mal cette envie d'entrer en religion. Charlotte, je n'arrive pas à saisir que tu aies librement choisi que ta vie soit régentée par le son d'une cloche à toute heure du jour. Malgré tout, je suis impressionnée par ta persévérance. Et je dois dire que ton nouveau voile te va à ravir; tu le portes beaucoup mieux que sœur Désu… Désilets, si tu veux mon avis.

— Ne te gêne pas, Évelina. Je sais que tu l'as toujours appelée sœur Désuète. Ce n'est un secret pour personne!

Évelina recula sur sa chaise. Elle avait toujours fait très attention de ne pas utiliser le surnom devant d'autres personnes que Flavie et Simone. Craignant d'avoir offusqué Charlotte, elle s'excusa.

— Ce n'est rien! la rassura Charlotte. Ce n'est pas parce que je suis maintenant une véritable Sœur grise que je ne peux plus m'amuser!

Elle éclata de rire avant d'ajouter:

— Je vous laisse, mesdemoiselles, je dois rentrer. Je penserai à vous dans mes prières!

Après le départ de Charlotte, Simone essaya de savoir ce qui tracassait Évelina.

— Tu devrais être heureuse d'avoir réussi, Évelina. Nous recevrons nos diplômes sous peu et nous deviendrons de véritables infirmières!

— Mais je suis heureuse, Simone! À la seule idée que les longues heures d'études soient terminées, je me réjouis, crois-moi!

— Pourtant, tu parais triste et abattue. Je ne comprends pas, car tu es certaine d'obtenir un poste. Sœur Larivière te l'a dit.

— Oui mais, plus j'y pense, moins j'ai envie de me retrouver seule ici. Toi en Abitibi et Flavie prise avec son cours d'hygiéniste, les soirées seront longues dans ma grande maison de la rue Dunlop. Même Wlodek fuit notre bel hôpital. Il est venu me saluer un peu plus tôt. Il part dans quelques jours pour le Manitoba.

— Tu n'aurais pas été heureuse avec lui, Évelina.

— Je le sais, Simone ! Je n'ai aucun regret. Tout ce que je dis, c'est que je vais me retrouver ici toute seule.

Décelant de la nostalgie dans les propos d'Évelina, Simone tenta de rassurer sa compagne.

— Tu vas me manquer aussi. Mais on s'écrira. Et puis, ce n'est pas comme si l'Abitibi était au bout du monde.

— Pour moi, ça l'est.

Évelina pencha la tête afin de retenir ses larmes. « Je suis beaucoup trop émotive, ces jours-ci. »

— Et Antoine dans tout ça ?

— Quoi, Antoine ? Il est sûrement fiancé maintenant et prépare son mariage avec sa chère Jeanne.

— Flavie m'a dit que les choses n'avaient pas bougé pour lui. Antoine continue à faire ses fromages, et il semblerait que Jeanne soit de moins en moins présente dans les parages…

Évelina leva la tête. Simone avait attiré son attention.

— Quand feras-tu les premiers pas, Évelina Richer? Tu ne trouves pas que ça a assez duré, ce niaisage-là? Pourquoi ne dis-tu pas à Antoine que tu penses toujours à lui, que tu le vois dans ta soupe?

— Tu penses que j'ai encore une chance avec lui?

— Si tu ne le lui demandes pas, tu ne le sauras jamais! Penses-y! Et ne perds pas de temps!

Simone prit son plateau et quitta la table. Évelina se souvint alors de l'une des dernières conversations qu'elle avait eues avec sa mère. Celle-ci avait péniblement prononcé cette phrase: «Ne perds pas de temps...» La coïncidence était trop forte. Il n'était peut-être pas trop tard, après tout...

* * *

La voiture conduite par Arthur arriva à la hauteur de la maison en brique rouge des Prévost. La pluie avait cessé, mais le temps était encore lourd; les nuages semblaient prêts à déverser leur trop-plein à tout moment. Arthur arrêta la voiture et toussota avant de dire à Évelina de prendre tout son temps.

— Je ne serai pas longue, Arthur, affirma-t-elle.

— Je ne suis pas pressé, mademoiselle Évelina. Monsieur Victor n'a pas besoin de mes services aujourd'hui. Je me suis apporté un journal et j'ai suffisamment de cigarettes pour passer le temps.

Évelina lui sourit avant de refermer la portière. Elle aurait bien volontiers fumé une cigarette pour se calmer. Prenant une profonde inspiration, elle se dirigea vers la maison, prête à affronter le ressentiment de Bernadette qui désapprouverait certainement sa présence ici. Après avoir frappé discrètement à la porte, elle entendit la voix mélodieuse de Delvina qui l'invitait à entrer. Évelina franchit le seuil de la porte. Dès qu'elle vit la visiteuse, la vieille femme essuya ses mains sur son tablier et vint à sa rencontre.

— Évelina! Quelle belle surprise!

Une lueur d'inquiétude passa dans les yeux de Delvina.

— Il n'est rien arrivé à Flavie, toujours?

— Bonjour, Delvina! Non, rassurez-vous, Flavie va bien.

Parcourant la cuisine des yeux, Delvina répondit avant même qu'Évelina ne la questionne.

— Je suis toute seule. Bernadette est au village… Mais j'imagine que tu n'es pas venue jusqu'ici pour nous voir?

Delvina lui fit un clin d'œil avant de préciser:

— Antoine est à la fromagerie.

Évelina souffla un rapide «merci» avant de sortir de la maison. Elle traversa avec hésitation la cour en direction du bâtiment qui abritait la fromagerie d'Antoine. Elle commençait à regretter son coup de tête de ce matin-là de venir à La Prairie entre deux corvées. Simone l'avait assurée qu'elle la remplacerait si elle revenait trop tard de son escapade. L'hésitation d'Évelina venait du fait qu'elle n'avait aucune idée de la façon dont Antoine la recevrait. Peut-être arrivait-elle trop tard? Pire, il était peut-être avec Jeanne à la fromagerie, et travaillait côte à côte avec elle auprès de ses chers fromages! «Delvina me l'aurait dit si Jeanne était là», s'encouragea-t-elle.

Elle entra dans le bâtiment. L'odeur de lait et l'humidité des lieux lui parurent moins repoussants que d'habitude. Elle

chercha des yeux Antoine. Elle le vit de dos ; il semblait s'affai-
rer à frotter et à laver ses meules de fromage.

Pendant quelques secondes, elle admira les épaules musclées
du jeune homme, puis elle contempla ses bras. Elle avait rêvé
de s'y blottir durant tout le trajet de Montréal à La Prairie. Le
doute l'assaillit de nouveau. Au moment où elle allait tourner
les talons et repartir, Antoine se retourna car il se sentait
observé. La surprise qu'Évelina lut sur son visage et le sourire
dont il la gratifia rassura la jeune femme.

En quelques enjambées, Antoine arriva à sa hauteur.

— Ah ben ! De la belle visite ! Tu en as mis du temps avant
de te décider à venir à La Prairie !

— Pourquoi étais-tu certain que je viendrais ?

— Je ne sais pas. Une intuition peut-être ?

— C'est typiquement féminin d'avoir des intuitions,
Antoine. Je pense que Flavie a probablement quelque chose à
voir avec ton « intuition ».

— Peut-être !

— C'est elle qui te l'a dit ?

Antoine demeura silencieux, un sourire moqueur sur les
lèvres. Évelina se demandait si c'était Flavie qui l'avait averti
de sa visite éclair à La Prairie. Après tout, Simone aussi était
au courant, et Arthur et Victor également... Tout compte
fait, Flavie avait très bien pu apprendre qu'elle se rendait à
La Prairie et téléphoner à Antoine pour le prévenir ! Pendant
qu'Évelina réfléchissait, Antoine s'était rapproché légèrement
d'elle. Évelina recula. La jeune femme s'adossa à la porte pour

éviter de faire ce dont elle avait tant envie depuis qu'elle avait franchi la porte de la fromagerie : se jeter dans ses bras.

— Je suis désolé de ne pas avoir pu assister aux funérailles de ta mère. Je t'offre mes plus sincères condoléances, Évelina.

Mais Évelina n'était pas venue jusque-là dans ce but ; elle ne se laissa donc pas émouvoir. Elle réitéra sa question :

— Comment as-tu su que je venais à La Prairie ?

— Peu importe la manière dont je l'aie appris. Je suis heureux que tu sois ici, Évelina.

— Ah ! Ah ! C'est Flavie qui t'a prévenu !

— Qu'est-ce que ça change ? Et puis, non, ce n'est pas Flavie.

Simone ! Celle-là allait en entendre parler ! Évelina, contrariée, croisa les bras. Antoine la détaillait d'un sourire amusé, les mains dans les poches.

— J'ai l'impression que tu as changé, Évelina. Peut-être as-tu finalement trouvé ce que tu cherchais ? Tu sembles en paix avec toi-même.

L'assurance d'Antoine la déconcertait toujours. Essayant de faire preuve de désinvolture malgré son envie irrésistible de se blottir dans les bras de son interlocuteur, Évelina parcourut la fromagerie des yeux.

— Ta Jeanne n'est pas ici ?

Antoine réprima son envie de rire.

— Tu voulais la voir ?

— Non, pas vraiment! J'imagine seulement qu'une fille comme elle s'arrange toujours pour être près de son homme...

— Je ne suis pas «son» homme, Évelina.

— Pourtant, j'ai entendu dire le contraire. Il paraît même que tu t'apprêtes à la demander en mariage.

— Je ne sais pas d'où tu tiens tes informations.

«Penses-tu vraiment que je vais te le dire, Antoine Prévost?» se retint de crier Évelina, un brin énervée par l'air suffisant du jeune homme.

— Ça ne prend pas la tête à Papineau pour comprendre que Jeanne tient une grande place dans ta vie.

— Jeanne est une amie d'enfance, Évelina. Il n'a jamais été question qu'on se marie, elle et moi.

— Ah non? Pourtant, ta mère semblait certaine que ce mariage se ferait avant les fêtes!

Évelina se rendit compte qu'elle en avait trop dit. Antoine sortit les mains de ses poches.

— Serais-tu jalouse, Évelina?

— Moi, jalouse d'une fille de ferme? Voyons donc!

— Tu ne m'as toujours pas dit ce que tu étais venue faire à La Prairie, un jour de semaine?

À présent, Évelina n'était plus certaine que le déplacement en avait valu la peine. Elle ne trouvait pas les mots pour expliquer à Antoine ce qui l'avait conduite ici. De toute façon, il se moquerait certainement d'elle. Elle s'apprêtait à partir quand il lui prit la main.

— Pourquoi es-tu ici, Évelina? Est-ce que tu es enfin prête à me dire que c'est moi, et uniquement moi, que tu veux?

Évelina ferma les yeux. Elle sentait le souffle d'Antoine dans ses cheveux. Il était indéniablement beaucoup trop sûr de lui et surtout, il lisait en elle comme dans un livre ouvert!

— Et si c'était effectivement pour cette raison, qu'est-ce que tu dirais?

— J'ai tellement attendu ce moment, Évelina! J'ai bien cru que jamais tu ne te déciderais.

— J'ai fait du ménage dans ma vie, comme tu me l'avais conseillé. Et aujourd'hui, je suis là, Antoine. Si tu crois que notre histoire est possible…

Antoine ne la laissa pas terminer. Pour toute réponse, il l'attira vers lui et l'embrassa.

* * *

La journée tant espérée par les étudiantes était enfin arrivée, et elle s'annonçait ensoleillée. La remise des diplômes était le couronnement de toutes ces années d'efforts. L'excitation des étudiantes de troisième année était perceptible dans les couloirs de la résidence des infirmières. Encore une fois, Simone avait été sollicitée pour organiser cet événement bien singulier. Tout comme l'année précédente, un pique-nique était prévu après la remise formelle des diplômes. Évelina, qui avait rêvé à ce jour et à la robe de cotonnade qu'elle porterait après la cérémonie, avait été déçue d'apprendre que les étudiantes n'auraient pas le temps de se changer après la remise des diplômes puisqu'elles étaient attendues au parc La Fontaine pour le pique-nique. Pendant que Simone et Flavie se préparaient, Évelina s'habillait à contrecœur.

— Je ne peux pas croire qu'on sera obligées de porter notre uniforme après la remise des diplômes. Franchement ! On a le temps d'aller se changer juste avant le pique-nique !

— C'était aussi comme ça l'an dernier, Évelina, tu ne t'en souviens pas ? s'enquit Simone, légèrement impatiente.

— Je le sais bien ! Mais le comité organisateur aurait pu faire exception cette année ! Je voulais porter ma nouvelle robe lavande, moi ! En plus, Antoine m'a dit qu'il serait là.

— Ah ! Ça explique tout !

Flavie termina d'ajuster sa coiffe et se tourna vers Évelina.

— Raison de plus pour porter ton uniforme, Évelina. Mon frère sera impressionné de te voir avec ta coiffe.

— Tu penses ?

Évelina se mira dans la glace en lissant les plis de sa jupe. Elle avait quand même fait l'effort d'enfiler un uniforme propre et un peu plus empesé que d'habitude. Elle voulait faire bonne figure auprès d'Antoine. Peut-être que Flavie avait raison, après tout.

— Une bonne infirmière se doit de porter l'uniforme en toutes circonstances ! lança Simone sur un ton amusé.

Évelina lui tira la langue avant d'appliquer son rouge à lèvres. Fébrile à l'idée de revoir Antoine, elle décida de faire abstraction de sa tenue. Le jeune homme lui avait téléphoné au début de cette semaine-là – d'ailleurs, tous deux essayaient de s'appeler le plus souvent possible depuis la visite impromptue d'Évelina à La Prairie – pour lui dire qu'il assisterait à la remise des diplômes en compagnie de sa mère et de sa grand-mère.

Antoine et Évelina avaient convenu qu'elle travaillerait pendant un an à l'hôpital et qu'après, ils se marieraient. La fromagerie d'Antoine serait agrandie ; Évelina contribuerait financièrement au projet. Et dès que les travaux seraient terminés, Antoine ferait construire une maison tout près pour que le couple s'y installe. Cela donnerait le temps à Évelina de régler la succession de sa mère. Après la fin de son contrat à l'hôpital, elle irait rejoindre Antoine. Ensuite, elle se laisserait le temps de s'habituer à la nouvelle vie qui se dessinerait devant elle. « Fromagère, ça sonne plutôt bien ! »

Simone la rappela à l'ordre.

— Es-tu parée ? Je dois vérifier que tout est prêt avant que la cérémonie commence.

— Après une dernière vérification de mes ongles, je le serai, déclara Évelina en détaillant le bout de ses doigts. Une infirmière – diplômée, à part ça – se doit toujours d'avoir une manucure parfaite !

— Tu ne changeras jamais, Évelina ! soupira Simone en souriant.

— Flavie et toi, vous m'aimez comme ça, de toute façon !

* * *

Encore fébriles car la cérémonie venait tout juste de se terminer, Évelina, Simone et Flavie reçurent les félicitations de sœur Désuète. Celle-ci essuya discrètement une larme au coin de son œil.

— Je vous souhaite la meilleure des chances, mesdemoiselles. Vous serez toujours les bienvenues au sein de notre établissement, ajouta-t-elle à l'intention de Flavie et de Simone, qui quitteraient l'endroit sous peu. L'hôpital peut être fier de votre présence parmi nous, mademoiselle Richer. Les meilleures infirmières de la province sont formées dans notre bel hôpital et deviennent des ambassadrices de notre grande expertise. Je conclurai en disant qu'une bonne infirmière a forcément reçu sa formation à Notre-Dame !

Sœur Désuète les quitta ensuite. Les trois amies, encore surprises par la pointe d'humour de la religieuse, furent rejointes par Victor qui tenait à les féliciter.

— Je suis si fier de vous trois qui avez su persévérer.

Puis, il tendit à chacune une petite boîte en expliquant en quoi consistait son cadeau.

— Je vous ai acheté un petit médaillon au dos duquel j'ai fait graver votre prénom pour souligner l'obtention de votre diplôme et, surtout, cette belle amitié qui vous lie toutes les trois. Quand vous serez séparées, vous saurez que les deux autres portent le même médaillon ; ainsi, vous resterez unies malgré la distance.

Les trois amies contemplèrent leur bijou. Flavie et Évelina se jetèrent au cou de Victor. Simone essuya une larme et remercia le père de son amie d'une voix empreinte d'émotion.

Delvina, Bernadette et Antoine vinrent féliciter les nouvelles diplômées à leur tour. Delvina donna une chaleureuse accolade aux amies de sa petite-fille. Antoine se contenta d'embrasser Évelina sur la joue devant sa mère. Bernadette jeta un regard désapprobateur à son fils, puis elle félicita Évelina du bout des lèvres. « C'est peut-être gagné pour la grand-mère, le fils et la belle-sœur, mais pas encore pour la belle-mère… pensa Évelina. Je saurai bien me tailler une place dans son cœur », se promit-elle en suivant Antoine à l'ombre d'un gros érable du parc La Fontaine.

Après avoir jeté un regard tout autour pour être certain que sa mère ne les voyait pas, sa dulcinée et lui, Antoine embrassa Évelina avec un peu plus de fougue, cette fois-ci.

— Félicitations, garde Richer ! Vous avez fière allure dans votre uniforme !

« Flavie avait raison ! » songea Évelina.

— Je suis vraiment heureuse que tu aies pu te libérer pour assister à la remise des diplômes.

— Je ne voulais pas manquer ça. Et puis, sincèrement, je m'ennuyais de toi !

— Comment feras-tu l'année prochaine pour survivre seul à La Prairie ?

— Je vais t'espérer et je vais nous construire une magnifique maison pour que tu sois bien installée. Je connais ça, moi, des « madames » de la ville. Ça veut du luxe !

Évelina lui fit un clin d'œil avant de le relancer.

— Peut-être que si le « monsieur » de la campagne avait un « char », il pourrait rendre visite à la « madame » plus réguliè-rement ? Ma mère avait une automobile dans son immense garage. Ça te dirait de la prendre ? Je n'en aurai pas besoin et, de toute façon, il va falloir que tu m'apprennes à conduire parce que je ne connais rien à ces machines-là, moi.

— Quelle bonne idée ! Je prendrai grand soin de l'auto et je pourrai venir te voir plus souvent. Et je ne serai plus obligé d'emprunter la Ford du voisin. Tu vas voir, Évelina, je vais te faire une belle vie et tu ne regretteras pas de laisser la ville pour t'installer à la campagne.

Évelina en était convaincue. Avec Antoine, elle déménage-rait n'importe où… même au Manitoba !

* * *

Flavie avait donné rendez-vous à ses deux amies dans la buanderie un peu avant le couvre-feu. À leur arrivée, elle leva une couverture ; celle-ci dissimulait un flacon de gin. Devant le regard étonné d'Évelina et de Simone, elle expliqua :

— J'ai demandé à Arthur de m'apporter ce flacon en venant conduire Victor à la cérémonie. J'avais envie de trinquer une dernière fois dans ce lieu en souvenir du bon vieux temps !

— Est-ce que c'est l'obtention de ton diplôme qui te pousse à la délinquance ? la taquina Évelina.

Flavie lui fit un clin d'œil et dévissa le bouchon du flacon.

— Je porte un toast à nos années d'études ! Et à tous les sacrifices que nous avons faits pour atteindre notre but !

Évelina sourit. Son but premier en venant étudier à l'hôpital Notre-Dame avait été de se trouver un mari médecin. Au lieu de cela, elle avait connu deux amies sincères et elle repartait avec un diplôme en main et une promesse de mariage avec l'homme le plus formidable de la terre.

Simone saisit la bouteille et en prit une gorgée.

— Je porte un toast à notre amitié. Sans vous deux, je me serais perdue bien des fois. Vous m'avez appris qu'il faut toujours faire confiance à la vie. Votre amitié est précieuse pour moi.

Évelina prit le flacon à son tour et avala une rasade.

— Je porte aussi un toast à notre amitié. Et je fais le serment que, peu importe ce qu'il adviendra, nous serons toujours là les unes pour les autres.

Flavie et Simone acquiescèrent aux propos d'Évelina avant de boire un peu de gin pour sceller l'accord. Elles avaient fait le pacte de terminer leurs études avant de se marier et désormais, elles venaient de se promettre de rester amies pour la vie.

* * *

Flavie, Simone et Évelina achevaient de boucler leurs bagages. Elles devaient libérer la chambre de la résidence pour laisser la place aux étudiantes qui s'installeraient à la fin de l'été. Les trois compagnes s'activaient en silence, le cœur rempli de nostalgie. Elles étaient perdues dans leurs pensées et dans les souvenirs de ces trois années d'études.

Flavie revoyait son arrivée à l'école d'infirmières. Elle avait douté de nombreuses fois d'avoir fait le bon choix en quittant sa famille pour venir étudier à Montréal. Un léger sourire se dessina sur ses lèvres en se remémorant sa rencontre avec Simone dans cette même chambre puis, le lendemain de son arrivée, avec la colorée Évelina. Grâce à elles, Flavie avait découvert le vrai sens du mot *amitié*. Elle eut une pensée pour Robin, parti trop tôt, et aussi pour Léo qui devait se trouver alors en Angleterre. Puis, elle pensa à Clément qu'elle épouserait dès qu'elle aurait terminé son cours d'hygiéniste. Victor lui avait proposé d'habiter chez lui le temps qu'elle poursuivrait ses études. Trop heureuse de se rapprocher de son père, Flavie avait accepté avec enthousiasme. Son avenir s'annonçait prometteur; le travail d'hygiéniste à la Ville de Montréal lui paraissait être une des meilleures façons de contribuer à la prévention des maladies infantiles et à l'éducation des familles. Sœur Larivière lui avait laissé sous-entendre que les infirmières-hygiénistes bénéficiaient d'une plus grande autonomie. Mais les responsabilités s'avéraient nombreuses dans cette profession. Toutefois, les défis ne faisaient pas peur à Flavie, d'autant plus que Clément avait promis de l'épauler dans ses projets.

Simone venait de refermer sa valise. Pendant quelques secondes, elle parcourut la chambre du regard afin d'ancrer dans sa mémoire tous les moments vécus au sein de l'hôpital. Le premier souvenir qui lui venait était sa rencontre avec ses deux amies. Si Évelina l'avait agacée un peu au début avec ses manières et sa désinvolture, elle s'était rapidement attachée à la jeune femme. Simone avait toujours su qu'elle pouvait compter sur Flavie, mais Évelina lui avait prouvé qu'elle aussi était une amie sincère en l'aidant lors de son avortement. Simone eut une brève pensée pour ce moment bouleversant où elle avait eu peur de devoir remettre ses études à plus tard. Évelina et Flavie l'avaient soutenue tout au long de cette terrible épreuve. Chassant de son esprit ces moments difficiles, elle pensa à Paul. Ce dernier s'était révélé un ami sincère, toujours présent pour elle ; il avait rapidement occupé une place particulière dans son cœur. «Moi, la maîtresse d'école, je vais me marier !» songea-t-elle, le sourire aux lèvres. Elle était vraiment heureuse d'avoir persévéré dans son choix de carrière, malgré la harcelante Suzelle Pelletier et sœur Désuète qui surveillaient constamment ses moindres faits et gestes. Avec un pincement au cœur, elle regarda la machine à écrire posée sur son bureau. Elle la rapporterait au local de *L'Antenne de Notre-Dame*. Une étudiante lui succéderait pour écrire les articles du journal étudiant. Simone s'était promis d'économiser afin de s'acheter une machine à écrire. Elle projetait d'écrire sur son expérience en Abitibi quand Paul et elle seraient installés là-bas. Partir pour les nouveaux territoires colonisés était la solution idéale pour une infirmière mariée puisqu'elle pouvait assister son mari dans ses fonctions.

Évelina, quant à elle, venait de déposer sa valise sur le sol. Elle s'assit quelques minutes sur son lit. Elle jeta un coup d'œil en direction de Flavie et de Simone. « Elles vont tellement me manquer toutes les deux ! » Avec Antoine dans sa vie, elle verrait plus souvent Flavie que Simone. Mais les trois amies s'étaient juré que rien ne les séparerait, et ce, même si l'Abitibi était au bout du monde. Évelina était consciente qu'avec le décès de sa mère, il ne lui restait que Flavie et Simone comme famille ; elle tenait à préserver ces liens d'amitié coûte que coûte. Ses deux amies l'avaient toujours acceptée comme elle était : un peu étourdie, un peu grognonne aussi. Elles l'avaient aidée à donner le meilleur d'elle-même. La jeune femme songea à l'année rocambolesque qu'elle venait de vivre ; elle qui se désespérait de trouver un mari avait finalement eu droit à deux demandes en mariage qu'elle avait refusées pour, finalement, se tourner vers Antoine, celui qui avait su voir la « vraie Évelina ». « C'est comme un retour aux sources ! pensa-t-elle en souriant. Moi, sur une ferme, qui frotterai des fromages ! Qui aurait dit ça ? » Évelina avait envie de tenter l'expérience de travailler en tant que garde diplômée pendant un an avant de quitter Montréal, une fois pour toutes. « Fini le torchonnage ! Je reléguerai ça aux petites nouvelles ! » s'était-elle promis en acceptant le poste que sœur Larivière lui avait proposé. Elle prendrait garde de ne pas imiter Suzelle Pelletier, mais elle entendait bien faire valoir son grade auprès des étudiantes.

Évelina toucha le médaillon que Victor lui avait offert, sous le regard de Flavie et de Simone qui posèrent ensuite le même geste. Évelina regarda attentivement la chambre une dernière fois avant de saisir sa valise. Contenant difficilement ses larmes, Flavie s'exclama d'une petite voix :

— Espérons que les trois nouvelles qui s'installeront ici auront autant de chance que nous durant leurs années d'études.

— Je le souhaite aussi, souffla Simone.

— Franchement! C'est presque impossible que des filles aussi exceptionnelles que nous puissent se retrouver entre ces murs!

— Encore une fois, la modestie ne t'étouffe pas, Évelina! la sermonna Simone en se retenant d'éclater de rire.

— Ben quoi? Vous m'aimez comme ça, n'est-ce pas?

— C'est certain… déclara Simone. Et puis, qu'est-ce qu'on ferait sans toi, Évelina?

— Vous ne pourriez tout simplement pas survivre une seconde!

— Tu as bien raison! reconnut Flavie en prenant Évelina par le coude avant de quitter la chambre.

— Allons vers notre destinée, mesdemoiselles! Une bonne infirmière se doit de ne jamais craindre l'avenir!

Remerciements

À vous, mes lecteurs et lectrices, qui prenez le temps de m'envoyer vos commentaires et de venir me saluer lors des salons du livre. Vous me donnez de l'énergie pour vous écrire encore de nombreuses histoires!

Un merci spécial à Vicky Chabot pour sa grande patience et parce qu'elle est ma première lectrice et ma correctrice personnelle!

À mon éditeur Daniel Bertrand ainsi qu'à toute l'équipe des Éditeurs réunis. Merci de votre confiance!

Mon dernier remerciement (et non le moindre) va à mes trois amours; Louis, Rosalie et Félix, qui me soutiennent inconditionnellement dans mes moments de doute…